Mudaÿÿan

Mudaÿÿan

Arlette Geneve

TERCIOPELO

Novela ganadora del VI Premio de Novela Romántica Terciopelo

© 2012, Arlette Geneve

Primera edición: mayo de 2012

© de esta edición: Roca Editorial de Libros, S. L.
Av. Marquès de l'Argentera, 17, pral.
08003 Barcelona
info@terciopelo.net
www.terciopelo.net

Impreso por Egedsa
Roís de Corella 12-16, nave 1
Sabadell (Barcelona)

ISBN: 978-84-15410-14-0
Depósito legal: B. 6.390-2012
Código IBIC: FRH

IRA Y FUEGO

Prólogo

Palacio Mudaÿÿan. Emirato de Batalyaws[1]

*D*ulce Álvarez seguía los pasos de Kamîl con adoración en sus ojos castaños.

Se encontraba sentada junto a su hermano Miguel en la gruesa alfombra frente al hogar encendido. Las lenguas juguetonas de la lumbre hacían brillar las pupilas infantiles como si fuesen oro líquido, y dibujaban sombras que parecían alas de mariposas revoloteando en las mejillas, pómulos que en ese momento estaban teñidos de rosa claro por la excitación.

Kamîl regresó con un cuenco y un paño. Miguel Álvarez le dio un codazo cariñoso a su hermana para que cerrara la boca. Como compensación, Dulce le obsequió con un gesto infantil.

—Hay que hacer el juramento —dijo Kamîl con rostro serio.

Miguel y Dulce hicieron un gesto afirmativo con la cabeza.

—Y seremos hermanos de sangre toda la vida —añadió convencido.

—Dulce llorará, es demasiado pequeña —sentenció Miguel, que no le quitaba la mirada a su hermana, que a su vez no apartaba la suya de la preciosa daga afilada que descansaba entre ella y Fátima, la hermana mayor de Kamîl.

La brillante hoja relucía amenazadora desde su posición en la gruesa alfombra.

---

1. Actualmente, la ciudad de Badajoz.

—¡No lo haré! —protestó la pequeña con voz enérgica. Kamîl dirigió sus ojos negros hacia la chiquilla, que miraba a su hermano con gesto ceñudo—. No tengo miedo.

—Cada vez que veis la sangre os desmayáis —le recordó Miguel con voz burlona.

Dulce hizo un puchero como respuesta.

—En esta ocasión será diferente, es pequeña pero muy valiente —respondió Fátima con una sonrisa en sus ojos negros.

Kamîl cerró el círculo cuando se sentó entre ambos hermanos. Depositó el cuenco lleno de agua y pétalos de rosas en el centro, junto al paño blanco. Cogió con sumo cuidado la daga con incrustaciones de gemas preciosas en la empuñadura de marfil. Miró a su hermana de frente, quien le hizo un gesto afirmativo con la cabeza, y besó la hoja de acero con sumo respeto.

Miguel ansiaba un arma parecida, pero su padre, el conde de Arienza, era demasiado protector y severo al respecto. Lo más cercano que poseía a un arma de verdad era una espada de madera con la que se entrenaba para ser, en el futuro, un valiente y preparado conde como su padre.

Kamîl se hizo un corte largo y limpio que cruzaba la palma de su mano izquierda. Cuando la sangre comenzó a gotear encima del cuenco lleno de agua, le pasó la daga a su amigo Miguel, que la tomó sin un asomo de duda.

Dulce cerró los ojos y se prometió que sería un instante. Cuando sintió el codazo de su amiga, los abrió y los fijó en la herida púrpura que tenían ambos niños en sus palmas y, entonces, el brillo del filo de la daga manchado de rojo le pareció perverso.

—Es demasiado pequeña —reiteró Miguel a Kamîl.

Dulce apretó la boca al escuchar la crítica de su hermano. Los seis años de diferencia no eran un detalle que le importara porque no le parecía significativo. Ella era tan valiente como Kamîl, Miguel y Fátima, y pensaba demostrarlo enseguida. Cogió, con cierta vacilación, la daga que había extendido su hermano hacia ella. El mango era demasiado grande para sostenerlo, pero Kamîl acudió en su ayuda y le sujetó la mano izquierda para que no temblara.

—No tengáis miedo —le aconsejó con una sonrisa franca—. El corte solo escocerá un poco al principio.

Dulce sujetó el mango con fuerza y clavó la punta en el centro de la palma. El corte resultó demasiado profundo. Gritó por el dolor que ella misma se había infligido, pero Kamîl apretó su palma a la de ella para que la sangre de ambos se mezclara.

—¡Juro que seré vuestro hermano hasta la muerte y os protegeré con mi vida! Esta es mi promesa —recitó Kamîl con voz serena.

Dulce seguía gimiendo por el dolor que la fricción de ambas heridas le provocaba. Sintió vergüenza porque había prometido no gritar, y había incumplido su juramento.

Kamîl soltó la mano de ella y se dio la vuelta hacia su amigo.

Miguel extendió su brazo hasta unir su palma con la de Fátima al mismo tiempo que le ofrecía el mismo juramento que le había hecho Kamîl a Dulce.

Cuando miraron a la pequeña, comprobaron que la niña se había desmayado, tal como había vaticinado Miguel, y se inclinaron hacia ella para atenderla. Un segundo después, Kamîl salía de la estancia como alma que lleva el diablo para buscar ayuda. La herida de la pequeña era demasiado profunda.

Adnan Ibn Farid miró al conde de Arienza mientras bebía un sorbo largo de su té especiado. Álvaro Rodríguez tenía en el rostro una expresión severa y, aunque no le incomodaban las noticias que traía el conde, la amistad que unía a ambos hombres logró que no las tuviera en cuenta.

—El rey castellano juega con fuego, y ninguno de sus hombres de confianza tiene el suficiente temple para mostrárselo —dijo Adnan con tono severo aunque con cierta cautela.

Álvaro cerró los ojos durante unos segundos con gesto de cansancio.

El viaje hasta el emirato de Batalyaws había resultado desesperanzador. Disfrutaba de encontrarse con su amigo y lo visitaba al menos una vez al año. De este modo, se aprovisionaba de especias y sedas para su hogar. Pero la actuación del rey de Castilla podía cambiar años de amistad y confianza. Alfonso VIII había firmado en Carrión de los Condes el Fuero de Villasila y Villamelendro. Y tras fundar la ciudad de Plasencia con intención de unificar a la nobleza castellana, había establecido una alianza con los reinos cristianos de León, Navarra y Aragón, con la intención clara de conquistar las tierras ocupadas por los almohades. Dos años después, se había reunido en Carrión de los Condes con su primo Alfonso IX, quien acababa de suceder a su padre, Enrique, como rey de León. Ambos monarcas firmaron un acuerdo de buena voluntad.

—¡El rey Alfonso de Castilla no tiene honor!

Álvaro sabía que Adnan Ibn Farid se refería al pacto que había roto el rey Alfonso al invadir León y hacerse con varias plazas como Valencia de don Juan y Valderas. De este modo había iniciado un periodo de hostilidades con su primo, a quien los almohades observaban con suma atención desde el sur.

—El acuerdo de vuestro rey no ha sentado muy bien a nuestro califa. —El suspiro profundo de Álvaro se tornó en preocupación por las palabras de su amigo—. Estamos convencidos de que Alfonso piensa romper la tregua que mantenemos.

—Juzgáis con demasiada severidad, amigo mío. Nuestro rey no es tan temerario como para no escuchar a sus consejeros —se aventuró a decir el conde.

Adnan Ibn Farid hizo un gesto negativo con la cabeza. La impulsividad del rey era conocida en el resto de los reinos cristianos y califatos musulmanes.

—Abu Yaqub Yusuf al-Mansur se mantiene informado de todo. Está reuniendo al ejército desde el norte de África para cruzar el estrecho con la intención de desembarcar en Tarifa.

Las noticias eran peores de lo que Álvaro había supuesto, pero no pudo responderle por la entrada intempestiva del hijo y primogénito de su amigo: Kamîl. El muchacho tenía el rostro descompuesto.

—La pequeña Dulce se encuentra herida.

Ambos hombres, invitado y anfitrión, emprendieron una carrera tras escuchar el aviso de alarma en la voz de Kamîl.

La herida de Dulce no resultó grave pero sí muy significativa. Le dejó en la palma de la mano un recordatorio vivo del juramento que le había ofrecido Kamîl Ibn Farid, y que ella jamás olvidaría.

Pero lo que ambos hombres ignoraban era que la actuación del rey castellano Alfonso y la respuesta del caudillo almohade provocaría una lucha encarnecida entre dos amigos que se convertirían en enemigos. Sus hijos: Kamîl Ibn Farid de Batalyaws y Miguel Álvarez de Arienza.

IRA

El conde de Bearin

Capítulo 1

Castillo del Cerro de Santa Bárbara, Tudela, 1213

*E*l olor a podredumbre del interior de la celda le resultaba intolerable.

Adoain inspiró profundamente y arrugó la nariz por el penetrante olor ácido que emanaba del suelo de piedra debido a su encierro. A pesar del tiempo que había transcurrido en su interior, jamás iba a acostumbrarse al olor nauseabundo de los excrementos. Ni a la desidia humana en todo su significado.

La estancia estaba llena de goteras por las que se filtraba una helada humedad que le penetraba hasta los huesos. De las esquinas de las paredes, las ratas entraban y salían a voluntad, sin importarles la presencia del inquilino que compartía con ellas el estrecho habitáculo. Adoain dudaba de si tenderse en la paja para descansar un poco, y así aliviar el dolor lacerante de la tortura infligida, o seguir recostado en el frío muro de piedra. La habitación tenía una ventilación enrejada desde donde entraba la poca luz natural que iluminaba la tétrica vista dentro de las cuatro paredes. Adoain agradecía la tranquilidad, el envidiable y profundo silencio que lo acompañaba, y que le parecía una verdadera bendición. Al menos ya no tenía que soportar los continuos latigazos en su espalda. Esa mañana había recibido los últimos de un total de doscientos, pero su sosiego fue interrumpido por la comida que el carcelero le pasaba a través de una trampilla que había en la parte inferior de la puerta. Un cuenco de madera que contenía sopa, aunque más que sopa parecía agua que había sido usada para lavar la ropa. Pero a él no le importó, la bebía como un sediento, así como comía el mendrugo de pan que en ocasiones repartía entre sus compañeras de celda: las ratas.

Esperaba su sentencia pero sin albergar esperanzas.

El rey de Navarra había creído las argucias de una mujer, e iba a ser declarado culpable por un delito que no había cometido. Otros muchos sí, pero no el de intento de violación. Él nunca había tenido que recurrir a la fuerza para que una mujer compartiera su lecho o le concediera sus favores allí donde fuere. Pero Juana Ramiro había perfeccionado la mentira de forma completa. Era una furcia que había tejido una telaraña de embustes en torno a él para atraparlo. Y desde que había ingresado en las mazmorras por orden del rey Sancho, los días se sucedían monótonos, pero sin que se le notificara el día o la hora en el que tendría lugar su ejecución.

La mano de Adoain subió hasta su pecho, se aferró al medallón que colgaba cerca de su corazón y lo asió fuertemente en un intento de controlar la ira que lo embargaba. Cada vez que su mano tocaba el metal, el bajorrelieve de figura elíptica que contenía el grabado de su madre temblaba dentro de su puño. Tenía la extraña sensación de que lo reconfortaba, que la fuerza de las palabras inscritas llegaban hasta él para alentarlo en esas horas inciertas.

Adoain meneó la cabeza con profundo disgusto. ¿Qué iba a ser de su madre? ¿De su hermana? La agonía de la incertidumbre lo dejaba completamente abatido. Estaba tan agotado física y emocionalmente que cayó dormido en un profundo sueño, que sin embargo no resultó reparador. Las heridas abiertas en su espalda le producían un dolor insufrible, parecía como si animales hambrientos le dieran bocados fieros, aunque dejó de resistirse a las sensaciones aflictivas de su cuerpo, y permitió que el cansancio lo venciera de nuevo.

El tintineo de las llaves del carcelero lo despertó tiempo más tarde.

Adoain creyó en un principio que venía a recoger la escudilla que él no había utilizado, pero su sorpresa fue enorme cuando la puerta de la celda quedó abierta de par en par. Un personaje alto, delgado y vestido de forma elegante entró tras el carcelero. Intuyó que podía tratarse del capitán de la guardia real enviado para llevarlo ante la presencia del rey Sancho.

Adoain tuvo que parpadear varias veces, porque las antorchas del pasillo le impedían ver al hombre con claridad. Proyectaban sobre su espalda una luz que ensombrecía su rostro.

—Ha llegado vuestra hora.

¡Iba a ser ejecutado!

Levantó los golpeados huesos del suelo y siguió con pasos vacilantes al hombre que lo precedía por los estrechos y mal iluminados pasillos subterráneos de la fortaleza. Mientras caminaba, el corazón masculino comenzó a debatirse en una terrible tristeza: se imponía la lucha final de la naturaleza humana ante la muerte, lid que todo hombre debe padecer en algún momento de su vida cuando ha de enfrentarse a ella de un modo inevitable. Sin embargo, un hombre como él no podía morir de forma tan deshonrosa sino combatiendo como un valiente navarro, pero se sentía paralizado por la situación. Aun así, Adoain siguió caminando tras los pasos firmes del hombre, sin que sus ojos mostrasen otra emoción que no fuese la aceptación de su destino.

Morir de forma tan inútil iba a ser un lastre para su padre, pero él no había podido probar su inocencia.

El señorío de Ramiro buscaba su sangre, y mucho se temía que iba a obtenerla.

Sancho, rey de Navarra, lanzó un suspiro acerbo mientras miraba a uno de sus nobles, el más valiente y terco.

El hombre se mantenía de pie sin un asomo de temor en su rostro, aunque percibió que le fallaban las fuerzas. Sus ropas estaban raídas, sucias, y desde su posición, podía oler el olor de la sangre seca y la secreción de las heridas infectadas. Aun así, el noble le sostenía la mirada con una fiereza provocadora. Le molestaba su postura amenazadora, aunque no permitió que esa circunstancia interfiriera en el asunto que tenía que tratar con él. Adoain era de elevada estatura, como todos los hombres del condado de Bearin, pero a Sancho no le sorprendía esa cualidad física, todo lo contrario, incluso él mismo medía casi cinco codos de altura, y ello, más que un inconveniente, resultaba una gran ventaja en las batallas.

Siguió mirando al noble con atención.

Adoain poseía una envidiable musculatura en los hombros. Sus brazos y muslos mostraban la enorme y feroz fuerza de la que era capaz. En su rostro, tostado por el sol y enmarcado por el cabello largo y negro, herencia de su madre castellana, destacaban sus intensos ojos azules, casi tan oscuros como la noche. Eran los mismos ojos de su padre, Enrique, y le ofrecían, en ese preciso momento, una mirada de desdén. Tan intensa y penetrante, que Sancho tuvo la sensación de ser observado por un ave rapaz lista para atacarlo. No estaba acostumbrado a ese agudo escrutinio realizado por una persona de inferior rango, pero el hombre era demasiado arrogante incluso para el rey de Navarra. Los intrépidos y valientes luchadores eran temidos y respetados en el resto de los señoríos navarros, y él los admiraba a su manera. Sin embargo, tenía en sus manos una grave acusación de uno de los señoríos más importantes, los Ramiro, hecho que convenía perfectamente a sus planes.

—Arrodillaos, conde de Bearin.

La voz profunda y ronca de Sancho reverberó dentro de la estancia.

Adoain alzó la barbilla durante un instante de forma altanera, pero obedeció la orden marcial. Clavó la rodilla derecha en el suelo en señal de respeto y sumisión al rey.

—Mi padre Enrique Estella es el conde de Bearin, majestad —corrigió con voz de trueno, sin apartar los ojos brillantes del rostro regio.

—Vuestro padre ha muerto —le informó Sancho—, y yo os proclamo nuevo conde de Bearin.

Adoain se alzó de inmediato y dio un paso al frente hasta quedar a escasa distancia del monarca.

Sancho podría ordenar que le diesen una tanda de cincuenta latigazos por esa insolencia, pero la noticia que acababa de anunciarle resultaba devastadora y, por esa sencilla razón, decidió obviar la temeridad del noble aunque no silenció las palabras de contención hacia él.

—Mostrad cierta prudencia, conde, o me veré obligado a

doblegar vuestra temeraria insolencia en mi presencia —le confirmó.

Los ojos de Adoain se abrieron atónitos, para cerrarse después con un brillo de dolor que no escapó a la mirada inquisitiva del monarca. En ese preciso momento, el fuerte cuerpo osciló como si no tuviera fuerzas para sostenerse, pero fue solo durante unos instantes. El noble recuperó las fuerzas y la tensión de los brazos.

—¿Cómo ha muerto? —inquirió con un tono de voz furioso.

«Mi padre no puede estar muerto. ¡Tiene que tratarse de un grave error!», se dijo en silencio.

—Cumpliendo una misión de suma importancia —le anunció Sancho con un tono de voz henchido de pesar.

Enrique Estella había sido uno de los pocos amigos auténticos del rey navarro.

Adoain trató de tragar la saliva espesa y rancia que se le había acumulado en la boca. Tenía los puños apretados a la altura de las caderas, y la rodilla derecha le temblaba sin que pudiera controlarla, señal inequívoca de que estaba a punto de perder el control. El corazón le latía de forma desacompasada, y sentía un zumbido en los oídos que le produjo un mareo momentáneo. Aun así, y haciendo un verdadero esfuerzo, se mantuvo firme en su postura.

Sancho no tenía modo de saber si el momento de debilidad de Adoain había sido provocado por los continuos días de torturas, o por la noticia sobre la muerte de su padre.

Siguió mirándolo de forma penetrante.

—La nueva de su muerte me fue anunciada por un sacerdote de Toledo que continúa su marcha camino de Roma en peregrinación. —Los labios de Adoain se apretaron de forma involuntaria al escucharlo.

—¿Una misión? —preguntó—. ¿Dónde? —inquirió con voz dura.

—En tierras de Castilla —respondió el monarca.

«¿Tierras de Castilla?» Adoain creyó que no había oído bien.

—Vuestro padre tenía la misión de traer a mi nieto a Navarra.

El silencio pendió entre los dos hombres como un nubarrón helado. Adoain aprovechó los instantes de mutismo para superar el ahogo que sentía y tratar de normalizar la respiración agitada por la revelación.

Tras unos momentos tensos, pudo decir al fin:

—Vos no tenéis ningún nieto, mi señor. —Su voz había sonado insolente, pero Sancho no se percató de ello. Tampoco le molestó la negativa a su afirmación.

Sancho se había casado con la hija del conde de Tolosa, pero su esposa había sido repudiada por él y la corona navarra no tenía heredero.

—Años atrás, cuando asistí con mi amigo Pedro, el rey de Aragón, a unos torneos en Castilla, engendré una hija bastarda con una heredera castellana llamada María Blasco, hija única del conde de Fortún. —Adoain sufría en silencio los estragos que la noticia sobre la muerte de su padre había causado en su persona, aunque siguió escuchando a su rey sin variar la posición firme de su postura, ni la mirada altanera de sus ojos—. Pero no me interesa mi hija bastarda Jimena, sino su primogénito, Juan Blasco, futuro conde de Fortún.

Al noble le parecía inaudito escuchar que el rey tuviera un nieto ilegítimo.

—Marcharéis a Castilla —le ordenó Sancho, y la sorpresa aumentó en los ojos de Adoain que miraba de forma incrédula a su rey—. Es mi deseo que terminéis la misión que encargué a vuestro padre Enrique meses atrás. Además, temo seriamente por mi vida; por ese motivo debéis traer a mi nieto para garantizar la sucesión si ocurriera lo peor. Juan Blasco debe criarse a mi lado, como un auténtico navarro.

—¿Estáis enfermo, majestad? —le preguntó Adoain con las pupilas brillantes de interés.

Mirando detenidamente el rostro del monarca, se percató de algunos detalles que a simple vista pasaban desapercibidos. El semblante de Sancho mostraba una profunda fatiga y una inmensa tristeza.

—Me siento cansado —admitió con voz algo vacilante—. Tengo cincuenta y nueve años, y escasas posibilidades de contraer un nuevo matrimonio que me dé un heredero legítimo.

Adoain lo miró con cierta extrañeza en los ojos azules porque Sancho todavía conservaba la apostura y la templanza de un guerrero. Entre los nobles y el ejército lo apodaban «el Fuerte», y no solo por su elevada estatura, también por su valor y destreza en el campo de batalla.

—¿Por qué recurrís a mí, majestad? —La pregunta fue formulada con un tono afilado.

Sancho inspiró profundamente antes de ofrecerle una respuesta.

—Porque vuestra madre Lucía es castellana, y pariente de Juan Blasco. Tenéis asegurada la entrada en Castilla como familiar del conde. —Adoain nunca había pisado tierras castellanas, ni conocido a sus parientes maternos—. Sois el hombre indicado para esta misión.

Adoain había entornado los párpados para acostumbrarse al sentimiento de abandono que le había producido la noticia de la muerte de su padre. El hombre vigoroso y leal no podía estar muerto. Era un hombre fiel al rey y protector de su familia. Había combatido en innumerables luchas y batallas, e incluso había acompañado al rey Sancho a torneos ofrecidos por el rey castellano Alfonso.

En una de sus visitas a Toledo descubrió a Lucía Blasco y, nada más posar sus ojos en ella, supo que era la mujer de su vida. Pero ante la negativa de la castellana de aceptarlo como pretendiente, Enrique optó por raptarla cuando los juegos no habían concluido aún, y la llevó hasta su condado. Lucía demostró ser una mujer de los pies a la cabeza porque le hizo la vida imposible al noble hasta que finalmente cayó rendida de amor por el temible, pero honorable, conde navarro, y nunca regresó a Castilla.

Enrique Estella siempre había bromeado con su hijo sobre esa circunstancia que él mismo había provocado, y en una ocasión, cuando Adoain dejó la niñez para entrar en la adolescencia, su padre le confesó con voz amorosa y ufana que, el día que encontrara a la mujer de su vida, le ocurriría exactamente igual que a él. Ya no podría despegar sus ojos de ella, ni pensar en nada más salvo en poseerla. Amarla con todas sus fuerzas. Ante el ceño escéptico de Adoain por sus palabras, le auguró que se enamoraría tan rápido como un rayo y sin poder hacer nada para salvar esa circunstancia, porque era la maldición de los Estella.

Adoain regresó al presente y a la orden real.

—Si mi padre no fue capaz de triunfar en vuestro encargo, ¿qué os hace suponer que podré hacerlo yo?

Sancho tomó asiento frente al hogar encendido antes de pronunciar la siguiente palabra. Solo tenía que posar sus ojos en la figura del hombre para obtener la respuesta a esa pregunta. Se fijó en la larga cicatriz que le surcaba la mitad del cuello. La línea blanca y rugosa había sido el regalo del filo de una espada traidora contratada por un señorío rival, pero Adoain no murió como el mercenario había creído. Se aferró a la vida con una fuerza y decisión increíbles, hasta que pudo volver a levantarse y dar caza al bastardo que empuñaba la espada. Lo mató con sus propias manos y redujo el señorío a cenizas. La reputación feroz que le precedía había sido ganada a conciencia.

—Porque vuestro padre fue asesinado antes de concluirla —le respondió Sancho con furia contenida.

Adoain dejó de respirar. Y sus pupilas se redujeron a un punto.

—¿Quién lo mató? —bramó con voz de trueno.

Sancho lo miró fijamente. Adoain tenía el mentón tan apretado, que las venas del cuello parecían gruesas cuerdas tensadas.

—Según me han informado, fue asesinado por don Miguel Álvarez, heredero del conde de Arienza. —Adoain memorizó el nombre del asesino de su padre, y juró matarlo—. Vuestro padre era un buen campeador, aunque un pésimo diplomático. Le advertí infinidad de veces que debía usar la inteligencia en tierras castellanas, pero desoyó mis palabras y pagó por ello con su vida.

A Adoain no le sorprendió esa afirmación. Los señores que comandaban su ejército eran de los más fieros y valientes que poblaban las montañas navarras. Sus hombres no suplicaban, tomaban aquello que les parecía justo sin pensar en las consecuencias, pero luchaban con honor y destreza.

—Encontraré a la persona que asesinó a mi padre y haré justicia con mis propias manos —afirmó. Sancho hizo un gesto afirmativo aunque muy leve al escucharlo—. ¿Dónde se encuentra enterrado?

La pregunta era necesaria en vista de las actuales circunstancias. Si su padre había sido asesinado en tierras de Castilla, su cuerpo tenía que estar sepultado allí.

—Es una información que desconozco aunque estoy convencido de que lograréis averiguarlo —le respondió Sancho.

Adoain apretó los dientes hasta el punto de crujirlos.

—Pero es mi deseo que nadie conozca vuestras intenciones con respecto a mi nieto. Debéis ganaros la confianza del conde para que no sospeche el verdadero motivo por el que pisáis tierras castellanas.

Adoain tenía sus dudas al respecto, pero el rey siguió informándole.

—Si don Juan Blasco intuye que deseo recuperar a mi nieto, intentará socavar la confianza que tiene depositada el rey Alfonso en mi merced, y nada se encuentra más lejos de mi intención.

—Majestad, los navarros no olvidamos que el rey castellano mantuvo un asedio sobre nuestro reino, y que perdimos plazas importantes además de vastas extensiones de tierra.

Sancho cruzó las manos en la espalda y miró a Adoain de forma penetrante.

Precisamente, él había negociado con los almohades para que atacaran Castilla, pero sin obtener un resultado positivo. Tras las importantes pérdidas territoriales, firmó una tregua que duró cinco años, pero Sancho nunca reconoció la pérdida de los territorios. Sin embargo, el paso del tiempo había propiciado que se acercaran posiciones entre ambos monarcas. Y cuando decidió colaborar con el rey Alfonso en la batalla de las Navas de Tolosa, aumentó el prestigio y la popularidad entre los navarros. Incluso mejoró su posición respecto a los otros reyes cristianos, y pudo recuperar por ello algunas plazas perdidas. Desde entonces, las relaciones con Castilla eran buenas; sin embargo, el conde de Fortún le guardaba un odio que no habían logrado curar el tiempo ni la distancia. Sancho había intentado obtener el consentimiento del conde en innumerables ocasiones para reconocer legítimamente al niño, pero todos y cada uno de sus intentos fallaron estrepitosamente. Había agotado todas las vías posibles para no tener que recurrir al secuestro. Sin embargo, el conde de Fortún no le había dejado más opción.

—Os traeré a vuestro nieto, y vengaré la muerte de mi padre.

Sancho se mantuvo en silencio durante un momento, Adoain era la persona idónea para traer a su nieto a salvo. Navarra necesitaba un heredero, aunque tuviese sangre castellana.

—En el preciso momento en que tenga a mi heredero protegido bajo mi amparo, se os permitirá, con mi expresa aprobación, presentar testigos y pruebas que demuestren vuestra inocencia o culpabilidad sobre los hechos que os imputan.

Los ojos de Adoain relampaguearon al escuchar la sentencia del rey. Sintió una ira espesa, amarga. Había pasado meses en una celda apestosa sin tener la oportunidad de probar su inocencia más que con sus palabras. ¿Por qué motivo el rey había cambiado de opinión?

—¡La mujer miente! —Escupió las palabras con verdadero desdén.

Sancho suspiró profundamente.

La acusación que pendía sobre la cabeza de Adoain era demasiado grave para obviarla. No solo estaba en entredicho que forzara a una mujer, sino también el asesinato de un muchacho inocente. Y lamentó esa circunstancia severa, aunque existía una forma de lograr que se apaciguaran los ánimos: uniendo ambas familias mediante el matrimonio. Pero el terco navarro se había negado de forma rotunda a contraer lazos con el señorío de Ramiro aun sabiendo que la delación sería retirada el mismo día de los esponsales.

—Matasteis al hombre que defendía su virtud —le respondió Sancho—, y el padre reclama vuestra sangre. Existe un honor que limpiar.

—No he manchado ningún honor navarro. Fui atacado por la espalda por las mentiras de una mujer, y el resultado de aquella felonía ha sido la muerte de un joven, pero propiciada por ella.

—Juana Ramiro desea una unión con vuestra casa. Si consentís, su padre no reclamará deuda de sangre.

Adoain soltó una carcajada ausente de humor. El brillo acerado de sus ojos le mostró a Sancho que esa opción estaba completamente descartada.

—No ha nacido mujer que pueda manipularme para contemplar una unión no concertada por mí. —Las palabras de Adoain quemaban—. Y mientras me quede un soplo de vida, la perra no obtendrá lo que ha maquinado.

Sancho sirvió en dos copas de bronce un poco de vino, y le tendió una de ellas al conde que dudó un momento en aceptarla. Finalmente lo hizo aunque con cierta reticencia.

—Regresad con mi nieto, y hablaremos de la acusación que pende sobre vuestra cabeza.

—Regresaré, pero declaro que mataré a la mujer, y arrasaré el señorío de Ramiro.

Sancho optó por el silencio; si Adoain Estella había decidido vengar el agravio sufrido matando a la mujer, indudablemente lo haría, aunque fuese ejecutado después.

Capítulo 2

*B*earin no había cambiado en los meses que él había estado en las mazmorras del castillo de Tudela. Al llegar al puente levadizo, la alegría que sentía se convirtió en tristeza al comprender todo lo que había perdido por el camino. Pero finalmente lograba regresar a casa.

Antes de que su montura tocara la gruesa madera que atravesaba el foso, el portalón de entrada al castillo fue abierto para él. En el umbral del patio se congregaron los hombres de su padre. Adoain rectificó su pensamiento, ahora eran sus hombres, y formaban un círculo alrededor de su madre que había salido a su encuentro para darle la bienvenida. A medida que avanzaba, el círculo protector se fue abriendo; Lucía Blasco estaba plantada frente a él con las manos entrelazadas y el rostro cubierto por un oscuro velo, señal inequívoca del luto que inundaba su hogar. Adoain desmontó de forma ágil de la grupa de su montura y le pasó las riendas a Nicolás, quien las tomó de forma rápida. Lucía se adelantó un paso, pero fue Adoain quien recorrió la distancia que los separaba y, al llegar junto a ella, tomó sus manos y las besó.

—Madre.

A Lucía le temblaron los hombros, y él supo que era debido al llanto que trataba de contener.

Una señora no podía demostrar debilidad frente a los hombres de su padre; sin embargo, en ese instante de dolor, su madre no se comportaba ni vestía como una navarra, más bien como una altiva señora castellana. Lucía hizo amago de abrazarlo pero Adoain no se lo permitió. Le pasó el brazo por los hombros y la condujo por el patio de armas hasta los es-

calones que conducían al gran salón. Con una mirada acerada, detuvo a los soldados que avanzaban tras ellos porque
necesitaba estar un momento a solas con su madre.

Aunque era usual en él esa demostración de frialdad, sabía que su madre no lo iba a tener en cuenta, pero tenía que
honrarla. Se volvió un tercio hacia Ginés, el capitán de la
guardia, y le dijo:

—Dadme un tiempo, después reunid a los barones —ordenó con voz autoritaria.

Los treinta hombres, marcialmente erguidos, hicieron un
gesto afirmativo con la cabeza. Un instante después, Adoain
entró en el interior de la fortaleza y condujo a Lucía hacia la
parte donde estaba ubicado el hogar encendido. Las altas sillas de respaldo labrado, colocadas frente al fuego, le produjeron un sobresalto de añoranza que le resultó abrumador.
Habían sido encargadas a un ebanista muy conocido en Olite
que tallaba muebles con madera del bosque de Orgi. Se trataba de un robledal que se extendía al sur del valle de la Ult-
zama, a veinte leguas de la ciudad de Pamplona. Las sillas
eran un regalo muy hermoso de su padre, que solía decir que
su señora merecía un trono. Podía recordar con perfecta claridad a ambos progenitores sentados en sendos sillones,
mientras él jugaba con unos caballos de madera.

El sentimiento de ira aumentó todavía más.

Lucía tomó asiento sobre un hermoso cojín de terciopelo.
Antes de levantarse el velo del rostro, pasó sus manos por el
terciopelo de su vestido y, cuando al fin alzó la finísima gasa,
sus dedos temblaron.

Al ver su cara cenicienta, Adoain maldijo violentamente.
Su madre era un cadáver andante.

—¡No cubráis vuestras facciones! —La orden no admitía
discusión—. Sois una dama navarra que sabe controlar el
dolor.

Lucía apretó los finos labios en una mueca ácida. En ese
momento doloroso, necesitaba unas palabras amables de la
persona que amaba: su hijo, y no la amarga recriminación de
un noble.

—Es una dama castellana de nacimiento, pero navarra de
corazón. Permitid que llore la muerte de nuestro padre de la

única forma que conoce. —Las duras palabras de Clara, su hermana, se las tomó Adoain como un insulto—. No todos son tan insensibles y duros como vos, hermano —le espetó a continuación al ver el gesto adusto de él.

Clara acababa de cruzar el umbral del salón directamente hacia ellos.

Adoain pensó que, si Clara fuese un hombre, ahora mismo estaría de espaldas en el suelo por su insolencia, pero él no golpeaba a mujeres aunque lo mereciesen; su madre le había enseñado bien.

—Se llora a los muertos cuando fenecen de viejos o de enfermedad, pero la muerte por asesinato no se honra hasta que el asesino expira su último aliento —bramó con tono desabrido.

Clara llegó hasta el hogar encendido y se arrodilló a los pies de su madre. Lucía cogió las manos de su hija y las estrechó en su regazo. Al menos, uno de sus hijos le brindaba el consuelo que necesitaba.

Adoain fijó las pupilas en su hermana menor al mismo tiempo que apretaba los puños a sus costados. Él no pensaba llorar a su padre hasta que hubiese matado a su asesino.

Lucía clavó los oscuros ojos en su hija y le mostró el amago de una sonrisa. La ausencia de Enrique le resultaba muy dolorosa. Soportar las rudas costumbres y el clima navarro seguía siendo una dura prueba para ella a pesar de los años transcurridos, pero ahora no tenía el aliento de su amado para brindarle el apoyo que necesitaba, ni la serenidad que ansiaba en los días de tormenta. Lloraba su muerte, pero no tenía un cuerpo que enterrar; ¿podía ser mayor su desdicha? ¿O la actitud de su primogénito más inapropiada?

Lucía recordó la primera vez que vio al padre de sus hijos en un torneo celebrado en Toledo, cuando era una joven heredera, altiva y orgullosa de su estirpe. En uno de los juegos, concretamente en las justas, Enrique había extendido su lanza hacia ella para pedirle el pañuelo que tenía anudado en la muñeca, mostrando una osadía sin igual. ¿Cómo se atrevía un completo desconocido a pedirle un honor tan elevado? Cuando clavó sus pupilas en los azules y penetrantes ojos masculinos, Lucía sintió una sacudida en todo su ser como nunca antes había experimentado, pero despreció el gesto del caballero volviéndole el rostro, y ese fue el comienzo de un acoso que terminó con su rapto por el mismo hombre que había denostado. Con el paso del tiempo descubrió su honor, y el valor de una determinación que no cejaba. Enrique se había ganado no solo su respeto, sino también su profundo afecto, y la había obsequiado con dos hijos maravillosos, pero ahora ¡lo extrañaba demasiado!

—No es ninguna debilidad llorar la muerte de un ser amado —respondió Lucía al fin tremendamente afectada—. Es un gesto humano comprensible.

Adoain tomó asiento en el sillón que había ocupado su padre en vida.

—Tengo que marchar a Castilla —dijo de pronto. Con un rictus severo en el rostro.

Tanto Lucía como Clara lo miraron un instante de forma fija. Atónitas un segundo después.

—Madre, necesito algunos consejos para el largo camino.

—Nunca os ha interesado conocer Castilla —le reprochó Lucía con un timbre de añoranza en la voz.

Su cálida tierra. Casi había olvidado la imagen de sus campos dorados, y el cálido sol toledano que inundaba de luz los días más fríos.

—Porque no he sentido la necesidad de hacerlo —le respondió con voz controlada aunque un tanto seca.

Adoain sentía una inmensa rabia en su interior, pero la contuvo. Un hombre cabal no demostraba sus sentimientos de aflicción, y tenía que comenzar a comportarse como tal por el bien de sus hombres y por el futuro del condado.

—¿Y entonces...? —inquirió Lucía con la sorpresa reflejada en el rostro pálido.

Adoain era consciente de lo contradictorias que podían parecer sus palabras, pero no podía confesar que iba a matar a un hombre y a secuestrar al nieto del rey de Navarra.

—Voy a buscar el cuerpo de padre. Debe ser enterrado en Bearin.

Clara inspiró de forma profunda. Entendía demasiado bien lo que sentía su hermano por el asesinato de su padre en tierras castellanas, pero no estaba de acuerdo con su partida. No podía marcharse lejos cuando necesitaba afianzar la confianza en los señoríos que estaban a su cargo ahora que el conde no estaba. Aunque podía entender su desazón, ella también deseaba tener los restos de su padre en el sepulcro familiar y no en un lugar perdido y lejano.

—Os acompañaré —le dijo Clara de forma inesperada.

Lucía miró a su hija con rostro demudado. ¿Quería acompañar a Adoain a Fortún?

—¡No habláis en serio! —exclamó él sin una pizca de contención. Sin importarle lo más mínimo que su madre estuviese llorando la muerte de su padre—. En modo alguno necesito un estorbo.

Las pupilas de Clara brillaron con un profundo dolor. Detestaba el carácter seco y autoritario de su hermano así como sus formas bruscas. Le resultaba difícil comprender la enorme diferencia que existía entre su padre, un hombre suavizado por el carácter jovial de su madre, y su hermano. Adoain contenía en su personalidad todas las cualidades que harían de él un magnífico conde, y un pésimo hijo y hermano.

Lucía meditaba sin tregua las diferentes opciones que se le presentaban. Su hijo estaba decidido a marchar a Castilla para buscar los restos mortales de su esposo. Ella podría acompañarlo, mostrarle tantas cosas que habían quedado olvidadas en su memoria, que el solo hecho de contemplarlo le arrancó un suspiro de placer. Estaba de luto, pero en tierras de Toledo podría darle el último adiós a su esposo muerto.

—Marcharemos los tres a Castilla —decidió de pronto Lucía con la mirada perdida en el vacío.

Ambos hermanos la miraron con ojos desorbitados por su decisión inesperada.

—Madre, no —le dijo Adoain con los labios apretados con disgusto.

Ir acompañado por su madre y su hermana era el peor de los designios, y él no necesitaba malos agüeros.

—¿Acaso podéis impedir que haga un viaje para ver a mi familia? ¡Una familia que no he visto desde hace más de veinticinco años!

Adoain entrecerró sus ojos ante la decisión de su madre.

Ir con ellas a Castilla suponía un entorpecimiento innecesario en su misión.

—Vuestra familia está aquí en Bearin —le espetó en un tono ácido que quemaba.

Pero Lucía no se dejó amedrentar.

—Es mi última palabra —le dijo con tono decidido.

—Pero yo no he pronunciado la mía —le respondió él excesivamente serio.

—Sigo siendo vuestra madre —argumentó más empecinada todavía.

Adoain inspiró varias veces para controlar el pulso y la respiración.

—Y yo el conde de Bearin, por si lo habéis olvidado.

Adoain ya no esperó una respuesta de su madre, se dio la vuelta y caminó directamente hacia las escaleras que conducían a la primera planta. Confiaba en que su madre dejara el asunto por zanjado, pero si algo desconocía el nuevo conde era la tenacidad de la sangre castellana. Antes de subir el primer escalón clavó los ojos en su hermana.

—Clara, os espero en mis aposentos. —Un momento después, desapareció por el corredor superior.

Clara miró a su madre con el rostro confuso por la repentina petición de su hermano.

—Id a curarle, hija mía.

—¿Madre...? —preguntó asombrada.

—No me ha permitido abrazarlo, ni que me acerque a él. ¿Acaso ignoráis lo que hacen con los cautivos en las mazmorras del castillo de Tudela? ¡Los torturan! Y conozco demasiado bien a mi hijo para saber cuántos latigazos debe de haber soportado sobre su espalda para que no acepte el abrazo de su madre.

—Entonces sois vos quien tendría que curar sus heridas.

Lucía entrecerró los ojos castaños como si meditara sobre algo.

—De hacerlo, le asestaría una herida mucho más profunda a su orgullo. Y lo amo demasiado como para hacerle eso —admitió Lucía. Clara miró a su madre sin decidirse—. Sois tan eficiente o mejor que yo aplicando ungüentos. Id con vuestro hermano. Adoain os necesita.

Clara ya no dudó más. Cogió la canasta con las hierbas y los ungüentos y subió las escaleras de forma rápida. Cuando llegó a los aposentos de su hermano, él ya se había quitado parte de la ropa. Se encontraba al lado de la ventana cubierto únicamente por el manto que tenía enrollado a la cintura, y cuando fijó los ojos en su espalda, Clara creyó que iba a desmayarse.

La espalda de Adoain era una masa de cicatrices y heridas que le revolvió el estómago. Tenía algunas partes en carne viva, y le iban a dejar huellas de por vida. Clara sabía que una sentencia completa de azotes podía destrozar la espalda de una persona y, sin lugar a dudas, su hermano había recibido más azotes de los que merecía. Adoain volvió su rostro hacia ella y, cuando vio su cara descompuesta, le hizo un gesto negativo con la cabeza.

—El dolor ya no resulta intolerable.

Los dedos de Clara se deslizaron por la piel lastimada. La espalda no parecía humana. Algunas de las cicatrices le recordaron a la carne asada y ennegrecida por el fuego. Se imaginó el duro momento del castigo; lo habrían dejado desnudo de cintura para arriba, y lo habrían atado a un pilar poco elevado, con la espalda encorvada, para que, al recibir los golpes, no perdieran su fuerza. Así el castigo sería completo.

—¡Dios mío! —exclamó al fin con la voz entrecortada—. ¿Qué os hicieron?

A él le sorprendió la exclamación violenta que lanzó su hermana.

—En un principio me mostré insolente, y ataqué a dos guardias cuando trataron de arrestarme. Hicieron falta diez hombres para reducirme, y algunos quedaron muy malheridos. Incluso golpeé al rey en un arranque de ira cuando trató de inquirir sobre la acusación que pendía sobre mi cabeza.

Clara lo miró perpleja mientras lo escuchaba.

—¿Golpeasteis al rey Sancho? —preguntó casi al punto del vahído—. Entonces consideraos afortunado por conservar la vida.

Adoain era consciente de ello. Seguía con vida únicamente por la amistad que unía a su padre y al monarca navarro. Ambos habían sido amigos desde la niñez. Enrique Estella era el mejor paladín del rey Sancho según palabras de sus hombres.

—Los cincuenta latigazos solicitados por Luis Ramiro fueron en aumento como respuesta a cada una de mis negativas de aceptar el matrimonio con su hija. Sancho pretendía hacerme claudicar, pero con cada latigazo, más firme se volvía mi voluntad de no dejarme manipular por una furcia.

—¿Por qué rehusasteis? —le preguntó Clara con un tono de reproche que no pasó desapercibido para él—. Todo habría sido mucho más fácil si hubieseis aceptado la boda en un principio y la hubieseis repudiado después.

Adoain miró a su hermana con estupor.

—Maté a un hombre por su culpa, apenas un muchacho que se creyó sus mentiras, y osó desafiarme para limpiar un honor que no tenía mácula. —La voz de su hermano abrasaba con una aspereza lógica—. Juana Ramiro tendrá lo que se merece, pero cuando haya regresado de Castilla.

Clara sabía que, cuando su hermano se posicionaba sobre algún asunto, nadie podía hacerle cambiar de opinión.

—Madre lloró mucho cuando supo que estabais preso en las mazmorras de Tudela, pero nunca creímos las acusaciones. —Adoain escuchaba atentamente a su hermana—. No nos permitieron veros en ningún momento, el rey fue determinante en ese aspecto. Se nos negó la merced incluso cuando nos trajeron la nueva de la muerte de padre en tierras de Castilla. —La voz de Clara había sonado compungida—. El rey Sancho prohibió cualquier acercamiento.

Él sabía que el rey de Navarra actuaba por interés. Manteniéndolo aislado de todo, quería lograr su cooperación para traer a su nieto, pero Sancho ignoraba que estaba dispuesto a ir a buscarlo al mismo averno, si con ello lograba vindicar la muerte de su padre.

—Tengo que quitar algunas costras para limpiar bien las heridas, temo que si las dejo algunas se infecten más de lo que están.

—Proceded —la animó.

Adoain se sentó en un taburete bajo para facilitar la labor curativa de su hermana, ni un solo estremecimiento sacudió su cuerpo a medida que ella arrancaba la corteza endurecida que se había formado sobre el pus. El olor que le impregnó las fosas nasales cuando dejó las heridas abiertas le produjo a Clara una arcada.

—Tendré que cauterizarlas —le advirtió con voz apenada.

Adoain se sacó el puñal de la bota y se lo tendió para que lo pusiera en las ascuas del hogar. Clara limpió la hoja y la impregnó de vinagre que había sacado de la cesta. Atizó las brasas hasta que el calor se volvió insoportable, dejó el cuchillo cuidadosamente enterrado en ellas y regresó para seguir curando las heridas de su hermano.

Con sumo cuidado, limpió una a una las laceraciones. Para ello, mojaba el paño en una solución reducida de agua de tomillo y hamamelis; el primero servía para evitar las infecciones, el segundo contribuía a disminuir el dolor. Cuando la espalda estuvo limpia de pus y restos de suciedad, Clara caminó hasta el hogar y con un paño sujetó el mango del puñal. La hoja estaba al rojo vivo.

—Os dolerá —lo previno, pero Adoain no hizo ningún movimiento cuando ella depositó con cuidado la hoja ardiente en algunas heridas abiertas. El olor de la carne quemada le hizo apretar los labios y contener la respiración. Unos instantes después, untó cada laceración con acíbar—. No me atrevo a vendaros la espalda porque algunas heridas supurarán todavía.

—No será necesario que la cubráis. Me pondré el manto cuando me reúna con los señores, y así taparé las heridas.

Clara pensó que su hermano estaba hecho de un barro diferente al resto de los mortales. Si ella hubiese sufrido la mitad que él en la cura, se habría caído al suelo desmayada por el dolor. La loción curativa que le había puesto a su hermano en las heridas la elaboraba ella misma con el jugo de la planta que le traían los peregrinos de Balansīa[2] cuando cruzaban tierras de Navarra en dirección a Compostella.[3]

2. Actual Valencia. En el año 1238 y tras la conquista de Jaime I de Aragón, la población cristiana alcanzaba un total de 65.000 personas.
3. Actual Santiago de Compostela.

Prácticamente se le había terminado, y sopesó pedirle a su hermano que le trajese más, pero se abstuvo.

—Luis Ramiro puede causar problemas —le advirtió apenas en un susurro.

Adoain ya lo imaginaba, pero si el rey se posicionaba en su favor, lograría contener la necesidad de sangre de los Ramiro hasta que regresara de tierras castellanas.

—Por ese motivo es importante que madre se quede en Bearin hasta mi vuelta.

—¿Iréis solo?

—Llevaré conmigo a Ginés y a Pedro.

Clara le hizo un movimiento con la cabeza que Adoain no pudo ver porque se encontraba de espaldas a ella. Pedro era el capitán de la guardia, y Ginés, el mejor rastreador de Navarra y el segundo al mando en ausencia de Pedro.

—Tres señores hoscos despertarán las sospechas de los parientes de madre. Conocéis por Sancho lo suspicaz que se muestra el rey Alfonso de Castilla con los navarros después de las desavenencias que mantuvieron en el pasado con nuestro monarca. ¿Lo habéis olvidado? Porque estoy segura de que ellos no —le recordó Clara de forma concisa aunque contundente.

Adoain no había pensado en esa posibilidad, pero le dio exactamente igual. Volvió su rostro para mirar a su hermana, y vio preocupación en sus ojos azules.

—Los hombres de Bearin no son hoscos… —La mueca escéptica de Clara silenció la defensa que hacía de los señores que servían al condado de Bearin.

Adoain pensó que no eran grandes conversadores, pero eran los hombres más valientes que existían.

—Castilla es una corte refinada gracias a la influencia de la reina Leonor, la esposa de don Alfonso. En un lugar tan elegante, se espera que los invitados resulten amistosos y educados; decidme ¿cómo se comportarán Pedro Artáiz y Ginés Castro entre gente jovial y confiada?

El rostro masculino se endureció ante la crítica.

—Olvidáis algo muy importante: no voy a disfrutar de la corte castellana, sino a traer los restos mortales de nuestro padre. Cualquier hombre comprenderá mi poca disposición a mantener una conversación jovial o refinada.

Clara pensó que su hermano se había puesto a la defensiva como siempre.

—Mis palabras no han sido pronunciadas con el fin de ofenderos —le replicó Clara con voz humilde para apaciguar el ánimo de su hermano.

—Entonces contened la lengua.

—¿Reuniréis a los señores pronto?

—Ignoro cuánto tiempo estaré fuera. Es posible que haya que tomar decisiones en mi ausencia, y algunos barones tendrán que estar preparados para un posible ataque.

Clara comenzó a recoger los diferentes utensilios que había usado para curar a su hermano, tapó la cesta de enea con un paño limpio. Adoain se colocó el manto de forma inconsciente.

Estar preparados equivalía a esperar represalias con el señorío de Ramiro. Los barones que servían al condado de Bearin, integrado por Mañel, Domiku y Andoni, iban a estar en desacuerdo sobre la partida repentina de Adoain hacia tierras castellanas, pero su hermano había tomado una decisión irrevocable.

—Le diré a madre que pronto os reuniréis con nosotras.

Clara dejó los aposentos de su hermano sin decir una palabra más.

Los barones Mañel Urrea, Domiku Ximénez y Andoni Zarate protestaron con energía inusitada la decisión del nuevo conde de abandonar Bearin cuando la situación se había vuelto tan susceptible, pero finalmente acataron la orden con marcialidad. Después de instruir minuciosamente a los barones, Adoain acordó que iría acompañado únicamente por Pedro Artáiz, capitán de la guardia de Bearin. Ginés debía quedarse para comandar a los soldados en su ausencia si Bearin era atacada por Luis Ramiro. Adoain había optado por Pedro porque era, además de un capitán valiente, el mejor amigo que tenía, y su destreza con la espada le infundía confianza y respeto.

La partida había sido programada para el día siguiente, y Lucía Blasco había mostrado su desacuerdo con esa marcha tan repentina. Adoain había desoído sus razonamientos para acompañarlo, y su postura firme y determinante había silenciado la boca de su madre en un mutismo que le resultó ofensivo. Pero la motivación de él estaba muy por encima de la necesidad de ella. Tenía que vengar una muerte: la de su padre. Y secuestrar a un infante de Castilla: Juan Blasco.

Y debía ser muy cuidadoso al respecto.

Muy temprano en la mañana, ambos hombres partieron acompañados únicamente por sus monturas, sus espadas y un fardo con ropas. El viaje iba a resultar muy largo y peligroso, pero en la mente del conde de Bearin solo había una letanía: venganza.

Castillo de Isuela. Reino de Aragón

𝐷on Rafael Lorenzo, conde de Isuela e íntimo amigo del rey Pedro de Aragón, dejó de mirar la inscripción de nacimiento que sostenía entre sus manos, y la carta del arzobispo de Toledo, don Rodrigo Jiménez de Rada. Tenía el entrecejo fruncido por la sorpresa y las pupilas oscurecidas por la preocupación. De ser cierto lo que sus ojos contemplaban, el rey Sancho de Navarra tenía un nieto en Castilla, y él se sentía con el deber moral de advertir a su amigo y soberano, Pedro, rey de Aragón, del descubrimiento sobre el heredero. Debía hacer los oportunos arreglos para viajar a Toledo de inmediato, y tratar de hablar con el mismísimo arzobispo para verificar la información que había llegado a sus manos, porque, si era cierta, significaría que Navarra se uniría por linaje al reino de Castilla. Una unión altamente perjudicial para los aragoneses, situación que él debía impedir sin importar el coste.

—¿Cómo llegó este documento a vuestra merced? —resonó la afilada voz en el silencio de la estancia.

En el hogar encendido, los troncos de madera ardían produciendo un siseo extraño. Las pequeñas ramas secas estaban colocadas en círculo. Las llamas lamían la madera hacia la izquierda, y se unieron a la derecha para converger en una sola flama de mediana altura que iluminó el rostro de don Rafael. Era una máscara de cólera.

—La carta me fue entregada por un siervo fiel que trabaja a las órdenes del arzobispo. La carta iba dirigida al rey Alfonso, salvo que no llegará a las manos reales.

Don Rafael escudriñó los ojos del hombre tratando de penetrar en su interior para descubrir lo que ocultaba. Llenó la copa de plata con vino oloroso y se la ofreció. Francisco Sánchez, barón de Monforte, la aceptó con un gesto de agradecimiento.

El suave licor descendió por su garganta y, un instante después, se limpió con la servilleta de lino dispuesta para ese fin, con unos ademanes finos y elegantes.

—Es de mi conocimiento el hecho de que mi prima, María Blasco, intentó hacerle creer a su padre que su hija Jimena había sido engendrada por un plebeyo, y no por el rey Sancho, salvo que no lo logró. Es ampliamente conocida la animadversión que siente el conde de Fortún por el rey de Navarra, después del incumplimiento del compromiso entre ambos herederos.

La enemistad de ambos nobles se había forjado mucho tiempo atrás, cuando el rey Sancho incumplió el acuerdo matrimonial con María Blasco para contraer nupcias con la hija del conde de Tolosa. Juan Blasco no había podido olvidar la afrenta recibida a su casa, ni el menosprecio a su linaje, pero era conocido por todos el profundo afecto que le dispensaba el rey navarro a la castellana. Por ese motivo, la ruptura del acuerdo tomó por sorpresa al gabinete navarro por completo.

Rafael entrecerró los oscuros ojos meditando la información que le ofrecía el barón y las repercusiones que tendría para el trono de Aragón.

—La recuperación de un heredero legal por parte del rey Sancho puede poner en peligro las relaciones que mantiene Navarra con la corona aragonesa —dijo de pronto Francisco—. Si ambos reinos se unen, Aragón se quedará aislado.

Rafael consideró las palabras del barón y las tomó como ciertas.

El matrimonio de Sancho con la hija del conde de Tolosa había resultado inofensivo para los aragoneses, pero una hija con una castellana, aunque fuese ilegítima, lo cambiaba absolutamente todo, y todavía más si esa hija le había dado un nieto, lo que significaba que era un heredero al trono. Además, el rey de León era primo carnal de Alfonso, y una unión entre leoneses, navarros y castellanos resultaba muy perjudicial para Aragón.

—Por ese motivo he decidido llegar hasta vos para revelaros un secreto que puede conducirme a la tumba.

Francisco Sánchez perseguía el condado de Fortún.

Si el pequeño Juan Blasco era reclamado en Navarra, él podría tener alguna posibilidad de recuperar la herencia de su prima Jimena. Por ese motivo, había acudido al único hombre que podía ayudarlo aunque lo ignorara, porque el rey Sancho pensaba recuperar al niño, cierto, pero en secreto. Rafael Lorenzo con sus maquinaciones lo sacaría todo a la luz, y él perseguía ese objetivo: que fuese de dominio público el valor del heredero castellano para los navarros.

Rafael volvió a llenarse la copa de vino completamente ensimismado.

El rey Sancho había repudiado, de forma firme e irremediable, a la condesa de Tolosa. Y la gran mayoría de navarros y aragoneses creyeron que había sido para volver a contraer nupcias con una casa tan importante como la de Fortún, y conseguir de ese modo el heredero soñado. Pero se habían equivocado por completo. Si Navarra no tenía sucesor, el reino de Aragón sería mucho más poderoso, pero si el rey Alfonso descubría que un infante de Castilla era heredero al trono de Navarra, se embarcaría en una guerra con Aragón e incluso con León para alzarlo en el trono, corona que él tutelaría hasta la mayoría de edad del pequeño. Un bocado demasiado jugoso y que debía impedir como fuese.

—¿Alguien más conoce este asunto?

—La reina castellana Leonor, que es la madrina del infante, pero no se ha pronunciado al respecto, ni es posible que lo haga —mintió el barón de forma descarada.

Rafael seguía evaluando los pros y contras de tomar una decisión sobre la cuestión. Su conciencia le incitaba a tomar parte en el asunto como amigo íntimo del rey de Aragón.

—Iremos a Castilla —decidió al fin—. Me acompañará mi hijo mayor Jaime. Mantendré una conversación con el conde de Fortún, y aunaremos esfuerzos para impedir que el niño sea reclamado por Navarra. Presumo que el rey Pedro se posicionará en este aspecto y le ofrecerá al conde castellano la ayuda que este estime necesaria para frenar las pretensiones del rey Sancho.

Francisco concluyó que todo salía como había vaticinado.

—Me sentiré honrado de regresar acompañado de vuestro séquito.

—Haremos una parada en Burgos. Necesito mantener una conversación con la reina castellana Leonor, e inquirir si sospecha algo antes de entrevistarme con el conde de Fortún en Toledo.

Francisco alzó la copa en señal de brindis y mostró una sonrisa sapiente.

Si el pequeño Juan Blasco era coronado rey de Navarra, él sería conde de Fortún.

Capítulo 3

Castillo de Fortún, Toledo

Se le encogía el corazón viendo llorar al niño.

Las lágrimas le habían hecho dos surcos sobre las mejillas y caían sobre su camisa azul mojándola. No lo pensó ni un momento. Cruzó las arcadas hacia el patio de armas y se dirigió con pasos firmes hacia el lugar donde el capitán de la guardia entrenaba al chiquillo con una brutalidad que a ella le pareció ausente de compasión. El pequeño, de apenas diez años, sostenía un escudo de madera entre sus temblorosas manos. Era un niño muy maduro para su corta edad, pero estaba recibiendo una lección demasiado dura.

—¡Deteneos! —ordenó con voz contundente y firme, aunque vaciló un instante después al comprender su impulsividad—, por favor. —El capitán volvió su rostro hacia la persona que había interrumpido el entrenamiento.

—Vuestro señor se disgustará enormemente si os ve interrumpiendo su adiestramiento —le respondió el soldado a la vez que señalaba al niño con la cabeza.

Los ojos de color miel de ella se entrecerraron de forma suspicaz. Era cierto que el padre del pequeño, Gonzalo Díaz, podría enojarse mucho con ella y su tendencia a interrumpir los entrenamientos del pequeño heredero, pero ella lo amaba y no deseaba que sufriera de forma innecesaria.

—¿Acaso ignoráis que sus fuerzas no pueden detener vuestros golpes? —Quintín enarcó una ceja por la pregunta femenina realizada en un tono suave que no lo pilló por sorpresa.

Era conocido por todos en Fortún el carácter tierno de la hija pequeña del conde de Arienza. Dulce Álvarez era una de las damas de honor de Jimena Blasco, la madre del pequeño Juan.

—Así es como se entrena a los futuros soldados, mi señora. —Dulce alzó la cabeza con altanería. El capitán no le había ofrecido la cortesía correspondiente de mantener los ojos bajos. Todo lo contrario, le sostenía la mirada con un brillo que se podía interpretar como de diversión, pero Quintín era un hombre muy respetado en el condado. Había sido el instructor de la nieta del conde, Jimena Blasco, y Gonzalo había decidido que debía serlo también de su hijo.

—Si le rompéis los brazos, difícilmente podréis hacer de él un soldado en el futuro —le respondió Dulce con un reto en su mirada.

Quintín miró al niño que había bajado el escudo, pero sin dejar de sostenerlo entre sus manos.

—Decidme, futuro señor de Fortún, ¿os impongo un entrenamiento demasiado severo? —El pequeño se mordió el labio pues sabía que el capitán esperaba de él una respuesta negativa.

Iba a ser un caballero, pero el dolor de sus brazos apenas le permitía respirar con normalidad. Sentía rampas hasta la altura de los hombros, y él deseaba regresar a la torre para jugar. Odiaba estar en el patio de entrenamiento. Aun así, hinchó el pecho y enderezó la espalda.

—Me duele un poco el estómago. —La muchacha abrió los ojos por la respuesta inesperada que había dado el pequeño—. Creo que no estoy acostumbrado a tomar cerveza durante el desayuno. —Dulce volvió el rostro completamente atónito hacia el capitán que tuvo el atino de sonrojarse.

—¿Cerveza...? ¿A un niño? Me siento profundamente consternada. —El capitán dejó descansar su cuerpo sobre la pierna derecha mientras la miraba.

Otros soldados que entrenaban en puntos diferentes del patio habían hecho un círculo alrededor de ellos para enterarse del altercado que mantenían el capitán y la dama en cuestión.

—El padre del pequeño me encargó su adiestramiento, tengo que hacer de él un soldado fuerte y valiente —le respondió, pero sin crítica en la voz.

Dulce entrecerró los ojos hasta reducirlos a una línea.

—¿Tenéis hijos? —Quintín recorrió con la vista al grupo de soldados que seguían la conversación de ambos con sumo interés—. Puedo presumir, sin temor a equivocarme, que no poseéis descendencia —continuó Dulce—, porque de tenerla, no seríais tan despiadado con el hijo de otro.

—Mi señora… —Pero ella no le permitió que continuara con las palabras. Cogió al niño de la mano y lo condujo hacia las dependencias de la cocina sin volver la vista hacia el resto de las personas que quedaron en el patio.

El nutrido grupo de soldados, al ver la partida de la mujer y del niño, fueron regresando a sus respectivos lugares para seguir con sus entrenamientos.

Quintín se quedó mirando la marcha de ellos con cierta sorpresa.

—Amigo mío, no deberíais permitir que la dama os trate con esa falta de indulgencia y altivez. —Quintín se dio media vuelta hacia la voz de Luis Pérez, uno de los barones de Fortún que disfrutaba de entrenarse con él.

Le mostró una sonrisa conformista. Era el mejor contrincante que había conocido nunca. Los entrenamientos entre ambos resultaban memorables. Era un rival difícil de doblegar, y entre ellos se había creado una amistad especial.

—La señorita Álvarez adolece de cierto sentido común, pero ello es debido a su naturaleza tierna y compasiva —le explicó el capitán de la guardia.

Luis amplió la sonrisa al escuchar la defensa que hacía el capitán de la guardia hacia el carácter impulsivo de la dama más hermosa de las que componían el séquito de Jimena Blasco.

—La señora de Fortún debería conocer su actuación insolente en el día de hoy.

Quintín negó con la cabeza varias veces al escucharlo.

—No será necesario; realmente estaba siendo muy duro con el pequeño, pero no me había percatado hasta que la señorita Álvarez tuvo a bien hacérmelo notar.

Luis enarcó sus cejas de forma cómica. Le parecía irreal que el abuelo del niño permitiera que una mujer fuese el instructor de su hijo y primogénito. Incluso más cuando la mujer era tan hermosa y esquiva como ella. Cada vez que aparecía por uno de los patios, el resto de los hombres detenía sus quehaceres, incluso él se sentía más que atraído por la hermosa doncella, aunque se mostraba con él fría e indiferente.

Quintín le señaló la mesa con las diferentes armas para que escogiera. Luis lo hizo. Tomó entre sus manos una lanza y caminó directamente hacia Quintín.

—Admiro vuestra forma de sujetar la lanza como si fuera una espada. Confío en que me enseñéis todos vuestros trucos.

Quintín no soltó la espada sin filo que utilizaba para entrenar al pequeño. Sería un arma más que suficiente para hacer que el barón mordiera el polvo.

—Nunca deis a vuestro enemigo el arma para que os mate —recitó Quintín con una sonrisa ausente de arrogancia.

—Deduzco por vuestras palabras que no pensáis enseñarme todo lo que conocéis sobre el uso y defensa del arma escogida hoy por mí.

—Decís bien —le respondió Quintín—. Si os enseñara todos mis trucos, ya no podría derrotaros con tanta facilidad.

—Dudo que podáis derrotarme como presumís —le respondió Luis con tono ufano.

—Os doy mi palabra de que hoy os enseñaré un par de lecciones que os harán morder el polvo. —Acto seguido, Quintín lanzó un golpe con la espada que pudo esquivar Luis de forma ágil.

Dulce condujo al pequeño Juan por los diferentes pasillos de Fortún hasta los aposentos privados del niño. Pensaba ordenar que le diesen un baño antes de comenzar con la lección diaria. ¿Cerveza? ¿El capitán le había dado cerveza para desayunar? Le parecía increíble, y pensaba tomar parte en el asunto.

—Gracias, señorita Álvarez.

Dulce bajó la mirada hacia el rostro del pequeño, que mostraba una sonrisa de alivio.

—Llamadme Dulce, podéis hacerlo en la intimidad, ya os lo mencioné.

Juan le mostró una encantadora sonrisa que la derritió. Era el niño más guapo de cuantos conocía.

—El entrenamiento estaba resultando más duro de lo que esperaba —admitió el pequeño, aunque no lo mencionó como una crítica.

—Se comienza a caminar paso a paso —le respondió ella sin dejar de mirarlo, y en un tono comedido—. Para ser un buen soldado, como diría vuestro abuelo, es necesario hacerlo lentamente, como caminar, primero un paso, después otro.

El pequeño se quedó meditando sobre la respuesta de ella. Tratando de valorar su importancia. Al menos ya no le dolían los brazos de aguantar los golpes de la espada del capitán Quintín.

—Podría haber resistido un par de golpes más —se apresuró a decir, aunque no lo dijo muy convencido.

Dulce comprobó lo orgulloso que era el pequeño a pesar del duro ejercicio que recibía.

—Lamento que vuestro entrenamiento no concluyese —se disculpó—, aunque había llegado el momento de comenzar vuestras lecciones.

Juan clavó sus ojos en ella y le ofreció una mueca feliz.

—Me gusta aprender latín casi tanto como luchar —le respondió.

Dulce le alborotó el suave pelo y le guiñó un ojo cómplice.

—Y árabe —le respondió ella.

—¡Detesto aprender la lengua de mis enemigos! —exclamó el niño de forma apasionada.

Dulce suspiró. El pequeño Juan era un alumno aplicado y muy inteligente. Había aprendido a leer y a escribir a la temprana edad de seis años. Practicaba todas las lecciones de forma obediente salvo una, la lengua árabe. De todos modos, Jimena Blasco, la madre del pequeño, lo creía imprescindible porque Fortún se encontraba demasiado cerca de la frontera que dividía ambos reinos: el cristiano y el musulmán.

Cuando llegaron a la recámara del pequeño, Dulce lo miró detenidamente.

—¿Cómo podréis celebrar pactos y acuerdos si desconocéis la lengua de vuestros vecinos? —le preguntó de forma suave—. Un buen señor tiene la obligación de hacerse entender en cualquier lengua.

—¡Yo solo tengo que aprender a matar infieles! —exclamó con vehemencia infantil.

Juan se quitó la sobreveste y la dejó con descuido a los pies del lecho.

Dulce cruzó los brazos sobre el pecho mientras observaba al pequeño cómo se lavaba las manos y la cara en el aguamanil, depositado en un rincón de la alcoba cerca del hogar apagado. Lo contempló secarse el rostro con un paño y tirar el agua sucia en la cubeta habilitada para tal menester.

Era un niño, pero tan decidido como un hombre.

—Para los almohades, los infieles somos nosotros —le dijo ella.

Juan parpadeó varias veces absolutamente extrañado.

—¡Yo no soy un infiel, señorita Álvarez! —La exclamación de horror del pequeño le arrancó una sonrisa que quedó congelada en su rostro por los recuerdos.

La añoranza la abrumó por completo, porque esas mismas palabras habían sido pronunciadas por su hermano, Miguel Álvarez, cuando ella trató de defender a unos amigos que se habían quedado al otro lado de la frontera cristiana. Recordó sus visitas al palacio de MudaŸŸan en su niñez, y el corazón le dio un vuelco en el pecho de una forma dolorosa. La guerra que mantenía el rey Alfonso con el califa almohade Abu Yusuf al-Mansur había cambiado muchas cosas hermosas que ella atesoraba. La pérdida de Alarcos había recrudecido la enemistad entre ambos reinos, y ya nada resultaba igual, aunque los reinos cristianos habían ganado en la batalla decisiva de las Navas de Tolosa. Los amigos se habían convertido en enemigos; los familiares, en rivales. Dulce sufría el odio que envenenaba el corazón de los hombres. También el de su hermano.

—Disculpadme. Trataba de haceros entender que, para vencer a vuestros enemigos, debéis conocer cómo piensan, cómo sienten, y por eso vuestra madre desea que aprendáis todo sobre ellos, incluida su lengua y sus costumbres.

El pequeño Juan se quedó mirando a Dulce de una forma ininteligible.

—¿Por qué habláis en infiel? ¡Sois una dama castellana!

—Dulce adoraba a ese pequeño. Había dicho las palabras como si fuese algo inaudito e incomprensible que ella defendiera a infieles.

En el tiempo que estaba a su cuidado, había aprendido a amarlo.

Para ella resultó toda una sorpresa que la señora Blasco fuese hasta la corte de Burgos con la intención de llevarla a Fortún. Había sorteado muchos impedimentos, y los había superado todos con una tenacidad asombrosa.

Dulce era consciente de que dejar de ser dama de la reina Leonor para serlo de una condesa era bajar de rango varios grados de forma innecesaria, pues ella misma era hija de un conde. Sin embargo, Jimena Blasco le había puesto un reto que no podía rechazar: ser la instructora de un niño de corta edad, con completa libertad. Libre albedrío para tomar decisiones. Y ella, que se aburría mortalmente en la corte de Burgos, había decidido aceptar el reto. Estaba en Fortún porque conocía la lengua árabe a la perfección, también sus costumbres, al igual que su hermano Miguel, que se encontraba con el rey Alfonso ultimando estrategias para luchar contra los almohades. Su padre Álvaro había caído en la batalla de Alarcos como muchos caballeros cristianos y, desde ese preciso momento, Miguel se había convertido en el mayor enemigo que podían tener. El rey Alfonso estaba muy orgulloso de los logros que obtenía y del daño que causaba al enemigo por su intrepidez.

—Soy una dama que habla y comprende la lengua musulmana —lo rectificó de forma muy suave pero contundente.

El brillo en los ojos del pequeño se volvió desconfiado, y Dulce Álvarez calló un momento tratando de corregir una impresión equivocada.

—Nací en el condado de Arienza, pero ahora es territorio leonés. Durante un tiempo, mi familia mantuvo buenas relaciones con otra familia musulmana; por ese motivo hablo la lengua de ellos.

Juan asimiló las palabras de la mujer.

—Los leoneses ¿son amigos o enemigos? —le preguntó el pequeño muy interesado.

—¿Me consideráis enemiga? —le respondió ella con otra pregunta.

Juan era demasiado pequeño para entender las disputas que habían mantenido ambos reyes, el leonés y el castellano, en el pasado. Ni de comprender lo que había significado para Castilla la caída de la fortaleza de Alarcos, y la repercusión para los reinos cristianos de las continuas luchas contra los almohades.

Juan no le respondió. Tomó asiento junto a la ventana y sacó los diferentes pergaminos de un pequeño arcón de madera. Después de un momento, le dijo al fin:

—Vuestro rey y el mío son primos. Y los parientes no son enemigos —razonó con una madurez insólita en un niño de tan corta edad.

Pero Dulce pensó cuán equivocado estaba el pequeño, porque los parientes podían ser, en ocasiones, los peores enemigos.

—Palabras muy sabias, para un futuro conde. —A Juan pareció complacerle el tono de ella pues amplió la sonrisa de una forma encantadora—. Pero ha llegado el momento de comenzar vuestras lecciones —concluyó.

Capítulo 4

*L*a gloriosa primavera revestía de espectaculares colores el reino de Castilla.

El aire tibio de la mañana estaba impregnado de olor a tomillo y enebro. Las jaras estaban en flor y los capullos de color blanco se mecían con la brisa, creando unos mosaicos inolvidables. Adoain y Pedro llegaron a la puerta fortificada llamada Sagra y saludaron con la mano a los hombres de armas que hacían guardia. Los soldados les permitieron la entrada cuando reconocieron la enseña castellana de espadas cruzadas que portaba Adoain; era el estandarte del condado de Fortún. Lucía había sido previsora y le había dado a su hijo la enseña de su familia para que no tuviera problemas al entrar en la ciudad fortificada. Su padre se lo había enviado junto con el resto de sus pertenencias cuando comprendió que su hija no iba a regresar a Castilla, en un intento de que no olvidara sus raíces.

Las disputas entre ambos reinos en el pasado habían alejado posiciones entre ambas familias: los Blasco y los Estella. El padre de Lucía nunca había perdonado que un navarro se llevara a su hija, y que esta no regresara a Castilla.

Adoain observó, a medida que cruzaba las sinuosas y estrechas calles de la ciudad, las diversas plantas que adornaban las casas toledanas: mirtos, hibiscos, buganvillas. Toledo le recordó a las historias que había escuchado del arzobispo de Pamplona sobre la ciudad santa de Jerusalén, por su conformación y por la arquitectura de sus callejuelas.

Los diversos caminos serpenteantes estaban perfumados ya que los habían cubierto con hierbas aromáticas de romero y espliego. Las piedras estaban ocultas por un manto verde que se tornaba dorado en algunos puntos, y formaban unos tapices de colores espectaculares.

Hasta sus oídos llegó el sonido de los cánticos y la música de los diferentes templos cristianos, y le pareció que creaban una atmósfera única, e inundaban con su sonido cada rincón de la ciudad. Era la primera vez que Adoain contemplaba un paisaje tan impresionante porque los sonidos, aromas y colores competían por embellecer una ciudad que lo había dejado sin respiración. Su madre, Lucía, le había hablado de la hermosura de Toledo, pero él nunca había escuchado sus palabras. En el norte, de donde provenía él, la hierba siempre cubría los caminos. La lluvia y el frío eran algo habitual en las montañas donde residía con su familia. Por ese motivo, el calor de Toledo le resultó inesperado y sumamente agradable.

Pasaron rápidamente junto a la herrería y el mercado, y acto seguido cruzaron el puente de Alcántara, dejando atrás la ciudad para continuar galopando en dirección al sur, hacia Fortún.

La distancia desde Toledo era de varias leguas, pero ya podían divisar en el horizonte la hermosa propiedad. Adoain se fijó, a medida que se acercaban, en los sólidos baluartes del castillo que se elevaba hacia el cielo azul como un guardián protector. Clavó sus ojos de forma inquisidora en los parapetos, las torres y almenas. Fortún se alzaba orgulloso y magnífico ante el telón de fondo de los dorados paisajes toledanos. Cruzaron el puente levadizo y pararon sus monturas en el patio de armas. Los caballos estaban sudorosos y jadeantes. Pedro Artáiz se quitó el casco de la cabeza para ojear con más nitidez el interior de la fortaleza, y acarició las crines de su semental para apaciguarlo. Adoain, por el contrario, aunque no levantó la celada de su yelmo, recorrió con sus ojos el interior del patio y a la gente que los miraba con suma extrañeza.

Jimena Blasco acudió al patio principal para recibir a la visita inesperada.

Se fijó en los dos hombres detenidos sobre sus monturas con suma atención, evaluándolos de forma precavida. El más alto vestía armadura completa. El penacho de su casco era negro, como las espadas que cruzaban el estandarte familiar. El caballero que lo portaba lo ajustó al estribo de su montura para tener la mano libre. Un instante después, ambos jinetes desmontaron al unísono. La corpulencia de uno de ellos le hizo entrecerrar los ojos con cierta cautela. Ningún castellano que conociera poseía esa altura y musculatura y, por un momento, lamentó que su abuelo no se encontrara en Fortún. Había sido reclamado junto a su esposo por el rey Alfonso, para planear nuevas estrategias de ataque hacia los almohades.

El ruido de la armadura atrajo de nuevo su atención sobre la visita. Adoain levantó al fin la celada de su yelmo, al mismo tiempo que entregaba las riendas de su montura a un mozo de cuadra.

Varios soldados habían acudido presurosos para hacer la fila de honor junto a su señora.

—Sed bienvenidos a Fortún —les dijo Jimena Blasco con un tono firme.

Adoain y Pedro hicieron la reverencia de cortesía antes de hablar y presentarse.

—Mi nombre es Adoain Estella, señora. —La potente voz masculina logró sorprenderla, porque su acento del norte era muy fuerte—. Soy el conde de Bearin.

Jimena no conocía Bearin, pero aunque sentía cierta aprensión por la visita inesperada, mostró la hospitalidad castellana que requería el momento.

—Mi esposo, Gonzalo Díaz, no se encuentra en Fortún, aunque esperamos su regreso en breve.

Los ojos del navarro se oscurecieron durante un instante al recibir la nueva.

—Me trae a vuestro hogar un asunto urgente que debo tratar sin dilación con don Juan Blasco, conde de Fortún.

La espalda de Jimena se tensó. Su abuelo no podía conocer a esos dos extraños. ¿Por qué motivo necesitaban una audiencia con él?

—Mi madre, Lucía Blasco, es pariente del conde —aclaró Adoain—. Traigo una carta suya, y debo entregarla de forma personal.

Ella no conocía a todos sus parientes maternos, pero sí

que había escuchado en una ocasión, muchos años atrás, que Lucía Blasco, la única hija viva de Manuel Blasco, hermano de su abuelo, había sido raptada por un noble del norte y vasallo del rey Sancho de Navarra, en unos torneos ofrecidos por el padre del rey Alfonso. Desde entonces, nadie en la familia Blasco conocía qué había sido de ella salvo por unas escuetas cartas escritas y enviadas, de forma muy espaciada en el tiempo. Los padres y hermanos de Lucía habían perecido hacía tiempo; unos de enfermedad, otros en la batalla de Alarcos, y la visita del hijo de Lucía le llenaba el corazón de incógnitas.

—Mi abuelo se sentirá honrado de vuestra visita. Mandaré un emisario a Toledo para avisarle de la nueva. Ahora, por favor, acompañadme al salón para que os pueda servir un poco de agua para refrescaros y vino para daros la bienvenida.

Adoain le hizo una inclinación de cabeza a modo de aceptación.

Aunque los soldados se mantenían alerta, la aclaración de parentesco con el conde había hecho que quitaran las manos de la guarda de sus espadas. Salvo uno de ellos, que celaba la espalda de su señora con el ceño fruncido de precaución y sin desviar la vista de los desconocidos. Adoain dedujo que debía de tratarse del capitán.

—Os agradecemos la atención, máxime cuando no se os ha informado de nuestra llegada.

—Los familiares son siempre bienvenidos en Fortún.

Los ojos de Adoain escudriñaron todo lo que contemplaba con atención. Pedro y él siguieron a la mujer cuando les hizo un gesto con la mano. Durante el recorrido, admiraron los suelos de piedra que estaban cubiertos por suaves y gruesas alfombras.

A lo largo de las paredes de las diferentes salas que cruzaron, había divanes cubiertos con hermosas tapicerías y grandes y mullidos almohadones que invitaban al reposo. Los frisos recorrían las diversas estancias con artísticos ornamentos. A medida que recorría los pasillos y las galerías, observaron diferentes patios con fuentes. Adoain ignoraba que Fortún había sido un palacio conquistado por los musulmanes en el año 932 por Abd ar-Rahman ibn Muhammad, un emir independiente que decidió aplastar la rebelión de la ciudad de Toledo tras un asedio de dos años, y la sometió al califato cordobés. La familia Blasco había sido arrancada de su hogar, y la mayoría había sido ejecutada por la espada del emir. Finalmente, cuando Toledo fue recuperada por Alfonso VI en el año 1085, Fortún fue devuelto a su legítimo dueño. Pero, el tiempo que había estado en poder musulmán, el castillo había sido modificado en gran parte y adaptado a los gustos árabes. Las diversas fuentes estaban alimentadas por un ingenioso sistema de tuberías de agua, el mismo sistema que recorría los baños y los huertos. Por ello, todo se veía fructífero y fértil a pesar del intenso sol toledano.

Adoain centró de nuevo su atención en la señora castellana que los precedía.

Resultaba un gran inconveniente que Juan Blasco no se encontrara en el castillo, pero Artáiz y él podían aprovechar el tiempo para hacer indagaciones, familiarizarse con el entorno y conocer las debilidades defensivas del castillo. Tenían que estar preparados para todo, y no pensaba descartar nada.

La gran sala habilitada para la cena fue todo un descubrimiento.

En Bearin se utilizaba la misma estancia para las audiencias y para las comidas de la familia y de los soldados, pero en Fortún sucedía todo lo contrario. Los nobles se alimentaban claramente diferenciados del resto de las personas que vivían en la fortificación. Adoain ignoraba que pudiese haber tantos nobles en un mismo lugar. Siendo el invitado de honor, su lugar estaba situado esa noche al lado de la señora del castillo y del capitán de su guardia, Quintín, quien seguía con el ojo avizor sobre él y sin abandonar la mano de la empuñadura de su espada al cinto. Pero Adoain ignoraba que la guardia de Fortún siempre estaba alerta por la proximidad con la frontera almohade. Los soldados se mantenían en constante atención y los turnos se habían doblado desde la pérdida de Alarcos, la frontera más avanzada del reino de Castilla.

Las grandes mesas destinadas para la cena, además de ser fijas, estaban adornadas con hermosos manteles de lino sobre los cuales habían colocado centros con variadas flores frescas y brillantes velas encendidas. Viendo la riqueza de Fortún, pudo comprender mejor la magnitud de todo a lo que había renunciado su madre por un conde navarro.

—Confío en que los alimentos os resulten gratos. —Las palabras suaves de Jimena le llegaron entre brumas.

Estaba absorto mirando y observando cada detalle del lujoso salón de banquetes. Sobre la mesa, muy cerca de él, habían depositado una daga afilada con hermosas incrustaciones de gemas preciosas para que pudiese cortar la carne con facilidad.

Una copa de plata labrada, que apenas pesaba sobre su mano cuando la llenaron de un vino oloroso, le hizo enarcar una ceja, pero no bebió de ella. Los sirvientes llenaron los cuencos con agua perfumada con hierbas que llevaban en una jarra, al mismo tiempo que les ofrecían a los invitados un paño de lino para secarse. Adoain se fijó en la sal que contenía un elegante cuenco en la mesa principal. La señora hizo una inclinación con la cabeza para que comenzaran a distribuirla entre los comensales. La sal era muy preciada, y por ese motivo aceptó su ración como si fuese el maná prometido.

Un desfile de bandejas comenzaron a circular delante de él. La anfitriona escogía con mimo cada plato que había sido preparado en su honor. El primero consistió en una sopa hecha con crema de leche, yemas de huevo y migas de pan. El segundo, un guiso de carne de res con frutos secos y especias que él desconocía. Sin embargo, el asombro de Adoain llegó cuando vio la bandeja principal con un cochinillo asado y un pollo crujiente montado a horcajadas como un jinete equipado con un casco y una lanza. También paladeó más tarde un plato de diferentes carnes con gelatina. Quesos variados, peras cocidas en vino tinto y especias y, por último, frutas escarchadas y nueces.

Pedro, en el otro extremo de la mesa, tenía la mirada clavada en una noble castellana de labios finos y mejillas rosadas. Adoain ignoraba si había disfrutado tanto de los alimentos servidos como él.

—¿Os quedaréis mucho tiempo en Fortún? —La suave voz de su anfitriona le hizo volver la cabeza hacia ella.

Adoain admiró los rasgos angulosos del rostro femenino. Observó con interés los largos dedos cuando cogieron la copa de vino para llevársela a los labios. Supo, por instinto, que realmente estaba ante la hija del rey Sancho.

—El imprescindible, mi señora —respondió con un tono conciso que logró desconcertarla.

Jimena entrecerró sus bonitos ojos para escudriñar al hombre extranjero que estaba sentado a su lado. Era parco en palabras, pero ella, que había conocido a varios nobles del norte, sabía lo poco comunicativos que eran, y por ese motivo no se ofendió por el mutismo continuado durante la cena.

—Imagino que deseáis reclamar las tierras de vuestra madre. —Adoain parpadeó varias veces ante esa revelación inesperada.

¿Su madre tenía tierras en Castilla? Como navarro, nunca le había importado la ascendencia de su madre, ni sus parientes y propiedades, pero no podía admitirlo delante de su anfitriona por temor a ofenderla porque también era pariente de ella.

—Siempre que no resulte un inconveniente para vuestro abuelo, o para vos —le respondió llanamente.

Jimena meditó durante unos momentos sobre las palabras del navarro, y cuando alzó la mirada hacia el rostro masculino, detuvo sus pupilas durante un instante en la fea cicatriz que surcaba su cuello. El gesto de desagrado molestó a Adoain aunque ya estaba acostumbrado a ello.

Las mujeres encontraban la cicatriz repulsiva, y él las encontraba a ellas porfiadas; un justo intercambio recíproco.

—Las tierras de vuestra madre, Lucía, las cuida un sobrino de mi abuelo, Francisco Sánchez. Presumo que no pondrá impedimento en tornarlas a su legítimo dueño.

Adoain se preguntó si el individuo en cuestión tendría algún inconveniente al respecto, y supo por instinto que la respuesta a su pregunta era afirmativa.

—Ignoro dónde se encuentra la propiedad de mi madre —le dijo con un matiz de desinterés que le hizo fruncir el ceño a Jimena.

Dejó su copa de vino sobre la mesa para llamar a un sirviente. El criado, solícito, acató la orden de su señora de inmediato. Había llegado la hora para la actuación del bufón con sus juegos malabares.

—Las tierras de vuestra madre se encuentran en Talavayra,[4] a unas veinte leguas de distancia. Si lo deseáis, dispondré un séquito para que os acompañe hasta allí. Podríais partir mañana a primera hora.

Adoain se preguntó si acaso la dama estaba tramando despedirlo enviándolo lejos. Veinte leguas era una distancia muy larga, y no dudaba de que la señora de Fortún lo quería lejos, pero se preguntó el motivo para ello.

—No será necesario, esperaré la llegada de vuestro abuelo antes de tomar una decisión.

Jimena le hizo un gesto afirmativo con la cabeza antes de volver sus ojos hacia la actuación que ya había comenzado.

No podía dormir a pesar del cansancio que lo embargaba.

La alcoba que habían destinado para él era digna de un rey, y Adoain se sintió sumamente agradecido por el detalle inesperado. La alcoba de Pedro estaba ubicada en el otro extremo del corredor, en la misma planta baja, muy cerca del capitán de la guardia y de los soldados más veteranos. Intuía que las alcobas de los dueños estaban dispuestas en el primer piso, alejadas de los criados e invitados inesperados. Las diversas estancias para dormir estaban colocadas alrededor de un gran patio con aljibe, algunas fuentes y árboles frutales como manzanos y perales. El jazmín crecía y trepaba por los muros hasta alcanzar la galería superior, donde los zarcillos se enroscaban como serpientes en los pilares redondos, perfumando a su paso cada estancia. Adoain inspiró profundamente mientras se masajeaba el cuello y la nuca para aliviar la tensión que sentía por los últimos acontecimientos. La puerta de su alcoba estaba abierta para que el frescor del patio penetrara en la estancia que había calentado el sol del

---

4. Actual Talavera de la Reina.

mediodía. Observó el banco de piedra bajo un árbol frondoso pero de tronco y ramas que le parecieron muy feas. Ignoraba que el árbol que había llamado su atención era una higuera de frutos dulces y jugosos, pero él no tenía modo de saberlo.

Sintió de pronto la necesidad de sentarse bajo su amparo y, una vez que lo hizo, alzó su rostro al cielo añil que se veía despejado en esa noche cálida.

En Fortún las estrellas no relucían como en Bearin, pero la noche navarra no se perfumaba del olor a jazmín y a lavanda que podía oler y ver desde su posición sentada. Las flores en torno a las fuentes se mantenían quietas y el siseo singular del agua al golpear la piedra pulida y resbalar hasta perderse, le recordaron los riachuelos de su tierra cuando discurrían por los verdes valles.

Estaba lejos de casa, de todo lo que conocía, y la ira que alimentaba en su interior seguía creciendo y fermentando a un ritmo alarmante.

De pronto, un ruido inesperado lo puso alerta.

Bajo las hojas grandes y lobuladas de la higuera, su altura y constitución quedaban ocultas al abrigo de la noche para otros ojos inquisidores que no fueran los suyos propios. Adoain siguió con la mirada la suave tela blanca que se movía de forma oscilante a cada paso. Una mujer atravesaba el patio con prisas, y llevaba en la mano un quinqué de aceite, aunque la forma de vestir femenina despertó su curiosidad porque llevaba una túnica como único ropaje. Tenía el pelo y la cara cubiertos por un velo, y cruzaba el patio con zancadas medidas, apenas sin hacer ruido. Tras ella se oyeron unos pasos firmes de hombre que sabe hacia dónde se dirige. Adoain se quedó quieto esperando que no lo descubrieran. El perseguidor logró alcanzarla y la sujetó del brazo. Ella detuvo sus pasos y se volvió hacia el hombre haciendo un gesto negativo con la cabeza, al mismo tiempo que depositaba un dedo femenino en la boca masculina para silenciar una posible protesta.

Adoain creyó que estaba siendo testigo de un encuentro entre amantes y maldijo por lo bajo, porque no le apetecía en absoluto ser testigo involuntario de un escarceo amoroso. La mujer volvió su rostro hacia la espesura de los frutales sin saber a ciencia cierta qué buscaba. Alzó el quinqué oteando la oscuridad y tratando de atisbar allí donde el brillo de la luna no alcanzaba a iluminar y, aunque entrecerró sus ojos para ver mejor, desistió de su intento. Adoain había contenido la respiración cuando el rostro femenino se clavó en él pero sin verlo y el fino velo se agitaba al ritmo de su respiración. Llegó a percibir la voz masculina que le hablaba en voz muy baja y, al fijar sus ojos en la espada que portaba al cinto, se percató de que era sarracena, aunque las ropas que vestía eran las de un caballero castellano y de rango.

La mujer le murmuró algo al oído y el hombre escudriñó en el patio intentando visualizar en la oscuridad, pero hizo un gesto negativo con la cabeza. Un instante después, arrancó la presilla que mantenía sujeto el velo del rostro femenino en un acto demasiado brusco, como si no soportara que ella tuviera el rostro cubierto. La mujer volvió el rostro de improviso y el velo cayó hacia el suelo del patio sin que ninguno de los dos le diese importancia. Ella rozó la mejilla masculina a la vez que le sonreía de una forma que no había visto jamás, y ese detalle logró desarmarlo porque la sonrisa era sumamente afectuosa y estaba llena de empatía. Nunca una sonrisa femenina le había afectado de tal manera. Ahora podía ver mejor el contorno del rostro gracias a la lámpara de aceite que había subido el hombre hacia la mujer, como si tratara de grabar en su mente los rasgos suaves y los gruesos labios que florecían en un gesto absolutamente especial y diferente. Finalmente, los amantes dejaron de susurrar y retomaron sus pasos hacia el lugar al que se dirigían: el otro extremo del patio.

Adoain, pasados unos momentos, decidió regresar a sus aposentos para tratar de recuperar el sueño que se le escapaba desde que recibiera la noticia de la muerte de su padre. No había logrado dormir una noche completa. Un continuo duermevela era lo único a lo que podía aspirar hasta que su mano vengase el agravio recibido. Solo así el alma de su padre y la suya propia podrían descansar en paz.

Sus pasos habían llegado al lugar donde se había caído el pañuelo. Se inclinó para alcanzarlo con la mano y comprobó que la tela era mucho más fina de lo que había imaginado.

Sin ser apenas consciente, la acercó a la nariz para aspirar su aroma. El suave perfume impregnó sus fosas nasales y le produjo un placer inusitado. No recordaba haber olido algo tan delicado y sublime.

En un acto impulsivo y completamente ajeno a él, decidió guardar el pañuelo bajo su manga y caminó hacia la alcoba preguntándose el nombre de su dueña y el de su extraño compañero.

Capítulo 5

Quintín paró los pasos de Dulce, que se dirigía hacia la parte superior del castillo con los brazos llenos de ropa infantil. Los ojos brillantes de ella lo miraron con curiosidad y una cierta aspereza.

—No puede volver a repetirse —le dijo el capitán.

Ella descendió la mirada, azorada. Estaba convencida de que nadie en Fortún había sido testigo del encuentro.

—Mi señora se enojará muchísimo si lo descubre.

Dulce inspiró profundamente antes de responderle.

—Se marchó al despuntar el alba —le respondió. El tono de la mujer había sonado seco y, por ese motivo, Quintín alzó una ceja al escucharla—. Yo misma lo acompañé al portón.

—La próxima ocasión tendrá que venir de día. Las puertas de Fortún no se volverán a abrir por la noche para nadie —le informó.

Dulce se mordió el labio, de forma pensativa sopesando las palabras antes de decirlas.

—Traía noticias no gratas para mí, y le estoy inmensamente agradecida por arriesgar su vida para entregármelas. Aunque lamento que por ello os hayáis involucrado para que pudiera obtenerlas. Pero os doy mi palabra de que no se repetirá.

Quintín dudó si creerla.

Había sido un riesgo innecesario, pero la señorita Álvarez le había pedido un favor al que no podía negarse. Le traían un mensaje urgente de un familiar en apuros.

—Me apena la mala nueva —se condolió Quintín.

El capitán no podía imaginarse la enorme tragedia que se cernía sobre la vida de Dulce Álvarez.

—Pero la seguridad de Fortún es mi máxima preocupación, ahora y siempre.

—Gracias por vuestra ayuda, siempre resulta grato recibirla cuando no se espera.

Dulce no esperó una respuesta por su parte.

Le hizo una ligera inclinación con la cabeza y sorteó el cuerpo musculoso que le obstruía el paso hacia las dependencias superiores. Subió los escalones con cuidado para no perder ninguna de las prendas que llevaba entre los brazos mientras trazaba planes apresurados en vista de las circunstancias.

Tenía que ayudar a una persona a la que amaba tanto o más que a sí misma, pero no sabía cómo hacerlo. Pensaba pedir ayuda a doña Jimena, pero no estaba del todo convencida de que pudiera comprender el motivo que la inducía a romper varias reglas establecidas.

Dulce pensó en su hermano Miguel y en lo fácil que resultaría todo si él no hubiese cambiado tanto tras la muerte de su padre en la batalla de Alarcos. Pero la guerra enemistaba incluso a familiares, y ella no sabía cómo afrontar el rechazo que percibía en los ojos de su hermano cada vez que mencionaba a sus queridos amigos.

Tenía muchos asuntos que resolver y tenía que ponerse a ello de inmediato.

Jimena se sentía sumamente incómoda con la visita. Los dos extranjeros parecían fantasmas de lo silenciosos que se mostraban. Había mandado un emisario a Toledo con un mensaje para su abuelo y otro para su esposo, pero la respuesta que había recibido la había puesto muy nerviosa. Se sentía impaciente y descorazonada. Había confiado en que el rey les otorgase un tiempo antes de que partieran hacia una nueva batalla para ganar terreno conquistado por los almohades. Luis y Esteban, ambos barones y vasallos de su abuelo, habían partido la noche anterior hacia Burgos, reclamados por la reina Leonor, que apenas se dejaba ver por Toledo. Miró con ojos atentos las dependencias de su primogénito; el pequeño se encontraba recibiendo sus lecciones sobre caballería y por ese motivo esperaba a su instructora para darle nuevas indicaciones.

Una sirvienta abrió la puerta de madera que cerraba la alcoba del corredor, y Dulce Álvarez cruzó el umbral con los brazos llenos de ropa infantil. Cuando se percató de que Jimena la esperaba, depositó las prendas sobre el lecho y se volvió completamente hacia ella.

—Señora Blasco —la saludó con una sonrisa—, confío en que no hayáis esperado mucho tiempo por mí.

Jimena le hizo un movimiento negativo con la cabeza.

—No, pero tenía urgencia por hablaros y por ese motivo he decidido esperaros en la alcoba de mi hijo.

Dulce parpadeó confusa. La señora de Fortún se veía sumamente incómoda.

—Me di cuenta de que no estabais en el salón durante la cena. Me sentiré muy enojada si mi hijo ha tenido algo que ver con vuestra ausencia.

—Señora, perdí mi reina en apenas tres movimientos. —Jimena sabía cuánto le gustaba a su hijo jugar al shatranj[5] desde el mismo momento en que la señorita Álvarez le mostró cómo mover las piezas, aunque ignoraba quién le había enseñado a ella a jugar de forma tan diestra—. Juan se muestra despiadado en el ataque.

—Mi pequeño suele ser muy autoritario en algunas ocasiones —reconoció Jimena.

Dulce amplió la sonrisa. «Autoritario» era una palabra que se quedaba muy corta para definir el carácter avasallador del pequeño Juan Blasco.

—Las próximas dos noches, tendré que cenar con él en sus aposentos ya que perdí el reto que me lanzó.

—Hablaré entonces con él —se ofreció Jimena, pero Dulce negó de forma efusiva con la cabeza.

---

5. Ajedrez. Al-Aldli compuso el primer manual de ajedrez. Era el jugador más hábil durante el califato de Al-Wathiq.

—Soy una mujer de honor, mi señora; no podría incumplir mi palabra.

—Como deseéis —aceptó al fin. Jimena calló un momento—. Debo ausentarme en unos días, porque debo acompañar a un familiar a Talaveyra —le dijo. Dulce seguía callada, escuchando con atención—. Sería muy grato para mí que os ocuparais de atender Fortún en mi ausencia. Como la dama de más rango, os sentaréis en mi lugar y atenderéis al resto de los invitados hasta mi regreso.

Dulce entrecerró los ojos. Era un honor que Jimena Blasco hubiese pensado en ella.

—Señora, ¿vuestro abuelo y esposo seguirán ausentes por tiempo indefinido?

Escuchó perfectamente su suspiro resignado, por lo que Jimena Blasco tardó unos instantes en responderle.

—Mi abuelo y Gonzalo se marcharon hacia el reino de León en la noche de ayer como emisarios del rey Alfonso. Deben tratar un asunto con el primo del rey.

Dulce meditó las palabras de la señora. Desde la victoria en la batalla de las Navas de Tolosa, el rey castellano confiaba en reconquistar las plazas que habían perdido en batallas con los almohades y, ahora que tenía buenas relaciones con el resto de los reinos cristianos, quería aprovechar la ventaja y la fortaleza que tal unión confería.

—Aunque ignoro el momento de partir, deseaba hacéroslo saber con prontitud, para que, llegado el momento, estéis preparada.

—Haré cuanto esté en mi mano para atender vuestra casa como si fuese la mía.

Jimena Blasco le mostró una media sonrisa.

—Estoy convencida de ello, señorita Álvarez. Y ahora permitidme que os riña por perder el tiempo con las ropas de mi hijo.

Dulce abrió la boca pero la volvió a cerrar. A ella le encantaba ocuparse de las prendas del pequeño. La hacía sentirse útil y necesaria, y ese era un sentimiento muy valorado en su escala emocional.

—Tenemos doncellas que se ocupan de la colada —le recriminó Jimena con voz melosa, pero con ojos serios.

—Me ayuda a mantenerme ocupada mientras el niño recibe sus clases de doma y monta —le contestó Dulce con suavidad.

Jimena Blasco la escudriñó con atención.

Su postura erguida, su forma de alzar la barbilla sin apenas darse cuenta le recordaron a un felino independiente. Era una dama de los pies a la cabeza, y le disgustaba verla haciendo labores de doncella. Su odisea para traerla a Fortún desde la corte de Burgos había resultado titánica, pero conocía a su familia desde la niñez aunque Dulce no la recordara, y sabía que era la persona idónea para instruir al pequeño Juan. Gonzalo había protestado y mostrado su opinión de una forma contundente, pero su abuelo había hecho apoyo común y Gonzalo había terminado cediendo a sus pretensiones. Su hijo Juan Blasco aprendería hebreo y árabe, además de las costumbres musulmanas.

—Inés se ocupará de la ropa de Juan y de la vuestra —le informó.

Dulce entendía cuándo era necesario retirarse. Si la señora de Fortún no quería que se ocupara de esos menesteres, así sería.

—Y si lo deseáis, podéis usar el tiempo de ocio para salir a cabalgar. Vuestro padre mencionó una vez que lo hacíais muy bien y que disfrutabais con ello.

—Será un placer, doña Jimena.

Jimena le sonrió y con la mano le indicó que la acompañara. Dulce lo hizo solícita. Tener al pequeño Juan bajo su tutela le reportaba una enorme satisfacción. Era muy feliz en Fortún y esperaba que esa circunstancia no cambiara en mucho tiempo, aunque las noticias recibidas de su hermano Miguel Álvarez lograban oprimirle el corazón como si estuviera sostenido por un guantelete de hierro.

La señora de Fortún la dirigió hacia las dependencias de los sirvientes y la presentó a todo el personal. Les informó de que la señorita Álvarez se ocuparía de atender los asuntos domésticos y que esperaba una buena respuesta por parte de todos. Cuando el conjunto de criados estuvo informado, Jimena le presentó al escribano de su abuelo. Dulce conocía que únicamente los reyes y nobles más influyentes podían tener la ayuda inestimable de un escribano. El rey Alfonso contaba con uno de ellos, y había hecho un excelente trabajo en la economía devastada del reino de Castilla por las guerras continuas con los almohades.

Cuando terminaron las presentaciones y las últimas recomendaciones, Jimena Blasco la despidió y Dulce se dirigió con prontitud hacia las dependencias del pequeño. Había llegado la hora de las lecciones.

En sus prisas para llegar al piso superior no fue lo suficientemente cauta de prestar atención por donde iba. Al girar en una de las esquinas para alcanzar la escalera, iba tan distraída que tropezó con un muro o eso al menos le pareció.

—Mi señora…

Dulce parpadeó al sentirse golpeada. Las rodillas se le habían doblado debido al impacto inesperado, y la cabeza había rebotado contra un pecho duro. El hombre que la sostenía por los codos le sonreía con una disculpa. Era extranjero, pero no tuvo tiempo de responderle porque se había quedado muda. Era el hombre más corpulento que había visto nunca. Tenía el cabello largo y negro recogido en una cola. Las patillas cubrían una gran parte de sus mejillas. Sus labios eran finos y sus ojos, de un gris brillante, la miraban con sumo interés. Dulce se dio cuenta de que tenía la cabeza echada hacia atrás para poder abarcar la totalidad del rostro masculino. Trató de dar un par de pasos para separarse del cuerpo recio y tener una mejor visión, pero el forastero seguía sujetándola por los codos.

Pedro se dio cuenta demasiado tarde de que no se había disculpado, por ese motivo corrigió su error de inmediato.

—Mi nombre es Pedro Artáiz y os ruego que me disculpéis. No pretendía haceros daño.

La mujer lo miró con interés al escucharlo.

—Señor Artáiz… —comenzó, pero inmediatamente se calló. Su lengua no ordenaba las sílabas para formular las palabras—. Caminaba despistada, disculpadme vos a mí.

—Confío en que no estéis lastimada.

Dulce hizo un intento más de soltarse, y el hombre fue consciente de que seguía sujetándola por los brazos. La soltó con celeridad.

—Gracias por vuestra preocupación —le dijo con voz serena—, pero me encuentro perfectamente.

Pedro entrecerró sus ojos y le mostró el amago de una
sonrisa.

Ella le hizo un gesto con la cabeza a modo de despedida y
continuó su camino hacia la planta superior.

Capítulo 6

*E*sa noche durante la cena, Adoain se percató de que Pedro comía distraído. Clavaba sus ojos inquisidores entre las damas de la anfitriona como si buscase a alguien en particular, y se preguntó quién entre ellas había llamado su atención. Cortó un trozo de carne sabrosa con la preciosa daga que le habían obsequiado la primera noche de su llegada, y se la ofreció a la señora del castillo que la aceptó con suma cortesía. Quintín estaba sentado a la derecha de Pedro en la mesa de los soldados de más rango. Todo discurría con absoluta normalidad, salvo su ira, que seguía creciendo a pasos agigantados al encontrarse sin poder hacer nada hasta el regreso de don Juan Blasco.

Pero había hecho varias indagaciones entre los soldados y había obtenido respuestas bastante satisfactorias. La familia Álvarez era muy conocida y admirada en Fortún. Hasta sus oídos habían llegado las valerosas hazañas del paladín del rey Alfonso de Castilla, de sus continuos triunfos en la batalla y de las numerosas muertes causadas por su espada. Cuando le mencionaron el nombre del guerrero, recabó toda la información que pudo sobre él, pero salvo sus valerosos triunfos, no obtuvo nada más.

Cuando le indicaron dónde se encontraba el condado de Arienza y que se hallaba apenas a dos días de distancia a caballo, Adoain supo que su venganza estaba muy cercana.

La tranquilidad del banquete se interrumpió durante unos momentos por la entrada de un mensajero que se dirigió directamente hacia el lugar donde estaba sentado Quintín, el capitán de la guardia. Le susurró algo al oído y este se levantó presto para dirigirse hacia el lugar de honor que ocupaba la señora de Fortún.

—Disculpadme, mi señora, pero debo atender una visita inesperada. Un mensajero del rey Alfonso que me trae los últimos movimientos de los almohades, pero no os preocupéis pues os traeré la nueva tan pronto como despache al mensajero.

Jimena le hizo una afirmación con la cabeza.

—¿Me necesitáis? —le preguntó intrigada.

—No, mi señora, no interrumpáis el banquete; regresaré pronto.

Quintín desapareció por el hueco abierto y los comensales continuaron de nuevo con la cena.

—Confío en que sean buenas noticias —le dijo Adoain de pronto.

Jimena Blasco miró al navarro que tenía sentado a su lado.

—A menudo el rey Alfonso le envía mensajes a mi capitán sobre las precauciones que debe tomar con respecto a Fortún.

—¿Nos encontramos cerca de la frontera, señora?

—Demasiado —le respondió—. Alarcos está a pocas leguas de aquí, y don Alfonso teme que suframos el mismo destino si no estamos lo suficientemente preparados.

Adoain sabía que la fortaleza de Alarcos había sido derrotada años atrás y que ahora se encontraba en poder de los almohades. En cada victoria, lograban penetrar más en Castilla y ansiaban llegar hasta su mismo corazón: Toledo. Sin embargo, las continuas derrotas en ambos bandos no lograban desanimar ni al caudillo almohade, ni al rey castellano.

Otra interrupción, pero en esta ocasión mucho más discreta, hizo que el corazón de Adoain se alterara. Una mujer había aparecido de la nada y le había susurrado algo a su anfitriona que la hizo levantarse de su asiento de inmediato. Adoain no pudo ver el rostro de la mujer aunque lo intentó, ya que el cuerpo de la señora Blasco lo tapaba casi por completo. Pero su aroma volvió a impregnarle las fosas nasales y supo que se trataba de la dueña del pañuelo que él había recogido en el patio. Todo su cuerpo se puso alerta.

—Disculpadme, señor Estella, debo ausentarme durante unos momentos; un asunto familiar requiere mi atención inmediata.

Adoain le hizo un gesto afirmativo y se quedó pensativo un momento. Vio a las dos mujeres que se marchaban con pasos apresurados y decidió seguirlas a cierta distancia.

Sus pupilas estaban clavadas en la espalda de la mujer que había llamado poderosamente su atención. Se fijó en su forma particular de andar; se movía con una gracia natural y muy femenina. Sus ropas parecían sencillas, como las de una sirvienta, pero la forma de dirigirse hacia la señora Blasco le indicó que se trataba de una dama de alto rango, o una señora musulmana que había alcanzado privilegios entre los cristianos. Adoain estaba cada vez más interesado en la misteriosa mujer. Cuando las contempló perderse en el corredor superior, decidió regresar tras sus pasos. Sus pesquisas sobre dónde estaban ubicadas las dependencias femeninas habían sido culminadas. Ya sabía dónde encontrarla, y por cierto que pensaba tener un encuentro con ella muy pronto.

Cuando regresó al salón, sus ojos volaron hasta Pedro, que tenía un brillo de lo más extraño en la mirada. Rompiendo toda norma de protocolo por ausentarse de la mesa durante tanto tiempo, caminó hacia el lugar en el que estaba sentado su amigo. Ocupó el asiento que había dejado libre Quintín, el capitán de la guardia.

—Resulta de lo más extraño la ausencia de la señora —le dijo Pedro. El resto de los comensales no podía comprender las palabras que compartían ambos amigos en voz baja—. ¿Habéis visto a la dama? —le preguntó Pedro. Adoain dirigió su mirada hacia la puerta de entrada como si esperara verla aparecer de nuevo.

—Una dama muy esquiva —le respondió de forma pensativa.

—Ignoro quién es —confesó Pedro—, pero estoy completamente resuelto a descubrirlo. Deseo volver a ver su mirada de oro líquido. Creo que me ha cautivado.

Adoain alzó una ceja negra de forma escéptica. Pedro era un hombre poco dado a utilizar palabras inútiles y a mostrar emociones superficiales. Su esposa había muerto hacía varios años y su hijo Carlos, ya un adolescente, se criaba con la familia materna, muy lejos del padre.

Él no podía entender el motivo por el que Pedro había accedido a separarse de su único hijo, aunque no pensaba preguntárselo porque lo respetaba demasiado.

—¿Apenas la habéis visto durante un instante y os declaráis cautivo de sus encantos? —le preguntó con inusitada sorpresa porque él sentía exactamente lo mismo que Pedro, salvo que no lo admitió—. Amigo mío, el vino castellano debe de ser más fuerte de lo que pensáis y os ha nublado el juicio.

Pedro sonrió por la respuesta de su joven conde.

—Tropecé con la mujer esta mañana y, para que no cayera al suelo, la sujeté con mis brazos durante unos efímeros momentos que lograron despertar mi curiosidad. Nunca he contemplado un rostro más armonioso, ni una figura más incitante.

Adoain miró a Pedro como si hubiese sufrido un tabardillo producido por el sol toledano. Ambos se sentían intrigados por la misma mujer.

—¿Haríais un favor a este viejo amigo? —le preguntó Pedro.

Adoain afirmó con la cabeza mientras meditaba sobre las palabras que le había dicho. Pedro no era viejo en absoluto. Sí robusto y fuerte, valiente y decidido. La diferencia de edad entre ellos carecía de importancia, y Adoain confiaba mucho en su criterio.

—Preguntadle a la señora de Fortún el nombre de la muchacha y dónde puedo volver a encontrarme con ella.

—¿La dama se esconde de vos? —inquirió Adoain con tono incrédulo.

Pedro se tomó las palabras de su señor con ecuanimidad.

—En los días que llevamos aquí, no la he visto con el resto de las señoras castellanas y ese detalle hace que me pregunte el motivo de su ausencia en las diferentes comidas.

Adoain decidió cambiar de conversación. No le apetecía seguir escuchando el interés que había despertado la mujer misteriosa en su amigo, y retornó al motivo por el que estaban en Fortún: el hombre que había matado a su padre y al que todavía no había podido enfrentarse.

—He descubierto el lugar donde mora Miguel Álvarez. —Los ojos de Pedro se oscurecieron durante un instante—. Y me han informado de que es el defensor del rey de Castilla, su paladín.

Pedro meditó sobre la información que Adoain había desgranado, ¿un paladín?

—Eso puede significar un inconveniente para nuestras intenciones —le dijo Pedro con voz queda—. El rey don Alfonso puede tomar represalias si le dais la muerte que se merece. —Adoain ya había pensado en esa posibilidad, pero no le importaba demasiado—. Podríais exponer vuestra demanda ante el soberano y pedir una reparación por la ofensa cometida contra vuestra familia.

—¿Reparación? —Adoain no sabía a qué se refería Pedro con esa palabra.

—Un combate a muerte para defender vuestro honor. Si el rey aceptara, no habría represalias después por la muerte justa del asesino de vuestro padre.

—No me importan las posibles represalias —alegó Adoain con voz seca.

—Os pronunciáis así porque no habéis pensado en vuestra madre, y las repercusiones que podría tener para ella y sus familiares.

¿Qué trataba de decirle Pedro?, pensó Adoain para sí mismo.

—La ira de don Alfonso no llegaría a Navarra —le replicó convencido.

Pedro reflexionó unos segundos la respuesta que iba a ofrecerle a su conde, pero Adoain no se lo permitió. El conde no deseaba un combate a muerte con testigos; quería cobrarse una venganza sin más espectadores que él y Miguel Álvarez.

—He jurado matarlo —le respondió volviendo su rostro hacia el lugar preferente donde había estado sentado antes.

La señora de Fortún acababa de entrar de nuevo en la sala. Los criados habían retirado los platos que no habían utilizado y él decidió regresar para ocupar de nuevo su lugar correspondiente.

Jimena Blasco contempló que el extranjero no estaba

sentado en la mesa. Lo buscó con los ojos hasta que se toparon con los suyos. Caminaba directamente hacia ella con rostro adusto. Se preguntó el motivo para que todos los días se mostrase tan hosco y tan poco comunicativo.

—Disculpadme, necesitaba preguntarle a mi capitán Artáiz si disfrutaba de la cena.

Jimena Blasco le mostró una media sonrisa y aceptó que la ayudara a sentarse de nuevo. El silencio se instaló entre ellos hasta que llegaron los postres, y entonces Adoain recordó la promesa que le había arrancado Pedro de inquirir sobre la dama que había llamado su atención con anterioridad.

—Tengo que pediros una indulgencia —dijo de pronto.

Jimena lo miró con renovado interés.

—Decidme entonces. Si está en mi mano, con gusto os complaceré —le respondió solícita.

—Mi amigo desea conocer el bienestar de una dama misteriosa a la que casi deja inconsciente esta misma mañana al pie de las escaleras de la torre norte. Por lo visto, tuvo el desatino de tropezarse con él.

—¿Dama? —preguntó.

Adoain le hizo un gesto afirmativo.

—La señora que no ha compartido las viandas en el salón los últimos días.

Jimena parpadeó sorprendida. La única dama que no había compartido la cena en el salón era… ¿Se refería a Dulce? Y entonces recordó la breve visita que ella había hecho a la sala para informarle del enfriamiento de su hijo. La fiebre había aumentado y, aunque no estaba preocupada, había decidido darle un discreto aviso. La señorita Álvarez no solo se ocupaba de instruir a su primogénito, también jugaba con él y lo cuidaba por las noches. Era de una inestimable ayuda ahora que Gonzalo no se encontraba en Fortún.

—¿Os referís a Dulce? —le preguntó con extrañeza, y la expresión de Adoain le resultó un tanto confusa.

Jimena se dio cuenta de que él no conocía a la dama en cuestión, y volvió sus ojos hacia el otro invitado navarro que la miraba con ojos penetrantes y con un brillo de interés que logró molestarla sin poder precisar el motivo.

Dulce era muy preciada para ella.

—Ignoro si ese es el nombre de la dama —le respondió conciso.

La sonrisa de Jimena se amplió.

—Le transmitiré vuestro interés por su bienestar —le dijo con tono suave y como si tratara de contener la risa.

Los ojos de Adoain se entrecerraron.

—No confundáis a la dama, señora; el interés es únicamente de mi amigo. Yo me he limitado a transmitiros sus palabras.

La voz del navarro había adquirido un filo que cortaba.

—Disculpad mi descuido —dijo tratando de calmarlo—, no pretendía ofenderos con mis ligeras palabras. Simplemente me resultó curioso el interés que habéis mostrado por una completa desconocida.

Los ojos de Adoain parecían un cielo oscurecido por una tormenta inminente.

—Os reitero que el interés suscitado es de mi amigo y no mío.

Jimena se sentía intimidada por la mirada del navarro. Contempló con cierto estupor la inmensa cólera que desbordaba el iris de sus ojos azules y que no se molestó en ocultar. Aun así, se preguntó qué recuerdo habría avivado su enojo hasta ese extremo.

—Cuidad vuestra próxima interpretación, señora.

¿La estaba amenazando? ¿En su propio salón?, se dijo atónita, aunque de ser cierto, resultaba difícil de creer.

—Escoged con cuidado las palabras, señor. Olvidáis que estáis en mi hogar, y no recibo amenazas de invitados aunque sean familiares lejanos.

Adoain se percató del movimiento en falso que había dado. Su cólera hacia las mujeres había provocado una salida de tono que podía ser perjudicial, pero le había molestado tanto que le adjudicara el interés de Artáiz, que no había medido la respuesta.

—Disculpadme vos a mí, no estoy acostumbrado a medir mis palabras. Soy un señor navarro.

«¿Es eso una disculpa?», se preguntó Jimena, pero decidió dejar el asunto por finalizado.

Ignoraba qué le había sucedido en el pasado para mostrar

tal desaire hacia las personas, sobre todo si eran del sexo femenino.

Con una palmada, autorizó el entretenimiento de esa noche en particular: unos versos cantados por el mejor trovador de Toledo.

Pero la mente de Adoain estaba en otra parte y no en el salón de Fortún. Estaba en las mujeres que despreciaba porque se vendían como furcias al mejor postor. Eran indignas de confianza y se alegraba enormemente de no haber caído en las trampas del espejismo amoroso, ni de la locura estúpida que engullía a los hombres en una espiral de decepciones y fracasos. Durante un instante evocó el enorme amor que se profesaban sus padres, pero algo así era completamente insólito y sucedía pocas veces en la vida. Ninguna mujer podía igualar a su madre, ni él tenía el talante paciente de su padre. Las mujeres que había conocido a lo largo de su vida solo servían para un desahogo físico cuando el cuerpo lo pedía, pero nada más.

Aunque era consciente de que algún día tendría que casarse para dar un heredero a Bearin, lo haría con una mujer que no le diera quebraderos de cabeza. Una que fuera sumisa y obediente, modosa y educada desde la niñez para servir a su señor sin emitir una protesta. Hasta entonces, se mantendría alejado de las serpientes venenosas que se disfrazaban con atuendos femeninos.

Capítulo 7

Los días que se sucedían en Fortún le parecían de una inutilidad desquiciante. Apenas lograba algo en sus pesquisas para tratar de descubrir más detalles provechosos sobre la familia Álvarez y sus propiedades. Adoain había reflexionado mucho sobre la sugerencia de Pedro de pedirle al rey castellano una reparación por la ofensiva perpetrada contra su casa. Sin embargo, hacerlo equivalía a esperar sin saber muy bien hasta cuándo. Además, desconocía las alegaciones que podría ofrecer don Miguel Álvarez para justificar el asesinato de su padre y decidió que no deseaba averiguarlo. Dos días atrás había hecho una incursión a última hora de la tarde para adentrarse en los dominios de Arienza, pero la actitud reservada de la señora Blasco con respecto a sus salidas le había hecho regresar mucho más pronto de lo esperado. Lo último que pretendía era disgustar a la señora todavía más y alimentar la desconfianza que veía en sus ojos.

Pero no avanzaba, se encontraba en la misma encrucijada de su llegada a Castilla y su impaciencia seguía aumentando a un ritmo vertiginoso. El tiempo para regresar a Navarra con el pequeño Juan se agotaba y, aunque no había podido descubrir dónde estaba enterrado su padre Enrique, sí había decidido el modo de sacar al niño de Fortún para llevarlo con su abuelo, el rey Sancho, sin levantar sospechas hasta que fuera demasiado tarde.

Adoain tenía los brazos cruzados sobre el pecho y una mirada acerada en el rostro. Contemplaba uno de los jardines del castillo desde el interior del atrio. Cada dos arcadas había un banco de piedra que invitaba al reposo, pero él se mantenía de pie con un humor negro corrosivo. De pronto, un aroma conocido asaltó sus sentidos dejándolo confuso. Buscó con sus ojos el lugar de donde provenía y se dio cuenta de que una muchacha se incorporaba de uno de los bancos del jardín que había escapado a su mirada momentos antes. La veía de espaldas, pero observó que movía la cabeza en una dirección e inclinaba el rostro hacia algo o alguien. Una parte de la columna le tapaba parte de la visión, pero cuando la mujer se movió el olor se hizo más penetrante. Se trataba del mismo perfume que él no lograba identificar. Escuchó una voz infantil y a continuación una carcajada femenina. Ignoraba cuánto tiempo habían estado sentados en el banco, pero desde su posición era imposible verlos con nitidez, aunque ahora que se movían era fácil seguirlos y contemplar lo que hacían. Una risa de niño le hizo enarcar una ceja porque hasta ese momento no había tenido la oportunidad de ver al nieto del rey Sancho. Pero por instinto supo que el pequeño que comenzó a correr en dirección a la fuente era él, aunque tenía que asegurarse.

Decidió avanzar los tres pasos necesarios para cruzar el corredor hasta el jardín y, al hacerlo, su movimiento rápido alertó a la mujer, quien se volvió hacia él sin que la sonrisa hubiera abandonado sus labios. Al verla de frente, sin más trabas que los rayos del sol iluminándola, notó cómo se le encogía el estómago con una sensación dolorosa, como si hubiera recibido un golpe inesperado. La miró de forma profunda, sin parpadear durante largos instantes. Adoain sintió que el corazón le palpitaba en las sienes y la respiración se le volvió agitada. Se dio cuenta de que tenía las palmas de las manos sudorosas. Quería avanzar, pero era como si lo hubiesen clavado a las piedras del patio. Era incapaz de coordinar los movimientos y notó, con un nerviosismo creciente y extraño en el pecho, que la saliva de su garganta se tornaba espesa y ácida por la expectativa.

Era la mujer más hermosa del mundo y su sonrisa, ese gesto de curvar suavemente la boca de forma espontánea y placentera, le provocó un espasmo en las entrañas que lo dejó aturdido y mareado.

Se quedó completamente inmóvil e incapaz de reaccionar.

«La miraréis una sola vez, y comprenderéis que es la mujer de vuestra vida. Os faltará la respiración. Os temblarán las rodillas. No podréis apartar los ojos de ella. Y a partir de ese momento, no podréis controlar el deseo que os inspirará.» Las palabras de su padre acudieron a su memoria de golpe. Era exactamente lo que estaba sintiendo en ese preciso momento: asfixia, temblores y una sacudida en las entrañas como no había conocido nunca.

Dulce miró al hombre que había aparecido de la nada y ahogó un gemido de placer al clavar sus pupilas en las de aquel hombre, que habían adoptado un brillo incandescente de interés carnal. Admiró su elevada estatura, su pelo bruno y los ojos de un azul tan profundo que parecían dos trozos de cielo al anochecer. El vello de su cuerpo se erizó mientras seguía observándolo y un cosquilleo en la base del estómago le hizo respirar de forma entrecortada. ¿Qué le sucedía?, se preguntó alarmada pero sin apartar los ojos de la imponente y tremendamente avasalladora visión masculina. Se fijó en sus ropas de tejido grueso. Llevaba una camisa en un tono amarillo claro y, sobre ella, una capa de lana entretejida en un color verde muy llamativo. Un bonito broche con una esmeralda sujetaba ambos cierres. Era el hombre más atrayente de cuantos había conocido. Y la miraba de una forma que en vez de intimidarla le hacía arder la sangre en las venas.

—¡Dulce…! —protestó el niño que no lograba obtener de nuevo la atención de ella—. ¿Os encontráis bien? —le preguntó el pequeño Juan asustado al verla tan quieta.

Dulce reaccionó al fin.

Desvió los ojos de la presencia del hombre a la del pequeño, aunque le costó un verdadero esfuerzo.

—Me había distraído —le dijo como pudo en un tono que sonó grave. Afortunadamente, el niño era demasiado pequeño para comprender el azoro que la embargaba.

Niño y mujer escucharon de nuevo los pasos que se dirigían hacia ellos.

—Disculpad, señora…

La ronca pero sensual voz le hizo cerrar los ojos durante un segundo para tratar de controlar el estremecimiento que la recorrió de pies a cabeza.

Se estaba comportando como una tonta, pero no podía evitarlo. El cuerpo entero le hormigueaba debido a la expectativa.

—Su nombre es Dulce —le respondió el niño con voz solemne.

Los ojos de Adoain relampaguearon al escuchar el nombre en boca del niño.

—Dulce… —repitió con voz almibarada, paladeando cada sílaba.

Miró las manos femeninas que apretaban un libro hasta el punto de dejarse los nudillos blancos.

—¿Quién sois? —inquirió el pequeño lleno de interés.

Adoain dejó de mirar a Dulce para clavar sus ojos en el niño, que lo miraba extrañado.

Y, a continuación, el niño comenzó una retahíla de preguntas dirigidas al desconocido. Ella logró suspirar con un profundo alivio. La atención del hombre ya no estaba centrada en ella sino en Juan, y en responder el aluvión de preguntas sobre la espada y el broche que habían llamado poderosamente su atención. Dulce pudo centrarse de nuevo, retomar el control de su respiración y tratar de calmar el nerviosismo que la embargaba.

—Es una falta de cortesía —comenzó Adoain cuando el niño hizo una pausa en sus preguntas—, preguntar sin tomar resuello cuando hay damas presentes. —Juan parpadeó por la sorpresa, pero se recuperó de inmediato.

—¡Pero si a doña Dulce no le moles…! —Dulce no le permitió continuar.

—Señor Blasco, ¡por favor! Es un desatino interrumpir cuando nos explican algo importante. —Juan entrecerró los ojos pero silenció su protesta.

—Tenía gran interés en conoceros.

Dulce se preguntó si esas palabras iban dirigidas a ella o al pequeño.

—¿Por qué, señor? —le preguntó Juan, y la sorpresa había teñido sus ojos de un suave brillo de placer—. ¿Conocéis a mi padre o a mi abuelo? —Adoain negó con la cabeza.

La desilusión en el rostro del pequeño resultó muy significativa.

—Aunque espero hacerlo muy pronto.

—¿Estáis aquí por él? —De nuevo volvió a negar.

—Por el conde Juan Blasco, ya que mi madre Lucía es pariente suya. —Juan abrió los ojos como platos.

La voz de Jimena Blasco logró que los tres rostros se volvieran hacia el lugar de donde provenía. Doña Jimena se detuvo a unos metros de donde ellos estaban situados de pie, charlando amistosamente. Por lo visto, deseaba mantener una conversación en privado y así lo entendió Dulce.

—Disculpadme, regresaré en un momento —les dijo a ambos.

Niño y adulto la miraron con interés mientras se alejaba, hasta que llegó al otro extremo del patio y se detuvo junto a Jimena Blasco. El niño le hizo un gesto con la mano a su madre, movimiento que esta correspondió con una sonrisa.

—Lamento interrumpir vuestras clases, pero está de camino una visita de Burgos —le informó algo inquieta—. Un séquito aragonés que acompaña a la reina Leonor.

Dulce entrecerró los ojos con desconcierto. Era algo inusual que la esposa del rey Alfonso visitara un condado en el sur y cercano a la frontera almohade.

—Doña Elena Domínguez y Casta López se han marchado con sus familias hasta la Sanjuanada,[6] y todavía quedan varias semanas para ello. Les otorgué el permiso para ausentarse y, por ese motivo, necesitaré vuestra ayuda para entretener a la comitiva aragonesa en su ausencia. —Jimena hizo una pausa para tomar aire. Su rostro se veía claramente alterado—. ¿Cuento con vuestra disposición y preparación? —Dulce asintió con una sonrisa de empatía—. Os pido algo tan inusual porque sé que estáis acostumbrada. Vuestra experiencia en la corte de Burgos os convierte en la persona idónea para ayudarme en este cometido.

—Contáis con mi ayuda, señora Blasco —le respondió con voz serena—. Haré lo que esté en mi mano para resultaros útil.

6. Costumbre entre los campesinos castellanos muy popular que tiene lugar al amanecer del 24 de junio, día de San Juan.

Jimena respiró con profundidad y llena de agradecimiento. Dulce se encontraba en Fortún para ocuparse de
otros menesteres que nada tenían que ver con las visitas
inesperadas. Pero el permiso dado a sus dos damas de compañía había resultado un gran inconveniente, ¡ella sola no podía atender a toda la comitiva!

—Ahora debo pediros una merced, señora —dijo Dulce.

Jimena fijó el iris de sus ojos en Dulce, quien bajó la mirada con humildad.

—Tengo que comprar a una esclava e ignoro los pasos
que debo seguir para lograrlo.

Jimena abrió la boca, pero la volvió a cerrar por la sorpresa.

—¿Puedo preguntaros el motivo? —inquirió con interés.

—Una amiga ha sufrido un revés inesperado y sumamente injusto con su persona. Deseo con toda mi alma ayudarla para que retorne a salvo a su hogar.

Jimena la escudriñó, pero Dulce mostraba un rostro sereno y lleno de determinación.

—Intuyo que conocéis que vos no podéis comprarla —le
dijo de pronto. Dulce se descorazonó, aunque doña Jimena
no había terminado—. Pero sí puede hacerlo un hombre de
confianza y rico como vuestro hermano.

«¿Un hombre de confianza?», se preguntó acongojada. El
único capaz se había convertido en un enemigo acérrimo
precisamente de la persona que quería comprar. No, tenía
que encontrar otra alternativa.

—Me necesita, ¿podéis entenderlo? ¡Se encuentra en mi
deber como cristiana tratar de socorrerla! —exclamó con vehemencia y Jimena entendió muchas cosas tras esa muestra
de afecto—. Soy el único auxilio que le queda.

—Presumo que la mujer a la que deseáis favorecer es el
motivo de que sepáis tanto sobre las costumbres musulmanas, ¿no es cierto? —Dulce valoró que no merecía la pena
negar la gran influencia que ejercía sobre ella la amistad con
la familia Ib Farid de Batalyaws.

—Sus brazos fueron un refugio para mí en la niñez —le
confesó en un susurro entrecortado—, para mí es la hermana mayor que no tuve.

El navarro y el pequeño Juan seguían conversando a escasos pasos de ellas, pero estaban tan concentrados que no había peligro de que escucharan la conversación que mantenían ambas mujeres.

Jimena reflexionó durante unos instantes sobre el mejor modo de actuar.

—¿Disponéis de suficiente oro? —le preguntó de forma directa.

Dulce afirmó con un gesto decisivo. Tenía en su poder parte de la herencia que le había dejado su madre tras su muerte y algunos feudos, aunque los controlaba su hermano Miguel, y no dispondría de ellos hasta que contrajera matrimonio.

—Ordenaré a Quintín que os acompañe. Él comprará a la cautiva por vos. Decidme, ¿se encuentra vuestra amiga muy lejos de Fortún?

Dulce negó una única vez.

—Se halla en la taberna de Guadamur.

La expresión de Jimena cambió por completo.

Guadamur era un lugar regentado por un comerciante nada escrupuloso muy cerca de la villa de Argés, a varias leguas de la ciudad de Toledo. El dueño compraba hermosas cautivas y las vendía al mejor postor. Aquellas que no lograba vender, las utilizaba como criadas y diversión de los clientes que solían acudir la noche de los sábados cuando se servía el estofado de cazador más famoso de la región, pero no pudo decir nada más, porque su hijo se había cansado de mantener una conversación con el visitante y requirió su atención inmediata. Dulce miró de forma subrepticia al navarro, que le hizo una inclinación con la cabeza antes de despedirse y regresar por otro camino. Jimena le devolvió el gesto aunque un poco brusco, algo que no pasó desapercibido para ella.

Ni anfitriona ni invitado intercambiaron una sola palabra. Jimena le había dejado muy claro que no tenía intención de hablar con él, y por ese motivo el hombre se retiraba.

—¿Os preocupa su visita? —le preguntó Dulce.

Jimena la miró y al mismo tiempo entrecerró los ojos. La muchacha era muy perspicaz.

—Ha llegado hasta Toledo para recuperar las tierras de su madre Lucía, pero esas tierras se las otorgó nuestro rey Alfonso a don Francisco Sánchez a cambio de su vasallaje y de la plena disposición de sus caballeros para la guerra cuando fuese necesario. Temo que no va a ser fácil que las recupere y me encuentro en la tesitura de cómo hacérselo saber sin ofenderlo ni provocar un enfrentamiento con la casa de Estella.

—Pero es su herencia —alegó Dulce.

Jimena se mordió el labio inferior con ciertas dudas.

—Unas tierras que nunca han sido reclamadas. Además, mi primo Francisco ha sabido sacarles un buen rendimiento. El rey está sumamente satisfecho con la gestión y administración que ha llevado a cabo.

Dulce pensó que la situación del navarro era bastante complicada. Cuando el rey entregaba unas tierras, difícilmente retornaban a su dueño legítimo. Al mirar el rostro de Jimena, se dio cuenta de que estaba muy enrojecido, tenía los ojos brillantes y unas profundas ojeras evidenciaban el enorme cansancio que sentía.

—¿Os encontráis bien, señora?

—Me duele la cabeza, pero nada importante y que no cure una tisana. —Dulce le sonrió con afecto—. ¿Y vos cómo os encontráis? —A Dulce le extrañó la pregunta de Jimena.

—No os comprendo —le dijo confundida.

—El brillo de vuestros ojos era muy intenso mientras mirabais al forastero. —No hizo falta que pronunciara el nombre; sabía que la señora Blasco se refería al navarro que le había robado el aliento unos momentos antes—. ¡Dios mío! ¿Estáis interesada en él? —preguntó Jimena asombrada.

Dulce decidió sincerarse, no tenía ningún sentido mentir o tratar de salvaguardar las apariencias.

—Al mirarlo he sentido tal conmoción que pensé por un instante que terminaría desmayada a sus pies. Y por esa falta de dominio, el azoro me abruma.

Jimena reconocía los síntomas del enamoramiento cuando los veía, pero que doña Dulce lo reconociera así, sin más, le resultó preocupante.

—Presumo que el conde Adoain Estella os ha robado el corazón —le dijo Jimena con una sonrisa—, y es mi deber informaros del interés que despertáis en él. Anoche, durante la cena, inquirió sobre vos con mucha insistencia.

A Jimena no le cabía la menor duda de que el interés del conde era real y de que había tratado de disfrazarlo al otorgarle ese interés a su capitán Artáiz, pero a ella no podía engañarla. Jimena había contemplado con sus propios ojos el cambio que se había producido en el señor Estella al estar cerca de Dulce. No, no podría tratar de despistar a nadie aunque lo intentara. Ambos habían sentido el flechazo del amor.

—Pero tened cuidado —le advirtió—, es un hombre peligroso aunque se sienta interesado en vos.

Dulce parpadeó varias veces.

—Imposible, señora; no puede estar interesado —le respondió Dulce—, nunca nos hemos visto hasta el día de hoy.

Jimena lo dudaba. Ningún hombre miraba así, de forma tan intensa y posesiva, a una mujer que veía por primera vez.

—Creedme, señorita Álvarez. Está mucho más que interesado. De hecho, no podía apartar sus ojos de vuestra persona. Pero tened presente que es un desconocido del que lo ignoráis todo. Por ese motivo, os ruego que mostréis precaución.

Dulce no sabía qué pensar, pero permitió que el sentimiento que nacía a la vida echara raíces profundas en su alma. Después pensaría en las consecuencias de soñar despierta.

Ambas mujeres dejaron el patio seguidas del pequeño Juan y se dirigieron hacia el interior del castillo. Había mucho que preparar y poco tiempo que perder, pero Dulce volvió a tropezarse con el extranjero en el patio de los naranjos algo más tarde.

Estaba de espaldas a ella y husmeaba el aire como si oliese una presa que se acercara. Los árboles estaban en flor, el suave aroma del azahar impregnaba el ambiente tibio de la tarde y la ligera brisa de los montes de Toledo se afanaba en llevarla por todos los rincones del castillo.

Adoain se volvió hacia la presencia femenina y su mirada acerada la dejó completamente inmóvil. Ambos cuerpos se agitaban con una respiración entrecortada que no podían controlar. El brillo de sus ojos eran llamas incandescentes de deseo mutuo, pero ella no dio los pasos que podrían acercarla a él, ni Adoain la invitó a que lo hiciera. Simplemente se miraban, como si las pupilas brillantes pudieran decirse todo lo que pensaban durante unos momentos tan largos que el silencio parecía suspendido entre los dos y el tiempo sujetado por unas fuertes manos.

—Huelen a vos —fue lo primero que dijo.

Dulce no supo a qué se refería, pero no podía apartar su ávida mirada del cuerpo hercúleo ni de los labios masculinos que se abrían para ella en una mueca indescifrable. ¿Qué diantres le ocurría que no podía pensar con coherencia ante su presencia?

¡Nunca antes le había ocurrido algo así!

—Los árboles huelen a vos —reiteró.

¿Ella olía como los naranjos?

De pronto comprendió sus palabras. Se refería al azahar; ella misma fabricaba sus jabones con ese aroma en concreto. Y una sonrisa cándida floreció en su rostro femenino ante la sorpresa que reflejaban sus ojos.

—Todo huele a azahar en Fortún —le respondió al fin.

Y como si Adoain hubiese esperado esas palabras por parte de ella, avanzó unos pasos hasta alcanzarla. Tomó la mano femenina de forma sorpresiva y se la llevó a los labios. Dulce estaba escandalizada por el comportamiento extraño, pero sin hacer nada para variar esa circunstancia que le llenaba el estómago de cosquillas, como si cientos de mariposas revolotearan en su interior con una inmensa alegría.

—Dulce… —Adoain pronunció las sílabas con voz ronca y emotiva.

Ella sintió un escalofrío que la recorrió de pies a cabeza.

—Un nombre hermoso para una mujer aún más hermosa.

Como si de repente recordara por qué estaba en el patio y hacia dónde se dirigía antes de tropezarse con él, retiró la mano que el navarro retenía entre las suyas y dio un paso hacia atrás con muchísima cautela. Ese gigante y varonil hombre podía causarle una impresión profunda, ¿podía? Ya se la había causado: una honda e irreversible impresión favorable.

En la corte de Burgos había conocido a un gran número de nobles de todos los rincones, e incluso extranjeros llegados de Inglaterra y Francia, pero ninguno había calado tan profundamente en sus sentidos como el navarro. Solamente lo había visto dos veces, y sentía que todo a su alrededor daba vueltas hasta marearla. Por ese motivo, decidió poner distancia entre ambos.

—Disculpadme. —Dulce se batió en retirada ahogada por la emoción del contacto y de la ardiente mirada masculina que le decía claramente la atención que había suscitado en él y que ansiaba ella.

Era un completo desconocido. Un extraño que lograba agitar sus emociones más escondidas, sus deseos más femeninos. Por eso tenía que poner distancia entre ambos, porque cuando estaba cerca de él sentía unos enormes deseos de experimentar cómo sería un abrazo, ¡o un beso suyo!

Adoain contempló la huida cobarde de la muchacha y parpadeó confundido. Esa mujer le despertaba unos instintos pasionales que ignoraba que tuviese, y afianzaba su determinación de tener un encuentro con ella con algo más que palabras.

Para él las mujeres eran arpías, ninguna le había interesado como hombre hasta tropezarse con la castellana. Era verla y arder por dentro. Olerla y sus instintos se descontrolaban.

Se sentía perplejo, estupefacto.

¡Tenía que besarla! O moriría del anhelo que le abrasaba las entrañas. Dulce era puro fuego.

Al momento soltó una carcajada con verdadero humor. De la dama solo conocía el nombre; lo ignoraba todo respecto a ella, pero estaba determinado a cambiar esa circunstancia.

E iba a ponerse a ello de inmediato.

Capítulo 8

Cruzaron la pequeña plaza resguardándose entre los soportales de las viviendas y caminaron hasta encontrar la única taberna del centro de la villa. Dulce acarició el saco con las monedas de oro que llevaba, al mismo tiempo que ofrecía una oración sincera. Ansiaba ayudar a su amiga, pero no estaba convencida de que lo lograra. Quintín, ella y dos soldados que los custodiaban atravesaron la gruesa puerta de madera.

Dulce miró la única ventana con el recercado de piedra que tenía las contraventanas cerradas, y se preguntó el motivo. Se fijó en la oscura madera de las mesas largas y los taburetes dispuestos a su alrededor. Quintín y ella se sentaron muy cerca de la ventana. El tendero, grueso y de rostro huraño, colocó una jarra de cerveza amarga sin que la hubiesen pedido. También les ofreció un cuenco de sopa que ambos rechazaron, pero aceptaron unos trozos de queso y una hogaza de pan negro. Quintín le dio una moneda que el tendero se apresuró a coger antes de que cayera a la mesa y, sin pronunciar una palabra, volvió a sus quehaceres de forma silenciosa. Pero la voz de Quintín detuvo sus pasos.

—Mi señora necesita una doncella. Y nos han informado de que aquí podemos encontrar algunas muy hacendosas.

El tendero entrecerró los ojos por lo insólito de la solicitud. Las esclavas que vendía el dueño no valían para actuar de doncellas.

—Don Manuel Sánchez es el encargado de las ventas, yo solo soy un empleado. Tendréis que hablar con él.

—Podríamos tener un encuentro ahora. —El criado miró de soslayo a Dulce, y negó con la cabeza.

—No atiende visitas de señoras.

Quintín le mostró una sonrisa ausente de humor.

—¿Tendría inconveniente en mantener una charla conmigo? A la vista queda que no soy una señora. —El tendero hizo un encogimiento de hombros.

—¡Sígame! —le dijo con voz estridente.

—No os mováis de aquí —le dijo a Dulce. La orden tajante no admitía negativa—. Cuidad de ella en mi ausencia.

Ambos soldados le hicieron un gesto afirmativo.

—Decidme el nombre de la cautiva —le preguntó. Sus palabras estaban ausentes de calidez. Dulce sabía que Quintín estaba allí por petición de Jimena, no por elección propia.

—Fátima Ib Farid de Batalyaws —le respondió con voz queda.

Quintín mostró la sorpresa que el nombre le producía. ¡Era una infiel! Pero no alegó nada. Siguió al tendero, que lo esperaba en el primer escalón que conducía a la planta superior de la taberna.

Los soldados miraban el entorno del establecimiento con ojos de desconfianza y completamente alerta. El lugar comenzaba a llenarse de labriegos y comerciantes que ansiaban un plato de comida caliente y una jarra de vino. Dulce inspiró con profundidad al mismo tiempo que recitaba una plegaria por Fátima.

Noches atrás, Kamîl había arriesgado su vida acudiendo a Fortún para solicitar la ayuda que creía que podía brindarle. Sin embargo, desconocía el lugar donde mantenían cautiva a su hermana. A Dulce le había costado varias piezas de oro conseguir la información, pero lo había logrado. En Toledo había acudido a un cambista[7] muy conocido y amigo de su padre, que solía estar enterado de todo lo que sucedía a lo largo y ancho del reino.

Por unas pocas monedas había obtenido la información que buscaba. Su amiga Fátima había sido hecha prisionera por la orden de Calatrava tras un ataque por sorpresa al castillo de Salvatierra. Varios caballeros de la orden habían lo-

---

7. Persona que cambia moneda.

grado introducirse en el castillo y hacerse con su control. Fátima se encontraba visitando a unos parientes cuando tuvo lugar la incursión cristiana. El castillo tenía una gran importancia estratégica para los castellanos ya que se encontraba muy cerca de otras pequeñas fortificaciones como Castilviejo, o Castillejo de Don Alonso.

Para los almohades representaba el control sobre las fuerzas cristianas que se dirigían hacia el sur.

Dulce oró con más fervor. No podría soportar que a Fátima le ocurriese algo malo si ella podía hacer algo para evitarlo. Y sus plegarias tuvieron la respuesta que esperaba. Quintín había comprado a Fátima por treinta maravedís[8] de oro, y la semejanza con las monedas que cobró Judas por vender a Cristo le pareció de una similitud grotesca. Pero en breve, Fátima sería llevada a Fortún para servir a su nueva ama.

Se sentía desbordada de felicidad. Su amiga del alma descansaba en sus dependencias privadas. La señora Blasco le había asignado unas habitaciones en la planta inferior muy cerca de las dependencias de la guardia, pero a ella no le importaba. Su amiga estaba con ella, e iba a protegerla y cuidarla hasta que pudiera regresar a Mudaŷŷan. Ahora solo tenía que recuperarse de los diversos golpes que había recibido para doblegar su espíritu, y nutrirse de alimentos porque había perdido demasiado peso.

—Estoy tan feliz —le dijo de pronto Dulce abrazándola—. Me abrumó la angustia cuando supe de vuestro cautiverio, pero ¡estáis a salvo!

—Os devolveré el oro que habéis pagado —le dijo Fátima sin dejar de mirarla con sumo interés—. Pero mi primo también se encuentra preso aunque ignoro dónde. Lograron sorprendernos y no pudimos huir a tiempo —le confesó.

—Sois mi hermana, ¿lo habéis olvidado? —expresó Dulce con una voz que sonó emotiva—, porque os puedo

8. El maravedí fue una antigua moneda española utilizada entre los siglos XI y XIV.

asegurar que yo no puedo ignorar una promesa de sangre. Buscaré a vuestro primo sin descanso hasta descubrir el lugar donde lo tienen encerrado. Tenéis mi palabra.

Fátima recordó aquella vez cuando, siendo niños, habían ofrecido un acto de voluntad en los salones de Mudaÿÿan. Pero la muerte del conde de Arienza, y de su padre, Adnan, en la batalla de Alarcos, lo había cambiado todo.

—Sabéis que me sentiré honrada de serviros hasta que mi hermano pueda venir a buscarme. —Dulce le hizo un gesto afirmativo con la cabeza—. Es un privilegio servir a una dama castellana con un honor inquebrantable.

Dulce la abrazó mucho más fuerte.

—Preferiría que os mantuvieseis en los aposentos hasta vuestra total recuperación. Fortún estará lleno de invitados ilustres muy pronto. La reina Leonor viene de camino con un séquito aragonés para entrevistarse con doña Jimena.

La frente de Fátima se arrugó al escucharla.

—¿Vendrá vuestro hermano?

Dulce se mordió el labio inferior al no saber qué respuesta ofrecerle.

—Miguel sigue luchando con don Alfonso, e ignoro el lugar donde reposan sus huesos entre lides e incursiones.

Fátima bajó la cabeza y fijó sus negros ojos en la bella alfombra que cubría el suelo, y su expresión fue tan elocuente para Dulce, que ahogó un gemido contrariado. Conocía muy bien los sentimientos de afecto que sentía Fátima por su hermano, pero Miguel despreciaba todo lo que tenía que ver con los almohades.

—Lo lamento tanto —le dijo para consolarla.

Fátima alzó la cabeza y clavó en ella sus brillantes ojos.

—Miguel no es culpable de la guerra. Kamîl, tampoco.

—Pero nosotras seguiremos siendo hermanas a pesar de los avatares de la contienda, ¿verdad? —La pregunta de Dulce obtuvo la respuesta que deseaba.

—Dā'imā [9] —le respondió Fátima con una gran sonrisa en los labios.

9. Siempre, en árabe.

—Mandaré un emisario con un mensaje para vuestro hermano. Ignoro el tiempo que le llevará venir a buscaros, pero mientras tanto disfrutemos de los momentos que la vida nos regala.

Ambas mujeres volvieron a fundirse en un abrazo fraternal.

La llegada de los visitantes había desatado el caos que se apoderó de Fortún. El séquito aragonés estaba formado por ocho caballeros, y la corte de la reina Leonor, de un total de veinticinco miembros. Habían tenido que alojar a un gran número de sirvientes en uno de los salones y distribuir a los caballeros en diferentes alcobas que se mantenían cerradas salvo excepciones. Jimena Blasco se iba a ocupar de don Rafael Lorenzo, conde de Isuela, con la ayuda de un par de doncellas de la reina Leonor. A ella se le había asignado el cuidado de Jaime Lorenzo, hijo del conde. Era costumbre entre la nobleza atender de forma personal a invitados de rango superior o igual al propio. Dulce tarareaba una melodía mientras se dirigía hacia los aposentos que habían sido destinados al conde y a su hijo. La liberación de Fátima la había puesto de un humor excelente. Confiaba en que la visita no durase de forma indefinida, porque había retrasado demasiado las lecciones del pequeño Juan.

Al doblar la esquina del corredor inferior para alcanzar las escaleras, se topó de bruces con Adoain Estella. El sobresalto la dejó sin capacidad de reacción, y el corazón le dio un vuelco dentro del pecho que le resultó dulcemente doloroso.

¡Era tan masculinamente atractivo!

Sus ojos, del color de la noche, la miraban con interés, y esa circunstancia la ponía nerviosa al mismo tiempo que la colmaba de expectativas. Sabía que ambos sentían el mismo estado de ansiedad y confusión.

—Disculpadme, no pretendía asustaros. —La voz de Adoain era como el terciopelo suave. Como el aceite templado en los músculos doloridos—. Me dirigía hacia una de las torres de flanqueo.

Él no se movía, estaba quieto frente a ella.

—Excusadme vos a mí, pues andaba distraída —le dijo a modo de justificación.

Las pupilas negras de Adoain se perdían en el brillo de las de ella. Lo engullían de una forma que le producían un ritmo desacompasado a su corazón. La había buscado entre el resto de las damas durante días pero sin éxito. Parecía como si se la hubiese tragado la tierra y, de la forma más absurda, la encontraba frente a sí, y tan adorable que tuvo que tragar la saliva de su garganta con gran esfuerzo.

Dulce trató de seguir su camino, pero Adoain no se lo permitió. La trabó entre su brazo y la pared. La dama era demasiado esquiva, pero él era muy persistente y, desde que sus ojos la habían descubierto, se sentía fascinado por ella. Era una sensación que no había experimentado nunca y que no pensaba descartar hasta saber hacia dónde lo conducía.

—¿Tratáis de huir, mi señora? —le preguntó con un tono de voz que le resultó sumamente excitante.

Dulce no sabía qué responder, ni qué decir, y por ese motivo optó por responderle con otra interrogación.

—¿Tendría motivos para hacerlo? —No apartó sus ojos de los suyos.

En ese momento no existía nada más que los ojos de Adoain clavados en los suyos con temeraria intensidad.

—Soy totalmente inofensivo.

Dulce pensó que el hombre plantado frente a ella y que le impedía la marcha era de todo menos inofensivo. ¿Acaso ignoraba el impacto que causaba en los demás su enorme constitución? ¿Su mirada afilada por las estrellas de la noche? Nunca había visto unos ojos masculinos tan bellos. Podría pasarse horas mirando el iris creyendo que contemplaba el cielo del anochecer.

Adoain sentía una imperiosa necesidad de besarla. Sus pensamientos estaban ocupados en ella por el aroma dulce de su piel, y no pudo contenerse. Observó sus ojos de oro, sus labios como cerezas maduras, y la razón quedó prisionera por el deseo. Inclinó la oscura cabeza y fue al encuentro de los labios femeninos que se abrían para él como se abren los pétalos de una flor al encuentro de los rayos de la mañana.

El roce suave fue tan efímero que Dulce pensó que no se

había producido, pero, entonces, el contacto se hizo mucho más firme, y el calor y la humedad de los labios masculinos fue un hecho que logró descentrarla de cualquier pensamiento que no fuese la poderosa fuerza masculina.

Adoain la abrazó, y silenció cualquier protesta con un beso profundo e intenso. La asió con más fuerza y la apretó firmemente contra su propio pecho y la pared. Pudo sentir la suave presión de los senos femeninos que casi le impedía respirar. Dulce no se debatía para liberarse del encierro de sus brazos, aunque no le respondía al beso como un amante esperaría sino como si fuera el primero que recibía. Adoain notó el gemido que ella contenía en su garganta, y detuvo el beso muy a su pesar.

Había actuado de forma imprudente y precipitada. A las damas no se las trataba así, con pasión desmedida, con fuego abrasador.

Cuando la soltó, Dulce seguía con los ojos cerrados y los labios entreabiertos. Tenía la expresión en el rostro de una mujer que ha sido deliciosamente besada y complacida. Cuando los iris de sus ojos se abrieron para él, supo que no estaba ofendida por su acción, pero él deseaba más, mucho más.

—Disculpadme, señora, pero ante vos no tengo voluntad.

Dulce inspiró profundamente porque a ella le ocurría exactamente lo mismo.

—Prometed que no volveréis a hacerlo o me veré en la obligación de retaros.

Adoain le sonrió con franqueza y, por primera vez, a una mujer que no fuese su madre o su hermana.

Indudablemente la castellana le había nublado el juicio y robado la sensatez.

Ignoraba qué le ocurría para mostrarse como un jovenzuelo inmaduro frente a ella, pero ansiaba seguir explorando y descubriendo el maravilloso desorden de sus sentimientos. Él, que siempre las había denostado por falsas, pretendía conocer hasta el más mínimo detalle sobre Dulce. Era una completa desconocida, pero lograba que su corazón galopara sin control ni freno.

No podía dejar de mirarla. De grabar en su mente el hermoso contorno femenino. Su largo cuello donde palpitaba una vena que él deseaba tocar con la punta de su lengua…

—¿Sucede algo, señora? —sonó la voz de Quintín a una distancia prudente.

Adoain optó por apartar el brazo de la pared donde la tenía sitiada, pero Dulce siguió en la misma posición sumisa.

—Señor…. —Dulce calló porque estaba tan superada por lo ocurrido que no podía pensar con cordura ni actuar con decencia.

Había permitido que la besara, y un rubor intenso coloreó sus mejillas hasta producirle un sofoco. Había disfrutado del beso, ¡y quería más!

—Para vos, Adoain Estella, para el resto, conde de Bearin —respondió con voz baja para que Quintín no escuchara su tono desenfadado.

Dulce vaciló un momento al tratar de repetir su nombre.

—El señor Estella se dirigía hacia la barbacana cuando me interpuse sin darme cuenta en su camino —le respondió al capitán de la guardia, pero sin mirarlo.

Sus ojos seguían clavados en el rostro masculino. Era como un potente imán que no le permitía apartarse.

—¿Os veré en la cena? —inquirió Adoain ante el gesto de despedida de la fémina, pero ella no le respondió.

¿Se marchaba? ¿Así? ¿Con una ligera inclinación de cabeza? ¿Acaso no sentía la misma devastación que él tras el beso? Adoain se sentía contrariado.

Quintín contempló la marcha de Dulce con el ceño fruncido. Sabía reconocer los síntomas de interés por una mujer e, indudablemente, el navarro estaba más que interesado por la señorita Álvarez. Seguía sus pasos por la escalera a medida que subía los escalones hacia el piso superior, pero Dulce no volvió ni una sola vez el rostro, detalle que le hizo lanzar un suspiro de alivio. Pensó que el interés no era recíproco y, por algún motivo extraño, ese detalle le hizo sentir bien. Pero lo que Quintín ignoraba era que Dulce se sentía alterada por emociones afectivas, sensuales, y no volvió el rostro para que el navarro no advirtiera el descalabro que le había ocasionado y cuánto le importaba.

—Con Dios, capitán —se despidió Adoain.

—Con Dios, señor Estella —le respondió este con suma cortesía.

Cuando alcanzó la esquina del corredor, Dulce detuvo sus pasos y se llevó la mano al pecho. Lo sentía desbocado, histérico. Le había costado un verdadero esfuerzo no volver la cabeza para mirar al hombre que la convertía en gelatina. Le producía una ansiedad desconocida pero anhelada. ¡Era un extraño! Pero su forma de mirar, de hablar, la seducía. Supo que con él corría verdadero peligro, porque no podría negarle nada que le pidiese.

Retomó de nuevo sus pasos hasta llegar a la alcoba de Jaime Lorenzo. Dulce comprobó que una de las doncellas, concretamente Elena, había hecho prácticamente todo el trabajo que le correspondía a ella, pero Jimena había sido muy previsora mandándole a una de las criadas que se ocupaba de lavar la ropa. Era fuerte y tenía siempre buena disposición para el trabajo duro.

El hombre se encontraba sumergido en una gran tina de cobre y su pelo había sido enjuagado con agua templada. Llevó los lienzos que iba a usar para secarlo y los depositó en el taburete cercano a la bañera. Cogió la pastilla de jabón y la guardó en su lugar correspondiente. El suelo estaba bastante salpicado de agua y de espuma, así como el vestido de Elena.

—Confío en que el baño sea de su agrado, señor —le dijo con una sonrisa cortés en los labios.

El aragonés no le respondió, pero Dulce no lo tuvo en cuenta. Incluso pensó que quizás era posible que fuese mudo. Con un gesto le señaló el lienzo, y ella se lo acercó solícita. Un instante después, ambas mujeres le dieron la espalda para preservar su intimidad mientras se quitaba el agua del cuerpo. Oyeron sus pasos y los gestos al colocarse de nuevo las calzas. Después tomó asiento en un banco y esperó. Dulce asió un peine de madera y un lienzo más corto, se colocó detrás de él y comenzó a secarle el cabello mojado con fricciones vigorosas. Pero unos toques suaves en la puerta de la alcoba interrumpieron su acción. Elena atendió la llamada del sirviente y, tras despedirlo, se dirigió a ella de forma tímida.

—Os reclaman, doña Dulce, se trata de don Miguel Álvarez. Acaba de llegar a Fortún y pregunta por vos.

¿Su hermano estaba en Fortún? Imposible, pensó Dulce extrañada.

Miguel no recorría leguas en vano salvo para informar sobre la guerra o asuntos de gran envergadura, pero en Fortún no se encontraban ni el conde ni el padre del pequeño Juan. Por ese motivo, continuó cavilando sobre las posibles opciones y alternativas que podría tener su hermano para que hubiese decidido ir a verla.

Le ofreció una sincera disculpa al caballero aragonés y le cedió su puesto a Elena. Jaime Lorenzo le hizo una inclinación de cabeza como si entendiera su disculpa y la necesidad de abandonar las dependencias ante la urgente llamada.

Dulce corrió por los pasillos de Fortún con el alma en vilo, y esperando nefastas nuevas.

Capítulo 9

$\mathcal{M}$iguel Álvarez bebió un largo trago de vino de la copa de plata que sostenía. Observó la lujosa estancia de Fortún mientras evaluaba las posibles razones para que su hermana hubiera dejado la corte de Burgos para instalarse como dama de compañía de una condesa. Era algo inaudito.

Apretó los labios con cierto enojo y tomó otro trago de vino. Confiaba en que le ofreciese una buena explicación.

Dulce se quedó quieta en el umbral de la puerta que daba acceso a la sala donde se atendían las visitas al castillo. Como si la presintiera, Miguel se volvió hacia ella y la escudriñó con ojos de lobo. Clavó sus pupilas en la vestimenta femenina, que en nada se parecía a la ropa que debía llevar la hermana de un conde tan importante como el de Arienza.

Se fijó en los profundos ojos marrones de su hermano, y en el pelo oscuro que le llegaba hasta los hombros y que le había crecido mucho. Miguel había sido un niño muy agraciado, y ahora se había convertido en un hombre alto, fuerte y muy ambicioso. Tenía un cuerpo atlético, y había demostrado en numerosas ocasiones su fuerza para orgullo de su padre. Miguel era capaz de romper una lanza con sus propias manos, cabalgar sin descanso hasta dejar extenuado al caballo e incluso lancear toros sin apenas esfuerzo.

Era el hijo que todo padre ansiaba y el vasallo que todo rey pretendía.

—Estáis muy cambiada. —Sus palabras fueron la bienvenida que esperaba Dulce. Se lanzó a la carrera para abrazar a su hermano, un hermano que no veía desde hacía más de doce meses.

—¡Miguel! ¡Cuánto me alegro de veros!

El conde aceptó la demostración de afecto de su hermana, pero con cierta frialdad.

—¿Qué hacéis en el condado de Fortún? Lo último que supe de vos era que estabais en Burgos bajo la tutela de la reina Leonor. Pero cuando llegué al monasterio de Santa María la Real, me informaron de que mi hermana había dejado la corte para residir de forma permanente en Fortún.

—Han ocurrido muchas cosas desde entonces —le respondió con voz impregnada de felicidad—, y aquí en Fortún soy muy dichosa. Burgos es una ciudad demasiado fría para alguien acostumbrada al sol como yo.

—Vuestra explicación no responde a la pregunta que os he hecho. —El tono de Miguel había sonado áspero, y ella no lo esperaba.

—Me siento demasiado alegre para perder el tiempo con explicaciones que podré ofreceros después. Decidme, ¿os quedaréis mucho tiempo en Toledo?

Miguel negó, pero sin apartar sus ojos del rostro de su hermana.

—Traigo un mensaje de don Alfonso para la reina. Debe regresar de inmediato a Burgos.

Esa información la dejó perpleja.

—La reina acaba de llegar a Fortún —le informó extrañada.

—La reina inglesa, su madre, está muy enferma. Se encuentra en la abadía de Fontevrault.

«¡Qué noticia más espantosa!», pensó Dulce.

—Espero una audiencia con doña Leonor para darle la misiva de su esposo, el rey.

—Me alegro de que otros asuntos os hayan traído hasta aquí —le dijo ella con voz franca y sincera—. Me siento muy feliz de veros.

—Pero yo no puedo decir lo mismo. Y puedo anunciaros que ha sido toda una sorpresa descubrir que os encontráis en Fortún por un asunto que desconozco, y del que no he dado aprobación alguna.

Dulce se mordió el labio con cierto pesar. Si su hermano descubría que había dejado la corte de la reina para convertirse en la instructora de un niño pequeño, iba a montar en cólera y tomaría medidas drásticas al respecto, como encerrarla en un convento.

—Conde de Arienza. Señorita Álvarez.

La voz de la reina hizo que ambos hermanos se volvieran hacia ella e hicieran una profunda reverencia y mantuvieran la mirada baja. La seguían de cerca dos caballeros de su escolta y dos damas de compañía.

—Majestad, os traigo una carta de vuestro esposo, nuestro rey. —Miguel le extendió el pergamino lacrado.

Leonor cogió la vitela y rompió el sello, lo desplegó y leyó las letras escritas con un puño firme. Miguel y Dulce intercambiaban mientras tanto miradas de preocupación. La reina se encontraba en avanzado estado de gestación, pero su porte seguía siendo regio. Su forma de moverse era suave y de gran elegancia.

—¿Dónde se encuentra mi esposo? —preguntó la reina en un tono que no admitía evasiva.

—En León. Don Alfonso ha logrado pactar un acuerdo que beneficiará al resto de los reinos cristianos.

La victoria en la batalla de las Navas de Tolosa había empecinado mucho más a Alfonso en lograr una victoria aplastante y definitiva. La reina Leonor se dirigió a su escolta personal y a sus damas de compañía y les dijo:

—Partiremos al alba. Disponedlo todo. —Cuando las dos salieron de la sala, uno de los caballeros las acompañó. El otro seguía muy cerca de la reina.

Leonor clavó sus ojos claros en Dulce y le mostró una sonrisa cálida.

—¿Sois feliz en Fortún? —Dulce le hizo un gesto afirmativo con la cabeza, lo que resultó demasiado enfático para el gusto de su hermano—. Confieso que extraño vuestras inteligentes conversaciones, aunque espero veros de nuevo en la corte.

—Regresaré, majestad, mucho antes de lo que imagináis —le respondió Dulce con sencillez.

La reina miró fijamente a Miguel.

—Conde de Arienza, seguiremos conversando durante la cena.

Con esas palabras, la reina daba por concluida la reunión con los dos hermanos. Abandonó el salón de audiencias y se dirigió a sus aposentos para tener una recepción con Jimena Blasco, señora de Fortún, y hacerle saber el motivo de su sorpresiva visita al condado de Fortún, que no era otro que su hijo Juan.

El silencio que se instaló ente los dos hermanos tras la marcha de la reina duró muy poco. Miguel tenía que atender varios asuntos antes de regresar con don Alfonso.

—He firmado el acuerdo nupcial con don Ignacio Núñez —le espetó de golpe y sin previo aviso.

Dulce inspiró profundamente al escuchar la información que le daba su hermano, y por su mente cruzó a la velocidad del rayo la imagen de un hombre que le había despertado sus sentidos femeninos, y que en modo alguno era el hombre que había mencionado Miguel. Ignacio Núñez era un conde leonés que había pedido su mano cuando su padre todavía vivía.

—La reina tiene que dar su aprobación —le respondió a su hermano, pero sin crítica en la voz.

—La he obtenido directamente del rey —le contestó, bien conciso—. Don Alfonso espera mucho de su primo, el rey de León.

—Padre tuvo en cuenta mis sentimientos con respecto al compromiso, confío en que seáis magnánimo como él.

—Estamos en guerra, y no puedo combatir con la libertad que deseo a menos que estéis protegida por un buen hombre. Ha llegado la hora de que alguien que os ama decida por vos y haga de la promesa de matrimonio una realidad.

Dulce se mordió el labio inferior al escucharlo. Ignacio Núñez era casi dos décadas mayor que ella, y padre de dos hijos varones. El enlace entre ambos solo tenía un objetivo: la política en beneficio de su hermano y del rey de Castilla.

—¿A cuántos almohades tuvisteis que matar para obtener la aprobación de nuestro soberano?

Miguel clavó sus ojos en su hermana con el enojo brillando en sus pupilas.

—Recuperamos el castillo de Salvatierra. —La simple aclaración le hizo contener un gemido ahogado. La aprobación de su compromiso era la recompensa del rey por la hazaña realizada.

Pero Dulce cerró los ojos un instante para recomponer sus emociones.

¡Su hermano había sido responsable de la cautividad de Fátima!

Se preguntó si tendría conocimiento de que su amiga se encontraba visitando a sus familiares cuando se produjo el asalto a la fortaleza, aunque decidió no comentarlo. Si Miguel descubría que escondía a Fátima en Fortún, podría tomar acciones al respecto que no la beneficiarían.

—Doña Jimena me ha asignado vuestras dependencias para pasar la noche. Fortún está lleno de invitados y yo me encuentro sumamente agotado.

Dulce tenía que buscar una alternativa posible para que Miguel no descubriera a Fátima.

—Haré los arreglos oportunos ahora mismo. Si me disculpáis… —Dulce comenzó a retirarse, y Miguel afirmó con la cabeza antes de volver a llenar la copa de vino.

Pero no hizo falta que buscara un alojamiento alternativo para ella o para Fátima. Su hermano había tenido que marcharse con prontitud al recibir una misiva del arzobispo de Toledo, don Rodrigo Jiménez de Rada y, una vez en la ciudad, partiría de nuevo al encuentro del rey don Alfonso para llevarle unas dispensas importantes.

Se sentía en el fondo aliviada, pero con el corazón dolido. Su próximo enlace con don Ignacio Núñez le provocaba una angustia constante, pero el tiempo que su hermano estuviese lejos no tendría que cumplir con la promesa de matrimonio ofrecida y, miserablemente, deseó que fuese mucho tiempo.

A sus pensamientos acudió la imagen del navarro. Si los esponsales fuesen con él, ella no tendría motivo de queja para posponer la boda. Todo lo contrario, pero su futuro estaba amarrado a un barco que la conduciría a la deriva emocional.

Dulce se dirigió hacia las dependencias del pequeño Juan. El día estaba resultando demasiado largo y con demasiados sobresaltos. Se pasó las palmas de las manos por la rica tela de terciopelo de su vestido para secarlas. Al día siguiente, cuando la reina partiera, en Fortún volvería a respirarse la tranquilidad. Pero hasta que eso sucediera había que hacer todo lo posible para complacer a Leonor y a su distinguida comitiva.

Para atajar camino, decidió cruzar el patio principal por el huerto de los naranjos. El olor de azahar era especialmente penetrante esa noche y recordó con nítida claridad el encuentro con el conde de Bearin. Sorteó unas lilas que crecían libres y detuvo en seco sus pasos cuando divisó la figura de dos hombres que murmuraban.

¡Eran los navarros!

Dulce dudó pues no quería pasar delante de ellos, pero al oír sin pretenderlo el nombre del pequeño Juan, pegó su cuerpo a los árboles para tratar de escuchar con más detenimiento. Hablaban muy bajo, pero el silencio de la noche y la brisa de levante le llevaron las palabras que exhalaban las masculinas bocas.

Cuando los dos hombres terminaron su conversación y dirigieron sus pasos hacia el salón de banquetes, Dulce pudo respirar al fin, pero no podía ser cierto lo que había escuchado. ¡Iban a secuestrar al pequeño Juan! ¡Llevarlo a Navarra! Y ella se había dejado besar por un traidor. ¡Se sentía poderosamente atraída por un rufián!

¡Madre de Dios!

Tenía que dar aviso de inmediato a Jimena para que tomara las debidas precauciones al respecto. Y, en ese preciso momento, lamentó que el padre del pequeño y el abuelo estuviesen lejos, e incluso que su hermano se hubiera marchado. Dulce se debatía entre las diferentes opciones que se le presentaban, y de pronto pensó en Quintín, el capitán de la guardia. Sí, tenía que hablar de forma urgente con él. Sabía que podría encontrarlo en el salón que se utilizaba para los banquetes importantes.

Cuando Dulce llegó al salón, sus ojos ya no mostraban la serenidad afable de alguien que vive ajeno al desastre. El temor que reflejaban era una muestra clara del cambio que había adoptado su vida. Buscó al capitán, y lo vio conversando precisamente con el hombre que había despertado sus sentidos y dado alas a su corazón, ahora resignado. Contempló la agradable estancia, hasta que su rostro se topó con el de Jaime Lorenzo, que le hizo una inclinación de cabeza con suma galantería. Conversaba con un señor mayor, y Dulce dedujo que sería su padre.

Dirigió sus pasos hacia Quintín y llamó su atención sujetándolo por el brazo.

El capitán la miró perplejo. Ella jamás había tenido un contacto premeditado con él. Siempre se había mostrado reservada y distante.

—Señorita Álvarez, lamento no haber podido saludar a vuestro hermano, el conde de Arienza —se disculpó el capitán con rostro solemne.

Dulce pudo notar cómo se tensaba el cuerpo del navarro al escuchar el nombre de su hermano. Parecía como si lo conociera, pero algo así era del todo imposible.

Parpadeó varias veces para alejar la confusión de sus ojos. Era imperativo que no sospechara que ella conocía los planes que había trazado con su amigo para secuestrar al pequeño.

—Fue reclamado por el arzobispo de Toledo a primera hora de la tarde, por ese motivo no ha podido quedarse para asistir a la cena en honor de nuestra reina. Pero gracias por vuestra deferencia al mencionarlo —le respondió con inmensa cautela.

Quintín le mostró una sonrisa llena de admiración. A pesar de sus ropas sencillas, la hermana del conde de Arienza era de una belleza espectacular, y, contrariamente a lo que harían con ese don la mayoría de las mujeres, ella se mostraba humilde y cándida.

—Tengo que consultaros algo de carácter urgente —dijo con apremio.

El rostro del capitán mostró una sonrisa de entendimiento.

—Estoy informado de ello, señorita Álvarez —le respondió contra todo pronóstico y con voz autoritaria—. Es un gran inconveniente que nuestra señora haya caído enferma de forma tan repentina. Su ausencia en la cena será muy comentada en la corte de Burgos.

Las pupilas de Dulce brillaron de confusión. ¿Jimena se encontraba indispuesta?

—Os toca presidir la mesa en su ausencia, así lo ha especificado. Sois la señora con más rango después de ella.

Ese contratiempo lo cambiaba todo. Cuando se decidió a pronunciar palabra, se dio cuenta de que el conde escuchaba atentamente la conversación que mantenían ella y el capitán. Sus ojos se habían oscurecido, y la línea de su boca había adoptado un rictus de frialdad que no pudo comprender.

Quintín se disculpó con Adoain por la interrupción de Dulce, y el navarro le ofreció un gesto que debía de ser una sonrisa, pero se había quedado en una mera mueca. El capitán se llevó a Dulce a una parte del salón más apartada. Algunos comensales habían optado por aceptar participar en juegos de mesa mientras esperaban a la reina. Otros conversaban de forma amistosa y despreocupada tomando una copa de vino.

—La cena tardará en comenzar —le dijo Quintín—. Podéis aprovechar ese tiempo para recibir los últimos consejos de doña Jimena.

—¿Os podéis apartar de la vigilancia del salón unos momentos para acompañarme? —le preguntó con voz urgente.

Quintín le hizo un gesto negativo con la cabeza aunque se sintió intrigado por el comportamiento extraño de la dama, pero tenía órdenes que impartir y obligaciones que ejecutar.

Dulce inspiró profundamente al escucharlo. Había temido esa negativa, y desconfiaba de contarle sus sospechas. Quintín tenía que estar alerta para ocuparse de la seguridad de la reina y del conde aragonés.

—La guardia de Fortún se ha visto muy reducida tras la marcha de nuestro señor —le explicó Quintín—. Los mejores hombres de Fortún están bajo las órdenes del rey. Por ese motivo, estamos muy ajetreados. Además, debo partir de inmediato para escoltar a monseñor Marino Maté, [10] que llegará al castillo a última hora. Tengo órdenes de esperarlo en el puente de Alcántara.

Dulce comprendió que no podía alertar al capitán sobre

---

10. Obispo de Burgos desde 1181 a 1200.

sus sospechas hasta que la reina Leonor se hubiese marchado de Fortún. Quintín necesitaba estar centrado en la seguridad de los visitantes ya que habían llegado demasiados invitados al castillo con el cortejo. Entonces decidió que vería de inmediato a Jimena para que extremara las precauciones. Se despidió brevemente del capitán y regresó sobre sus pasos hacia las dependencias superiores del castillo.

Adoain se dio perfecta cuenta de lo nerviosa que se encontraba la muchacha que ocupaba sus pensamientos por completo.

Cuando se acercó hasta donde estaba situado el capitán de la guardia, lo había mirado de forma continuada, con un cierto sobresalto que él no llegaba a comprender. Pero cuando escuchó el nombre del asesino de su padre, una ira incontenible se apoderó de sus sentimientos, que se tornaron tormentosos. Había sentido la urgencia de sacar el puñal que tenía escondido en la bota y producirle una herida tan parecida a la que sentía él en el corazón. Todos esos días perdidos le parecían de un augurio funesto.

¡Había tenido una pieza de cambio al alcance de la mano durante ese tiempo!

Y aunque por un instante había lamentado que la mujer más hermosa de cuantas había conocido fuera la hermana del asesino de su padre, la debilidad había pasado. Tenía muy claro lo que iba a hacer con esa información inesperada, y que consideraba un regalo bienvenido.

Pedro Artáiz se había mantenido apartado mientras Adoain conversaba con el capitán de Fortún. Pero una vez que lo vio solo y cómo seguía con los ojos los pasos de la mujer que se alejaba fuera de la sala, decidió llegar hasta él para inquirir sobre la furia que se había instalado en sus ojos. La presencia de la mujer y la mirada que le ofreció Adoain dejaban poco a la imaginación. También había caído prisionero de su hechizo.

—¿Conocéis a la dama? —Adoain volvió su rostro hacia Pedro y clavó sus pupilas negras en las suyas.

—Hemos coincidido varias veces —le respondió con tono seco pero sin hacerle partícipe del caos emocional que le había causado—. Me preocupa la visita inesperada de don Ra-

fael Lorenzo a Fortún. —Pedro también compartía el mismo
sentimiento sobre el aragonés—. Aunque los planes siguen
en pie salvo por un pequeño detalle.

—Os escucho.

—La dama que interrumpió la conversación que mante-
níamos el capitán y yo hace escasos momentos es la señorita
Álvarez. —Pedro comprendió de inmediato—. La hermana
del asesino de mi padre.

FUEGO

La castellana de Arienza

Capítulo 10

—¡*E*stáis loca! —exclamó Fátima con vehemencia al escucharla.

Contempló las ropas que había desplegado Dulce sobre la cama para que se las pusiera. Era uno de los mejores atuendos castellanos que había visto. La rica tela de terciopelo podía competir con las sedas más vistosas llegadas desde el oriente.

—Hay demasiada actividad en el castillo. Es el mejor momento para sacar al pequeño de Fortún sin que nadie se dé cuenta.

—Podéis encontraros en un grave problema si resulta que no estáis en lo cierto respecto a la presunta amenaza. O si os precipitáis —le advirtió.

—Lo sé, pero me siento demasiado angustiada para pensar con coherencia. He visitado a doña Jimena y tiene una fiebre muy alta; creo que se ha contagiado de la enfermedad de su hijo. Apenas puede mantener los ojos abiertos y no puedo explicarle el grave peligro que corre Juan. Tampoco puedo alertar al capitán pues hay demasiados visitantes en Fortún, y el traidor esperará hasta la madrugada para cometer la infamia. Disponemos de un tiempo precioso que no podemos desaprovechar.

Dulce seguía escribiendo la carta que Fátima tenía que entregar a su hermano Kamîl en su nombre. Después terminaría la que iba a despachar de inmediato con un mensajero, para que fuese entregada en persona al conde Juan Blasco y a Gonzalo Díaz. ¡Fortún estaba en peligro! Y así se lo hacía saber. Confiaba en que el esposo de Jimena, tras leer su nota, regresaría de inmediato al hogar para inquirir sobre la carta enviada.

—Si el rey castellano llega a enterarse, os acusará de traición.

Ese solo pensamiento le producía escalofríos.

—Es una posibilidad, pero solo se me ocurre un lugar donde puedo mantener al pequeño protegido hasta que regrese su padre. Y es en Mudaÿÿan, vuestro hogar.

—Por favor, amiga mía, pensadlo, meditadlo un momento y os daréis cuenta de que os precipitáis. Vuestro rey pensará que le habéis dado un rehén a nuestro califa. Fortún está muy cerca de la frontera musulmana y es un bocado jugoso que nuestro caudillo no despreciará si llegara a sospecharlo.

—Sois mi hermana, actúo de buena fe al entregaros al pequeño para que lo llevéis a vuestro hogar. El niño habla vuestra lengua; vestidlo y hacedlo pasar por un familiar vuestro hasta que pueda ir en su busca. Nadie sabrá que protegéis a un niño cristiano.

—Solo hay que mirarlo para saber que es un infante de Castilla —le respondió Fátima con lógica aplastante.

La angustia que sentía Dulce le hacía tomar decisiones precipitadas.

—Podéis protegerlo, lo sé; por eso os lo confío. Aquí en Fortún no está a salvo. Y no lo estará hasta que haya hablado con su padre y alertado a Quintín para que tome las medidas oportunas, aunque esta noche es imposible.

—Lo protegeré con mi vida de ser necesario, pero siempre hay circunstancias que escapan a nuestro control. Esperad hasta el regreso de su padre, o hasta la recuperación de su madre.

—Juan Blasco está a mi cuidado. Y siento, muy dentro de mí, que corre un grave peligro esta noche y, por ese motivo, no pienso esperar hasta mañana.

—¡Acusad al navarro! No esperéis el regreso del señor de Fortún —le aconsejó Fátima.

Dulce la miró llena de congoja.

—¿Creéis que no lo he meditado en profundidad? No puedo delatar a un noble sin que los resultados me golpeen en la cabeza. Sabéis cómo funcionan los asuntos de la nobleza. Podrían pasar meses hasta que se aclarase todo, y yo estaría encerrada en las mazmorras de Fortún sin poder ver a nadie para que me asistiera en mi proclama de inocencia y mis palabras de acusación. Sería mi palabra contra la suya, ¡la palabra de una mujer contra la de un noble! En mis manos únicamente sostengo una conversación privada que escuché de forma clandestina, ¿acaso no lo veis tan claro como yo? Además, el navarro es familiar de doña Jimena. ¿Por quién creéis que se inclinaría la señora si él me acusara a mí de intentar perjudicarlo con una mentira?

—¿Y por qué motivo querría secuestrar al pequeño?

Dulce se pasó las manos por la tela del vestido con evidente nerviosismo.

—Hay una disputa por las tierras de su madre, Lucía Blasco. Ahora pertenecen a un primo lejano que no está dispuesto a entregarlas, y que luchará hasta las últimas consecuencias para preservarlas.

—¿Cómo sabéis eso? —le preguntó Fátima con asombro.

—La señora Blasco me confió su vacilación hace un par de tardes. Doña Jimena dudaba de cómo comunicarle que tendrá que esperar por tiempo indefinido una sentencia favorable de don Alfonso para recuperarlas. Pero todos sabemos que el rey es demasiado sagaz y belicoso. Además, es consciente de que, si las tierras las sigue administrando don Francisco Sánchez, podrá contar con los caballeros del noble para la guerra. Sánchez es un castellano ambicioso, y Adoain Estella es un navarro al que no le importan nada los asuntos de Castilla. Ignoro si doña Jimena ya conversó con él respecto a esos temas, pero temo que, secuestrando al pequeño, desea lograr que el rey ceda en su favor. Utilizará el chantaje para lograrlo.

Fátima comenzaba a comprender muy bien.

—¿Dónde tengo que llevarlo? —Dulce inspiró profundamente y soltó el aire que había estado conteniendo. ¡Fátima iba a ayudarla!—. ¿Cómo llegaré hasta Mudaŷŷan con el pequeño?

—No será necesario. Kamîl os espera en Caracuel. Con mis ropas y un par de caballos veloces, será muy fácil llegar hasta allí.

—¿Kamîl me espera? ¿Cómo sabe…? —Fátima no pudo continuar.

—Llegó hasta Fortún para informarme sobre vuestra captura; sabía que el castillo de Salvatierra había sido tomado por la orden de Calatrava, pero ignoraba hacia dónde os habían conducido y me pidió ayuda para encontraros.

—Arriesgó mucho llegando hasta aquí.

Dulce le hizo un gesto afirmativo con la cabeza.

—Tenéis que haceros pasar por mí. En tierras de Castilla no tendréis problemas y para ello os hago entrega del anillo con el sello de mi casa para que lo uséis como moneda de cambio si surge algún contratiempo inesperado. Mientras tanto, intentaré distraer al navarro hasta que estéis en territorio amigo antes de que pueda dar la alarma, lo que supone un margen de tiempo considerable.

—¿Distraer al navarro? ¿Cómo pensáis hacerlo? —le preguntó Fátima llena de aprensión.

Dulce cerró los ojos ante el recelo que la sacudió.

—De la única forma que puede una mujer distraer a un hombre cuando tiene una sola fijación en la cabeza: invitándole a mi alcoba.

Fátima la miró anonadada.

—¿Estáis dispuesta a llegar a ese límite por un niño que no es vuestro?

—Lo amo como si fuese mío —le respondió—, aunque estoy convencida de que no será necesario llegar a ese extremo con el señor Estella. Usaré polvo de amapola blanca,[11] y obtendréis la ventaja que necesitáis.

—¿Cómo sabéis que no rechazará la invitación? —replicó Fátima.

Esa pregunta se la había formulado Dulce infinidad de veces. Tenía que atraerlo, mantenerlo ocupado el tiempo suficiente para que Fátima alcanzara la distancia necesaria entre él y el niño. Lo incitaría a beber, le daría conversación, y que Dios la ayudara…

—Porque intuye que me siento atraída por él. El navarro

---

11. Actualmente conocida como planta del opio.

es consciente de ese hecho. No podrá rechazar una invitación que aumente su ego masculino y su vanidad pecadora.

Fátima parpadeó una sola vez. ¿El navarro conocía el interés que había despertado en su amiga?

—¿Intuye…? —comenzó a preguntar.

—Permití que me besara —le explicó con el rostro arrebolado.

—¡Dulce! Es muy peligroso —le advirtió Fátima.

—¿Creéis que no lo sé? Pero cuando haya transcurrido el tiempo necesario, cuando ambos estéis seguros, lejos y a salvo, lo descubriré delante de Jimena, y me encomendaré a Dios para que me ayude. Y ahora ¡no perdáis más tiempo!

—Presumo que es un hombre experto y vos sois una doncella inocente.

Dulce estaba plenamente convencida de que el navarro era un hombre habituado a tratar con mujeres, pero disponía de poco tiempo para pensar en un plan alternativo.

—¿Aceptáis un consejo? —le preguntó Fátima en un susurro.

—¿Solo uno, amiga mía? —le respondió con otra pregunta.

—Si las señales que les enviáis con los ojos o con las palabras no son suficientes para captar su atención y mantenerlo entretenido, si pensáis que se os agota el tiempo, posad vuestra mano en su muslo durante la cena. Él entenderá. Estará tan ansioso que no se percatará de que lo estáis manipulando en vuestro favor.

Dulce la miró boquiabierta.

—¿Cómo sabéis algo así? —inquirió con cierto bochorno pero sumamente interesada.

Le costaba un verdadero esfuerzo imaginar a su amiga haciendo un gesto íntimo para hacerle saber a un hombre el interés que le despertaba.

Fátima le sonrió con afecto. Dulce tendría que andar con cuidado, pero deseaba ayudarla. Le confiaba un pequeño al que adoraba, y no podía defraudarla.

—Creí que necesitabais saberlo. Si queréis mantenerlo ocupado, haced que os desee, que no pueda pensar en nada más que en poseeros, pero no le deis la oportunidad de alcanzaros. La adormidera os ayudará, y tendré la ventaja que necesito para llegar hasta Caracuel. Pero recordad una cosa.

—¿Decidme...? —preguntó Dulce con verdadero interés.

—El polvo blanco de amapola aviva los sentidos. Nubla el recato. Tendréis que llevar cuidado con la dosis, o se volverá contra vos.

Ambas amigas se abrazaron con afecto.

—¡Benítez! —La exclamación del soldado Pérez hizo que Benítez, el soldado de más rango en ausencia de Quintín, lo mirase fijamente—. La señorita Álvarez ha abandonado las tierras de Fortún con urgencia. Creí que debíais saberlo. Intuyo que regresa a su condado pues llevaba otra montura con sus enseres.

Benítez pensó que algo así solo empeoraba la situación. Él no estaba preparado para resolver ese tipo de cuestiones, pero el capitán había partido hacia Toledo. Despidió al soldado y comenzó a caminar hacia las dependencias de la señorita Álvarez porque tenía que cerciorarse por sí mismo si el vigilante se había confundido. ¿Cómo podía marcharse del castillo cuando estaba a punto de comparecer la reina Leonor en el salón de banquetes y debía actuar como anfitriona? Justo al doblar la esquina se dio de bruces con ella, que estaba realmente hermosa vestida con sus mejores galas.

—Señorita Álvarez. —Dulce paró sus pasos y miró a Benítez, que tenía el rostro completamente rojo. Ella intentaba cerrar el broche de una pulsera en su muñeca, pero se le resistía—. Permitidme que os ayude. —Y le cerró el prendedor sin dificultad—. Me informaron de que os habíais marchado de Fortún con urgencia, pero me extrañó la nueva; por ese motivo os buscaba para cerciorarme.

Dulce soltó el aire. Fátima no había sido todo lo sigilosa que ella le había aconsejado. Afortunadamente, el pequeño seguía dormido gracias a la infusión de valeriana que le había administrado durante el refrigerio anterior a la cena. Sentada en el enorme semental, el pequeño estaba completamente oculto por la gruesa capa de Fátima; parecía un fardo más que un niño en su regazo. El otro caballo llevaba las ropas y los enseres que Dulce había creído apropiados para despistar a la posible guardia, en caso de que dudaran de su marcha tan repentina pero necesaria.

—Estoy ante vos —le respondió.

Benítez redujo sus ojos a una línea al escuchar el tono. La señorita Álvarez no parecía la misma. Sus pupilas brillaban con cierta desconfianza que no había visto antes, pero se abstuvo de comentarlo. Indudablemente, le habían dado una información errónea.

—Acompañadme entonces, sería una falta grave que acudierais a la cena después de nuestra reina, y ya vais con demasiado retraso.

Dulce aceptó el brazo que le ofreció el soldado y lo siguió en silencio hasta el salón de banquetes. Benítez era un hombre enjuto, buen militar, responsable y de absoluta confianza.

Leonor finalmente no había acudido a la cena de gala que se había organizado en su honor. El motivo que había declarado una de sus damas de compañía era que la reina se encontraba excesivamente cansada y, por esa causa, la cena transcurrió con una lentitud agobiante.

Dulce se encontraba sentada entre Adoain Estella y Rafael Lorenzo. El hijo de don Rafael estaba sentado con la guardia de la reina. El otro navarro, Pedro Artáiz, también compartía la misma mesa. Entre los nervios y la desazón, Dulce apenas degustó los bocados que tan cortésmente le suministraba Adoain. La carne se volvía arena dentro de su boca. No se atrevía a mirarlo, pero sabía que debía actuar de forma prudente para que no sospechara que había descubierto sus planes de usar al pequeño para recuperar sus tierras y que los había desbaratado.

—Decidme, señor de Bearin, ¿pensáis quedaros mucho tiempo en tierras de Castilla? —Adoain le mostró una sonrisa diabólica que le produjo un escalofrío.

—Tengo previsto partir al alba.

«¡Lo sabía! Pretendía hacerse con el pequeño durante la madrugada, cuando todos estuviesen dormidos y con el suficiente alcohol en la sangre para no percatarse de lo que ocurría», se dijo alarmada.

—Tengo asuntos que resolver de inmediato y que no puedo demorar.

—Entonces, ¿regresáis a Navarra? Imagino que vuestro rey Sancho os reclama, ¿es así? —le preguntó ella.

Tras la pregunta de la fémina, Rafael Lorenzo volvió el rostro hacia ellos con sumo interés, y su mirada mostró una conclusión esperada. Un momento después, comenzó a hacerle preguntas al navarro, de forma tan rápida, que a ella le resultaba muy difícil seguir las frases. Durante un tiempo, ambos hombres la ignoraron, aunque Adoain seguía cortando trozos de carne que ella no rechazaba. Dulce se dio cuenta de que el navarro apenas había tomado vino, y ese detalle le preocupó. Necesitaba que estuviese relajado por el alcohol y con los sentidos aletargados. Le hizo un gesto apenas perceptible a un criado, para indicarle que cambiara la copa de vino por otra.

Adoain se dio perfecta cuenta de los cambios que ella hacía en la mesa, pero se mantuvo en silencio y con el rostro jovial, como si realmente disfrutara del banquete.

Dulce lo miraba de forma esporádica y, por la expresión masculina, dudaba de que lograse atraer su atención de la forma que esperaba. Casi no le había prestado atención durante la cena; en nada se parecía al hombre que la había besado en los pasillos de Fortún, y se preguntó el motivo. Lo sentía frío, lejano, y ella ignoraba cómo tentar a un hombre de su apostura. O cómo llamar su atención para debilitar sus defensas.

Sentía el estómago revuelto; una sudoración fría le recorría la base de la espalda y le producía una gran incomodidad. Trató de achacarlo al vestido grueso y pesado que llevaba puesto, pero sabía que la molestia que sentía era debido al nerviosismo que la embargaba y no a la ropa que vestía.

—Habladme de vos —le pidió de pronto en un tono suave y dulce que no lo engañó en absoluto—. Contadme detalles de vuestro hogar.

Adoain clavó sus ojos en ella, quien le sostuvo la mirada con candor. Dulce le ofreció una sonrisa tímida que malinterpretó. La sentía inquieta, como si algo le desagradara mucho y luchara con todas sus fuerzas para no dejarse dominar por esa molesta sensación. De pronto, la mano femenina se posó en su muslo de forma bien accidental y todo su cuerpo se tensó ansioso. No era un jovenzuelo para excitarse por el contacto de una mujer, pero Dulce poseía un magnetismo sensual que ponía todos sus sentidos alerta y despertaba su lujuria por completo. Veía moverse sus labios de coral, pero era incapaz de entender las palabras que le decía; estaba completamente concentrado en seguir el movimiento de su lengua rosada.

Era un fuego que podría consumirlo.

—¿Decíais, señora…? —le preguntó.

La mano de ella seguía en su muslo, y él entendió perfectamente lo que significaba ese contacto, ¡lo estaba invitando a su lecho! Con absoluta confianza, bajó su mirada hacia los dedos femeninos que seguían en contacto con él, y después los subió hacia el rostro de ella, que adoptó el color de las rosas rojas al ser consciente de que él había entendido al fin sus intenciones.

Adoain tragó con fuerza.

Había creído que era una muchacha inocente, y se había equivocado por completo. Pero si la mujer deseaba un revolcón entre sus piernas, con gusto pensaba complacerla.

—¿Estáis segura? —le preguntó con un tono de voz ronca que le erizó el vello del cuerpo.

Dulce se sentía mareada. ¿Qué le ocurría? La cena duraba demasiado, y ella no resistiría mucho más tiempo esa incertidumbre.

—¿Quién está seguro de algo, señor Estella? —dijo de pronto.

Adoain entrecerró los ojos pues no supo cómo tomarse las palabras femeninas.

—Pero habéis despertado mi curiosidad y deseo de conoceros —le susurró con voz sedosa—, de forma íntima.

«No solo habéis despertado mi curiosidad, también mis instintos sensuales que siento desbocados en vuestra presencia», se dijo sin poder apartar los ojos del rostro varonil.

—¿Deseáis conocerme íntimamente? —insistió él.

Dulce se atragantó con el sorbo de vino. Adoain la ayudó de forma solícita a superar el mal trago. Ya no había vuelta atrás, tenía que seguir adelante a pesar de todos sus recelos.

—¿Necesitáis que repita mis palabras, señor Estella? —le respondió una vez que hubo superado la carraspera.

Adoain soltó un suspiro impaciente porque las palabras femeninas lo habían dejado excitado hasta un punto insospechado. Sin embargo, tendría que esperar hasta después de la maldita cena para poder saciar la lascivia que le provocaba. La deseaba entre sus piernas y entre ellas estaría hasta su partida.

Dulce, en su inocencia, pensaba que no sabía cómo atraer la atención de un hombre como él. Y, sin saberlo, con su nerviosismo, sus miradas vacilantes y la forma suave de tocarlo, había despertado a la bestia lujuriosa que llevaba dentro.

Adoain estaba a punto de cruzar la línea.

Había decidido llevarse al pequeño Juan al despuntar el alba y todo estaba preparado. Una vez que hubiesen alcanzado la frontera con Navarra, Pedro Artáiz continuaría solo hasta Tudela y él regresaría para vengar a su padre.

La visita de la reina castellana y el séquito aragonés había resultado una bendición porque las defensas de Fortún estaban bajas y los guardias estaban desbordados. Era la ocasión perfecta y no pensaba desaprovecharlo, pero, hasta entonces, bien podía pasar un buen rato entre los brazos de una hermosa mujer. ¿Qué hombre en su sano juicio rechazaría una invitación ofrecida de forma tan clara y ardiente?

Dulce desvió la vista de Adoain hasta la figura del otro navarro que estaba conversando con el aragonés porque no resistía el ardor en los ojos masculinos. ¡La abrasaban!

—Me gustaría conversar mañana con doña Jimena —le dijo de pronto Rafael Lorenzo ajeno a la tormenta que sentía la castellana por el navarro—, ¿le transmitiréis mis deseos? Decidle que es imperativo que hablemos antes de abandonar Castilla.

—La señora de Fortún se encuentra indispuesta —le respondió ella y, de pronto, la palma grande y caliente de Adoain se posó en el muslo femenino, y el contacto inesperado le produjo cientos de aguijonazos en la piel.

Le había devuelto el mismo gesto que había usado ella para hacerle entender su interés, pero Dulce dudaba de que él hubiese sentido esa ardiente necesidad entre los muslos, esa maraña de pensamientos locos e irreverentes. Clavó sus pupilas en las del hombre y comprobó que la pasión que contenían superaba la de ella.

Le ardieron las mejillas, pero no apartó la mirada.

«¡Dios mío! ¡Qué he hecho! ¿Conseguirle a Fátima la ventaja que necesitaba para escapar con el pequeño? ¿O firmar mi sentencia de muerte?», se preguntó con angustia durante el instante que duró su confusión.

La larga cena concluyó al fin.

Dulce pudo levantarse de la mesa y huir de la presencia turbadora de Adoain mientras los músicos amenizaban a los invitados con baladas románticas. Salió al corredor y se dirigió hacia las dependencias de la señora con el corazón en la garganta. Tendría que regresar en unos momentos, pero hasta entonces podría respirar por un poco de alivio. No fue consciente en ningún momento de que el conde de Bearin la seguía de cerca y con paso firme.

La habitación de Jimena estaba en penumbra, y hacía demasiado calor. Las ventanas estaban cerradas y la señora, tapada con una gruesa colcha que la hacía transpirar profusamente. Su doncella seguía limpiándole el rostro perlado en sudor y, al verla tan indefensa, supo que no podría hacer nada con la información que tenía y que no podía compartir con ella.

—Carmen… —La muchacha de grandes ojos la miró con una sonrisa tímida y sin abandonar el lecho de su señora—. ¿Cómo se encuentra?

—La fiebre sigue siendo alta, pero el doctor ha dicho que es debido a una infección en la garganta por lo que no podrá tragar durante varios días. Pero no hay nada que temer, es algo pasajero.

Dulce la miró. Tenía los mismos síntomas que había pasado su hijo Juan, y lamentó profundamente su indisposición. Tenía que tomar decisiones que iban a cambiar su vida por completo, pero tenía que proteger al heredero de Fortún.

—Entregadle esta carta cuando despierte. —Carmen cogió la misiva entre sus manos y le hizo un gesto afirmativo—. Decidle que su pequeño está perfectamente y que lo amo con toda mi alma. —Carmen la miró sin comprender—. Decídselo, por favor.

Pero Dulce ignoraba que las circunstancias que acontecerían durante las próximas horas serían un impedimento para que la carta llegara a su destinataria.

Capítulo 11

Siempre le había gustado atravesar los patios ajardinados para ir de unas estancias a las otras. El frescor de los árboles, el rumor de las fuentes de agua y la oscuridad naciente le resultaban de un atractivo arrollador. Pero en ese momento, ansiaba algo más de luz que guiase sus pasos y no esa negrura que la agobiaba sin comprender el motivo. Tenía que regresar al salón aunque no sentía el menor deseo de hacerlo. Pensaba en Quintín y en su desafortunada marcha hacia Toledo. En Fortún habían quedado pocos guardias y no estaban preparados para hacer frente a un desafío, sea cual fuere.

Dulce se sintió observada y detuvo sus pasos para mirar por encima del hombro, pero no vio a nadie, solamente su sombra sobre las piedras y el silencio de la noche. Podía escuchar la música que la brisa le llevaba desde los salones, y respiró profundamente antes de volver a iniciar sus pasos. Pero la mano que la sujetaba por el codo impidió su movimiento.

—¿Todo bien? —Dulce no supo qué le produjo el sobresalto, si la sensual voz o el contacto intencionado.

Se dio la vuelta hacia la persona que había interrumpido su marcha, y clavó sus ojos en la figura del navarro, que la miraba con ojos entrecerrados. Había poca luz de antorchas en el patio, pero los rayos de la luna brillaban con demasiado esplendor en esa noche que estaba resultando demasiado larga.

—¿Por qué me seguís? —acertó a preguntar con un hilo de voz.

Trataba de esconder la turbación que sentía, pero no estaba segura de lograrlo.

—Porque me interesa saber si pretendéis huir.

—Necesitaba saber cómo se encontraba la señora Blasco, por eso me marché un momento del salón. Pero os recuerdo que es de extrema grosería dejar la mesa sin un buen pretexto. Os he explicado mi ausencia, decidme, ¿podéis justificar la vuestra?

Adoain la había seguido porque no se fiaba de ella. Desde que había descubierto que era la hermana del asesino de su padre, no quería perderla de vista. Y pensaba cobrarse la invitación que le había lanzado. ¿O creía que podía jugar con él?

—Pensé que os retractabais de vuestra invitación, por ese motivo decidí seguiros hasta el jardín. —La voz del conde había sonado demasiado seca, o al menos así le pareció.

Dulce sabía que no podía rectificar sus palabras hasta que Fátima estuviese a una distancia segura con el pequeño heredero. Ella se mantendría firme.

—Mi invitación sigue en pie, pero será cuando el último de los invitados se retire, ni un instante antes.

Adoain no supo si la confirmación de ella lo enfurecía o le alegraba. Esa mujer le producía un montón de sensaciones desconocidas que necesitaba analizar. Con sus dedos rozó la piel suave del brazo femenino, y notó el estremecimiento de ella. Supo que sentía por su contacto la misma necesidad que sentía él.

—Voy a besaros. —Las palabras no fueron ofrecidas como una solicitud de favor, sino como una orden que iba a ser ejecutada de inmediato.

De nuevo la boca de Adoain fue al encuentro de los labios femeninos, pero en esta ocasión el beso no fue tierno ni medido. Todo lo contrario, contenía un ímpetu abrasador y una urgencia demoledora que la dejaron débil y complaciente.

Dulce se quedó sin respiración en los brazos del navarro y no atinó a soltarse ni a negar la invasión devastadora que sufrían sus sentidos. Con sus manos sujetó el manto verde que él siempre llevaba y, al hacerlo, su pecho quedó pegado al torso masculino.

Adoain tornó el beso mucho más posesivo y erótico. Las manos de él obraban magia sobre su busto y su espalda, y la incitaba a seguirlo allí donde la llevaba. La lengua masculina no le daba tregua, seguía saqueando sus lugares ocultos con una habilidad que la mareaba. Pero logró contenerse, porque, si seguía besándola, iba a terminar tomándola bajo los árboles del jardín, aunque los esperaban en el gran salón.

La retirada del cuerpo de Adoain hizo que la cordura azotara su imprudencia. Recuperó el control y la respiración, pero Adoain no le permitió una palabra a su asalto repentino. La miraba con ojos abrasadores, brillantes de puro deseo.

—Encontraré vuestros aposentos, señora. Hasta entonces, id con Dios.

Don Rafael Lorenzo se había percatado de la ausencia en la sala de la señorita Álvarez, y el interés no disminuyó ni un ápice cuando se dio cuenta de que el navarro había regresado poco después de la señora. Habían quedado muy claros para él los motivos ulteriores de su estancia en Fortún. Finalmente, el rey Sancho había mandado a un secuaz a Toledo en busca del pequeño Juan, pero él no pensaba mantenerse al margen. Le producía impotencia no poder mantener una conversación con la madre del pequeño a causa de su indisposición repentina, y se amonestó porque no tenía que haber permitido que la reina Leonor viajara con él. Pero la dama había insistido de forma contundente y él estaba comenzando a atar cabos. Por ese motivo buscó con sus ojos a su hijo y le hizo un gesto para que se acercara.

Estaba convencido de que el navarro partiría con el niño al alba, y de que la reina castellana pensaba prevenir y adoptar posturas con respecto al pequeño.

Dos de sus caballeros entendieron la orden, y se posicionaron muy cerca de la puerta de salida. La mayoría de los invitados comenzaron a retirarse. Lorenzo le indicó a su hijo que lo siguiera, y ambos salieron por las grandes puertas hacia uno de los jardines tenuemente iluminados. Se dirigió con grandes zancadas hacia el lugar más escondido y apartado de miradas curiosas e inició una serie de órdenes que su hijo estaba dispuesto a acatar de inmediato. Iban a llevarse al pequeño a Aragón ya que en el castillo de Isuela estaría protegido hasta que pudiera mantener una conversación con el rey aragonés Pedro. Debía prevenirlo sobre la amenaza que se cernía sobre Aragón si el pequeño castellano era proclamado príncipe heredero de Navarra. Rafael entendió. La presencia del conde de Bearin en Castilla tenía un mismo objetivo: llevarse al pequeño.

Pero él tenía la obligación de impedirlo.

Pedro Artáiz, con su acostumbrada previsión, había seguido de forma cauta al conde de Isuela. Desde su llegada a Fortún, había tenido la corazonada de que la visita de los aragoneses tenía que ver con el nieto de Sancho. Y no se había equivocado. Ahora pensaba escuchar lo que ambos tramaban y alertar a Adoain de sus oscuras intenciones.

Fortún estaba sumido en el silencio propiciado por la noche cerrada. Entre sus muros llenos de historia, se planeaban encuentros y desenlaces.

La alcoba de Dulce era la única que tenía luz. Los quinqués colocados de forma estratégica en las esquinas de la estancia dotaban las paredes de piedra de un suave resplandor dorado. Bañaban de color el rostro de la mujer que se paseaba impaciente y se mordía las uñas sin compasión. Detuvo su ir y venir apresurado para clavar los ojos en la bandeja de plata que contenía dos copas y una jarra de vino especiado. Disponía de poco tiempo y, por el nerviosismo que le producía esa circunstancia, volvió a echar más polvos de adormidera en la jarra y volvió a removerla con una cuchara de plata.

En su más hondo sentir sabía que el conde de Bearin no era una mala persona, aunque fuera a actuar de forma equivocada para recuperar su herencia. Dulce conocía que tales asuntos debían discurrir por otros derroteros. A ella le gustaría mantener una conversación honesta con él para disuadirle de su empeño de llevarse al pequeño por la fuerza, pero supo que descubriéndose no lograría nada. Todo lo contrario, empeoraría mucho más la situación. Por ese motivo había decidido actuar a la desesperada.

Un suave toque en la puerta hizo que cerrara los ojos y lanzara una breve plegaria. Dirigió sus pasos hacia la entrada y, con mano temblorosa, abrió la hoja de madera, que había previamente engrasado en sus goznes para amortiguar el chasquido del preludio al pecado.

Adoain estaba de pie ante ella con las mismas ropas que había llevado durante la cena, y ese detalle le hizo enarcar una ceja con un interrogante, porque no eran ropas de viaje, y él pensaba marcharse en breve.

Se hizo a un lado al mismo tiempo que se mordía el labio inferior con la duda reflejándose en el rostro. Un poco más de tiempo y Fátima estaría a salvo.

El conde dudó al ver la vacilación de ella, pero estaba tan encendido de lujuria que necesitaba desahogar sus emociones extremas con la hermana del verdugo de su padre. Finalmente, dio el paso que lo introdujo en los dominios femeninos. Dulce cerró la puerta con suavidad mientras lanzaba un suspiro que a él le sonó de profundo alivio.

—Os serviré una copa de vino —le ofreció solícita.

Adoain comenzaba a quitarse el manto verde con suma paciencia, y lo lanzó hacia el lecho con tan poco tino, que la tela resbaló y quedó tendida en el suelo.

—Lo aceptaré gustoso —le respondió mientras tomaba asiento, muy cerca de donde se encontraba ella.

A Dulce le tembló tanto la mano, que tuvo que dejar la jarra de nuevo en la mesa, pero unos instantes después logró llenar ambas copas para que él no sospechara que pensaba drogarlo y así obtener el tiempo que necesitaba. Cuando le tendió la copa, Adoain la asió sin dejar de mirarla, los dedos masculinos rozaron los femeninos y, en ese gesto intencionado, Dulce supo que no podría llevar a cabo lo que pretendía. Le faltaba el valor que necesitaba, pero tenía que encontrarlo. El navarro se bebió el vino de un trago y le tendió de nuevo la copa para que se la volviera a llenar.

Lo hizo sumisa.

—¡Bebed conmigo! —le ordenó. Ella aceptó con un suspiro, pero su trago fue mucho más corto de lo que él esperaba—. Es un tinto muy bueno —le reprochó.

—Lo es —admitió Dulce.

Adoain se había desabrochado los lazos laterales de su camisa y se había remangado los extremos de los puños con unos ademanes tan lentos que la pusieron sumamente nerviosa. Pero no podía permitir que él se percatara de ello. Por ese motivo buscó en su alma la mejor sonrisa que tenía y se la ofreció sin ser consciente de lo profundamente que le afectaba a él su actuación jovial.

Recordó el consejo de Fátima, el contacto era imprescindible para alejar la duda, y se dispuso a seguirlo de inmediato aunque no tenía muy claro cómo hacerlo.

Le quitó la copa vacía de la mano en un gesto lento, premeditado, acercando su cuerpo al de él, que ardía e incendiaba con su movimiento el suyo propio.

—Estáis sediento —le dijo.

Adoain ya no volvió a pronunciar palabra, la sujetó por la muñeca y la atrajo hacia él de un tirón no muy fuerte, aunque sí lo suficientemente rápido para hacerle perder el equilibrio y dejarla sentada sobre su regazo.

Dulce se sentía alarmada porque no sabía manejar una situación de semejante envergadura, y era consciente de que todo podía volverse en su contra.

Adoain estaba disfrutando como nunca del juego del ratón y el gato que había iniciado la mujer. Era la más seductora de cuantas había conocido, y también la más perversa por provocarlo de una forma acuciante sin permitirle un suspiro.

—De vos —le respondió ansioso—. Estoy sediento de vos.

Dulce sintió que le desabrochaba el lazo de su bata de terciopelo y el brillo de alarma se paseó por el iris de sus ojos, pero pudo esconderlo a tiempo. Tenía que hacerle beber más vino, o estaba perdida.

Él le hizo un gesto negativo que le indicó de forma clara que no quería perder más tiempo con el licor. Ella tenía que hallar de forma urgente la forma de hacerle tragar más droga.

Tenía que mostrarse mucho más osada.

—Entonces bebedme. —Un instante después se llenó la boca con el oscuro líquido y se la ofreció.

A él la invitación le pareció la más pecaminosa de todas, pero aceptó con lascivia el vino que ella había calentado en su paladar. Cuando hubo vaciado el néctar de su interior, lamió el interior de las mejillas y acarició el paladar femenino que le supo a ambrosía.

Dulce no sabía de dónde había sacado el valor y la procacidad para hacer algo tan indecente. De repente, un recuerdo vago se coló en su cerebro manipulado por el alcohol y por las emociones que el contacto masculino le provocaban. En la cena, Adoain apenas había probado el vino. Sin embargo, la copa de ella la habían llenado en varias ocasiones. Ahora comprendía por qué motivo sentía los miembros aletargados, el palpitar pecaminoso en su vientre y el deseo abrasador entre sus piernas.

¡Estaba ebria!

Pero no podía pensar con sensatez, porque la mano del navarro se había introducido por la abertura de su camisa de dormir y estaba acariciando su seno de la misma forma que la áspera lengua sitiaba su boca. La desconcertaba. Le hacía desearlo, pero tenía que hacerle beber más vino, o acabaría entregándose a un hombre malvado aunque tremendamente excitante. ¡Maldita fuera, no podía unir los pensamientos!

Adoain la alzó en brazos y la condujo hacia el lecho. Cuando Dulce se dio cuenta de lo que pretendía hacer, trató de impedirlo.

—¡No! Por favor, esperad. —Pero él había vuelto a apoderarse de su boca con una ferocidad que la sorprendió. Cuando terminó el beso, ella exclamó con ojos brillantes—: ¡Ansío más vino!

Adoain la complació y dio dos pasos con ella en brazos hacia la pequeña mesa que contenía la jarra. Dulce la asió, pero no pudo alcanzar las copas que quedaron olvidadas en la pequeña mesa de madera. Nuevamente la llevó hacia el lecho y la depositó con mucha suavidad en el blando colchón de plumas.

—Bebed —la incitó. Dulce miró las pupilas negras de Adoain, y le pareció ver un brillo de vesania que logró ocultar a la perfección—. Y yo beberé de vos.

Tomó el líquido de la misma jarra. Se llenó la boca con el vino rojo y templado, pero en esta ocasión Adoain no lo tragó de inmediato, e hizo que ella tragara una buena cantidad de él. Varias gotas rezumaron por su barbilla, pero él las lamió en un acto tan erótico y sensual que le hizo lanzar un profundo jadeo.

¡Ella no tenía control sobre nada!

Dulce comenzó a sentir los efectos que producía el alcohol en su cuerpo. La volvía desinhibida, descarada, y se preguntó por qué motivo la droga no hacía efecto en él como había pretendido al suministrársela. Sin darse apenas cuenta, su bata quedó tendida en el suelo igual que su camisa de hilo, y quedó completamente desnuda y a merced del hombre que la miraba con ojos brillantes de deseo.

Adoain se quitó la camisa por la cabeza en un solo ademán y las calzas corrieron la misma suerte. En unos instantes quedó tan desnudo como ella y ansioso como un jovenzuelo por introducirse en su interior. Miró los muslos satinados y con el color más dorado que había contemplado nunca. Con la yema de sus dedos, abrió los pliegues húmedos y acarició la grieta rosada de forma tan suave que le hizo soltar a Dulce unos jadeos demasiado explícitos, que terminaron por decidirlo. No podía esperar más, estaba a punto de eyacular sobre el níveo vientre femenino. Le separó las rodillas de forma brusca, descendió sobre su cuerpo y de una embestida se enterró en ella.

No llegó a tiempo de silenciar el grito femenino, ni de detener la mordedura en el hombro que le propinó ella en respuesta.

Dulce le arañó la espalda con las uñas mientras le pedía que parara, y unos momentos después que siguiera. Pero él se encontraba sumido en un deseo que no controlaba. Simplemente sentía la urgente necesidad de empujar más fuerte, más profundo. Estaba siendo demasiado áspero y rápido, pero la estrechez de Dulce lo volvía loco. Adoain sintió que se tensaba su espalda, que su vientre se contraía, y los espasmos del orgasmo sacudieron su cuerpo durante unos instantes largos, deliciosos, para quedarse después sin vida, vacío de voluntad encima de ella.

Ninguno de los dos supo si el silencio y la quietud habían durado uno o varios momentos.

La habitación seguía en penumbra. El silencio tras los jadeos de placer que habían compartido se rompió cuando el filo de una espada amenazó el cuello de Adoain con una advertencia mortal. El navarro hizo ademán de incorporarse, pero una voz candente y furiosa detuvo su movimiento.

—Si descubrís la desnudez de la dama, os cortaré la cabeza.

Dulce tenía la boca tapada por su propia mano para contener un gemido lleno de espanto, pero los ojos se le llenaron de lágrimas que se tornaron ácidas por la vergüenza. Kamîl la miraba con honda preocupación y un rictus de cólera que la acobardó. ¿Qué hacía en Fortún? ¿Y por qué motivo su espada amenazaba el cuello de Adoain?

El navarro alargó la mano para coger su manto del suelo, y cubrió el cuerpo femenino con él. Cuando la piel expuesta de Dulce quedó cubierta, se quedó de rodillas y desnudo delante de su verdugo. Dulce reptó hacia atrás tapándose lo mejor que podía con la lana, pero sin dejar de mirar los ojos negros e insondables de su amigo.

Brillaban con una furia que no había visto nunca.

—Y ahora, ¡despedíos de vuestro dios! —La espada sarracena cortó, en un tajo profundo y limpio, la piel del pecho de Adoain a la altura del corazón.

La hoja afilada se introdujo en la carne como si fuese mantequilla. La sangre espesa y roja comenzó a salir y a manchar todo lo que a su paso tocaba, incluso a la persona que estaba próxima a él. Manchó el rostro de Dulce, el nacimiento de sus senos, incluso las manos que asían la tela.

Los ojos de Dulce se abrieron como platos, siguieron el río caliente que se deslizaba por el pecho de Adoain hasta alcanzar su vientre y gotear sobre la ropa del lecho. Se puso mortalmente pálida y finalmente se desmayó.

Capítulo 12

Despertó con el sabor amargo de la bilis adherida al cielo de la boca.

Sentía el trote del caballo y los brazos de Kamîl alrededor de ella, recordaba esa sensación reconfortante muy bien. Abrió los ojos despacio y una arcada violenta la sacudió. Su amigo paró la montura bajo el amparo de una encina para darle un respiro porque el trote aumentaba la sensación desagradable en su estómago. Dulce tragó varias veces sin que la sensación de repugnancia la abandonara. Se pasó la mano por los labios en un intento de sofocar la acidez que la atormentaba. Pero el regusto de la sangre penetró por los orificios de su nariz. Clavó sus pupilas en las manos manchadas del fluido de vida de Adoain y comenzó a gritar como si estuviera poseída.

—¡Quitádmela, Kamîl! ¡Quitádmela! —Comenzó a manotear y golpearse el rostro en un intento de limpiar la sangre que la manchaba—. ¡Por favor, por favor!

Kamîl mojó el extremo del manto, que llevaba ella enrollado al cuerpo, con un poco de agua que tenía en una bota de piel atada a su montura, y limpió el rostro femenino con delicadeza hasta que quedó completamente limpio.

—¡Estoy llena de sangre! —La fuerte exclamación femenina hizo que Kamîl la sujetara más fuerte al sentir que Dulce intentaba bajarse de la grupa del animal—. ¡Oh, Dios mío!

—Tranquilizaos, ya estáis limpia —le dijo con voz pausada.

Dulce no podía cerrar los ojos, porque si lo hacía veía el cuerpo de Adoain lacerado por la espada de Kamîl. Otra arcada la sacudió de nuevo.

¡Lo había matado!

—¿Está muerto? —le preguntó, pero sin querer saber la respuesta.

Kamîl la miró tan intensamente, que se ruborizó y volvió a exclamar.

—¡Oh, Dios mío! ¿Qué habéis hecho? ¿Por qué? ¡Oh Dios mío! —Sus preguntas y exclamaciones no seguían un orden coherente.

Dulce se miró el cuerpo y se dio cuenta de su desnudez bajo el manto navarro. Kamîl le había atado las puntas en un nudo elaborado para sujetarlo en torno a su pecho. Dos hombres, en esa noche trágica, la habían visto desnuda y ese hecho la mortificaba hasta lo indecible. Uno de ellos era el hombre que había deseado con todo su ser y al que se había entregado en un arrebato de locura y embriaguez. El otro era un hermano al que quería como si fuese de su misma sangre, y al que había ofendido con sus actos impulsivos.

—Salvaguardar vuestra vida —le recordó él.

El tono de Kamîl había sonado duro, con censura, pero ella sentía tanto horror por lo que había sucedido que no podía hilvanar un pensamiento congruente ni responderle como deseaba.

—¡Os matarán! —volvió a exclamar llena de congoja—. Y ahora yo no podré regresar a Fortún. ¿Cómo protegeré al pequeño si me convierto en proscrita? ¡Oh, Dios mío! ¿Por qué lo habéis matado?

Kamîl alzó una de sus cejas en un perfecto arco al escuchar la retahíla de palabras.

—No podía permitir que siguiera respirando después de lo que os hizo.

Ella había propiciado ese desastre, pero nunca creyó que llegaría tan lejos.

—No me forzó, ¡lo juro! —trató de decirle, pero una nueva arcada la hizo doblarse en dos y perder el color del rostro.

—¿Demasiada adormidera? —le preguntó él.

Dulce clavó sus pupilas en las de su amigo, que contenían en lo más hondo un notable brillo de humor. ¡Su vida se desmoronaba y él se reía!

Kamîl decidió no torturarla más.

—El pequeño está en su lecho, bajo el mismo techo que su madre —le respondió de forma concisa—. Nunca debisteis sacarlo de su hogar.

—¿El pequeño Juan está en Fortún? —le preguntó con gran incredulidad.

Kamîl le hizo un gesto afirmativo con la cabeza, pero no pudo preguntar nada más porque una nueva arcada la sacudió. Cuando el malestar remitió, ella admitió con voz pesarosa.

—Bebí vino con los polvos que había dispuesto para él, con el único propósito de que no sospechara que pensaba drogarlo —le confesó atribulada—. Y me siento francamente mal.

—Me cuesta creer que tuvierais que drogar a un hombre para que accediera a acostarse con vos. —¿Por qué las palabras de Kamîl parecían burlescas?—. De veras que no me lo esperaba.

Si no se encontrara tan mal, seguramente se reiría de todo como Kamîl.

—Trataba de evitar que saliera de Fortún con el pequeño. Y los hombres solo entienden dos cosas: la lucha o la diversión amorosa.

—No es la diversión amorosa lo que hizo que os entregarais a él, ¿no es cierto?

Dulce miró el rostro de su amigo y supo que no podía mentirle, a él no. Por ese motivo, le confesó con las pupilas brillantes por la emoción lo que sentía.

—No había sentido nada parecido anteriormente. Es posar mis ojos en él y siento que se me va la fuerza del cuerpo. El corazón por la boca. Me tiemblan las rodillas y el estómago se me encoge —admitió sin pudor—. No, no fue simplemente el jolgorio amoroso lo que hizo que me entregara a él, ni una buena dosis de adormidera.

Ella había reconocido lo que sentía por el navarro. Kamîl fue consciente del enorme esfuerzo que hacía para sincerarse y decidió corresponderle.

—Fátima me lo explicó todo —le dijo, y Dulce se mordió el labio porque le estaba haciendo pasar un mal rato a propósito—. ¿Por qué no buscasteis mi ayuda? Estaba muy cerca para ofrecérosla. Lo juré, y me niego a pensar que lo hayáis olvidado tan fatuamente.

Dulce lo sabía, pero sus acciones habían estado ocupadas tratando de evitar el secuestro de un infante que había terminado con el asesinato de su inductor.

—Necesito caminar —le dijo a Kamîl, pero el gesto negativo de él le provocó una inesperada reacción femenina que lo tomó por sorpresa.

Dulce saltó del caballo hacia el suelo aunque al hacerlo las piedras cortantes le lastimaron los pies. Kamîl seguía sentado sobre el semental y la miraba con cierta impaciencia. Escuchaba sus gemidos de dolor pero no le provocaron la menor compasión. La vio dirigirse hasta unos arbustos y la oyó vomitar sobre ellos. Maldijo por lo bajo y acudió en su auxilio.

Tenían poco tiempo y estaban perdiendo demasiado.

Jimena Blasco estaba horrorizada.

Sus ojos no se apartaban de los lienzos blancos manchados de sangre. Sobre la cama de Dulce Álvarez había ocurrido una carnicería. Se sentía tan enferma, que pensó que iba a vomitar sobre el frío suelo. Cubrió con su mano la boca para ahogar el gemido profundo y lastimoso que nacía de su pena más profunda.

¡Una muchacha tan buena no se merecía una muerte tan vil!

La alarma había sonado muy cerca de la madrugada, cuando el gallo afinaba su garganta para ofrecer el primero de sus cantos. Uno de los guardias, en la ronda nocturna, había visto luz en la estancia y la puerta entreabierta. El grito lleno de alarma que sonó instantes después puso en pie a todos los habitantes de Fortún.

Pedro Artáiz estaba mudo.

La cama de la muchacha era un testigo silencioso de la barbarie que se había cometido, pero no había cuerpo, y ese detalle le extrañaba muchísimo. Lo último que sabía era que su conde había acudido a una cita amorosa con la señorita Álvarez y, ahora, ambos habían desaparecido. Inmediatamente después de conocerse la noticia, se habían organizado varias partidas para buscarla, pero habían resultado infructuosas. No había señales ni sangre en el patio de armas, nada que indicase cuántos asesinos se habían introducido por la noche para cometer el atroz asesinato.

El sol estaba a punto de ocultarse sobre el horizonte gris cuando la llegada de un séquito cruzó la poterna de entrada al castillo. Gonzalo Díaz y Miguel Álvarez, seguidos de algunos caballeros, desmontaron al unísono de sus sementales y, con grandes zancadas, cruzaron el patio de armas hasta alcanzar los escalones de entrada a la torre principal. Cuando Jimena vio a su marido caminar hacia ella, se abalanzó sobre él y rompió a llorar de forma desconsolada.

—¿Qué ha sucedido? —Los ojos de Gonzalo Díaz se clavaron en el capitán de la guardia que tenía el rostro contraído por la preocupación.

El mensajero apenas había podido explicar la urgencia del mensaje, pero se reclamaba su presencia en Fortún por un asunto de vida o muerte, y también se requería la presencia la del conde de Arienza. El incidente acaecido tenía que ver con su hermana Dulce Álvarez. Quintín fue incapaz de hablar hasta que no se hubo aclarado la garganta varias veces con un carraspeo ronco.

—La señorita Álvarez ha desaparecido.

La voz de Miguel tronó en la sala e hizo que la reina Leonor y Jimena dieran un respingo, sobresaltadas. Todas las miradas se clavaron en el conde que contenía su furia a duras penas.

—¡Qué insinuáis con esas palabras! —bramó colérico—. ¡Hablad!

Quintín le sostuvo la mirada a Miguel Álvarez con más entereza de la que sentía. El asesinato de una noble era un asunto muy serio.

—Vuestra hermana ha desaparecido de Fortún, y tememos lo peor —le dijo Jimena a Miguel con voz temblorosa.

—¿Ha desaparecido de Fortún? ¿Cómo es posible? Hablé con ella en el día de ayer, debéis de estar confundida.

La mano de Miguel acariciaba la guarda de su espada de forma intimidante. Quintín se dio cuenta de que estaba a punto de perder el control por completo. Pedro Artáiz se situó muy cerca, pero continuaba en un silencio premeditado.

—Conteneos, conde —la voz suave de doña Jimena aumentó todavía más la furia que lo embargaba—. Nada está claro todavía.

Miguel abandonó la sala y se dirigió hacia las dependencias de su hermana. Conocía dónde estaban situadas porque el día anterior le habían asignado la alcoba de Dulce, salvo que no la había utilizado para dormir sino para descansar unos momentos antes de partir hacia Toledo.

Jimena Blasco, al adivinar sus intenciones, trató de impedirlo.

—¡Deteneos, por Dios! ¡No…! —Pero Miguel estaba ido para escuchar cualquier razonamiento o pensamiento prudente que no fuese la urgente necesidad de saber lo que había ocurrido.

Gonzalo, Jimena e incluso Quintín siguieron los pasos del conde. Jimena temía su reacción cuando viese la alcoba ensangrentada.

La escena le resultó dantesca. Sobre el lecho había una gran mancha de sangre, el tamaño de la misma indicaba que el cuerpo de su hermana había sido vaciado de todo su fluido de vida. Miguel desvió sus ojos hacia la bata y la camisa que contenían salpicaduras ya secas. Dulce tenía que haber sufrido la más horrenda de las torturas.

El grito de rabia y dolor que rompió el silencio de la estancia resultó como una premonición del desastre que se avecinaba. Miguel avanzó con determinación hacia Quintín dispuesto a cobrarse el agravio con su vida, pero el señor de Fortún, Gonzalo Díaz, lo interceptó a medio camino. Logró sujetarlo antes de que desenvainara la espada y la clavara en el cuello del capitán.

Jimena volvió a estallar en lágrimas al visualizar por segunda vez la escena pavorosa. Y Pedro Artáiz, que había estado callado hasta ese momento, habló por primera vez. Los había seguido hasta la alcoba, y continuaba cavilando en pensamientos oscuros.

—Deberíamos buscar todos los indicios posibles. Mi instinto me dice que la señorita Álvarez no ha sido asesinada.

Los ojos de Miguel repararon por primera vez en el hombre corpulento y lo taladró con fiereza. ¿Qué trataba de decir? Gonzalo entrecerró los ojos al escuchar el comentario del navarro, pero siguió sujetando con fuerza al conde. Él tenía conocimiento de la visita de los parientes de su esposa, pero la deuda contraída por vasallaje con don Alfonso le impedía darles la bienvenida que se merecían y lo mantenía lejos de su hogar por tiempo indefinido.

—Vuestra postura debería ir acompañada de una explicación —dijo la voz de Gonzalo con tono calmado.

Quintín suspiró con fuerza porque él había analizado todas las posibilidades y no había dado con la conclusión del señor Artáiz. ¡Dulce no podía seguir con vida después de perder tanta sangre! Pero ¡maldita sea! ¿Quién ansiaba su muerte?

—Es solo una suposición, señor conde —le dijo Pedro, pero se abstuvo de mencionarle que Adoain había desaparecido también.

Quería tener algunos detalles claros antes de soltar la noticia, y mucho se temía que la sangre que había en el lecho no era sangre castellana. Pero si exponía sus dudas podría empeorar la situación y su señor no necesitaba ningún agravante más.

Gonzalo reflexionó sobre la posibilidad que argumentaba Pedro, pero solo tenía que mirar la sangría para convencerse de que la señorita Álvarez no podía seguir con vida.

—¿Dónde se encuentra Adoain Estella? —le preguntó Gonzalo a Pedro de forma inesperada—. Necesito hablar con él de forma urgente.

Pedro supo que se encontraba en un grave aprieto.

—Mi señor se encuentra ausente, decidió a última hora de la noche visitar sus tierras. Confiaba en que lo acompañase su esposa, doña Jimena, pero en vista de su enfermedad repentina optó por marchar en solitario.

—¿Habló mi hermana con algún extraño durante la visita? —preguntó Miguel de pronto, impidiendo que el navarro continuara con su explicación.

Pensaba con rapidez las diferentes opciones. ¿Dónde estaba su hermana? ¿Quién deseaba verla muerta? ¡Dulce no tenía enemigos!

—Habló con el séquito aragonés que acompaña a nuestra reina —respondió Jimena sin dejar de sollozar—. Yo me encontraba indispuesta en las horas previas a la cena, y la señorita Álvarez tuvo a bien ejercer de anfitriona en mi nombre. Lo que ocurrió después de la cena lo ignoro.

Los ojos de Gonzalo se clavaron en Quintín, que le devolvió la mirada algo turbada.

—Tuve que ausentarme un tiempo para ir en busca de monseñor Marino Maté, ya que había decidido visitar Fortún. Quería mantener una conversación con nuestra reina Leonor sobre la enfermedad de su madre y su inmediata partida a Francia.

Gonzalo ladeó la cabeza al escuchar al capitán. En el salón de audiencias se encontraban el obispo de Burgos, la reina Leonor y un conde aragonés que ansiaba una entrevista con él de forma inmediata. Todos esperaban su presencia. En la alcoba tenían unos lienzos empapados en sangre y el cuerpo desaparecido de una noble. Y si además prestaba atención al señor Artáiz, su señor también estaba ausente. ¿Una extraña coincidencia?

—Hablaré con Benítez. Parece que fue la última persona en hablar con la señorita Álvarez. Después mantendré una conversación con don Rafael Lorenzo para que me informe de aquello que tiene tanta urgencia en comunicarme. Quintín —el capitán clavó sus ojos en Gonzalo—, acompañad a la reina a Burgos y al obispo, pero regresad cuanto antes. Se os necesita en Fortún.

Quintín hizo una afirmación con la cabeza al mismo tiempo que soltaba un suspiro de alivio. Mantenerse ocupado era lo que más ansiaba en ese momento.

—Conde de Arienza, interrogad al resto de los invitados. Confío en que obtengáis la máxima información posible sobre la recepción de anoche y las personas que mantuvieron contacto con vuestra hermana.

—Jimena, cuida a nuestro hijo hasta que pueda ir a verlo. Quiera Dios que podamos resolver este asunto sin la presencia e intervención del rey. Don Alfonso se enojará muchísimo si le hacemos abandonar las negociaciones que tiene entre manos.

Cada uno de los mencionados partió a cumplir las órdenes del señor de Fortún sin una réplica.

Don Rafael Lorenzo tenía los labios apretados en una mueca de ira. Todas y cada una de sus argumentaciones a la reina castellana Leonor habían caído en el vacío de la indiferencia. La reina tenía la intención de revelar que un infante de Castilla tenía derecho al trono de Navarra. Él había insistido en la necesidad de mantener al niño en la ignorancia, igual que a sus padres, porque la enemistad que sentía la casa Blasco con la casa real de Navarra podía propiciar una guerra entre ambos reinos.

—Os han informado mal, conde Isuela. —Rafael negó varias veces de forma enérgica las palabras que le ofrecía Leonor Plantagenet.

—Mi deber es informaros de que no os conviene una guerra entre dos reinos cristianos ahora que los almohades se preparan para atacarnos.

—El trono de Navarra tiene heredero y mi honor me impide mantenerme al margen.

Rafael Lorenzo apretó los puños a sus costados porque todo se complicaba. Trataba de convencerla sobre lo absurdo de propiciar una guerra. La reina insistió para desviar el tema. Lo que había sucedido en el condado de Fortún era un asunto bastante feo. El asesinato de la hermana del conde de Arienza era su mayor prioridad.

—Lamento que hayáis hecho un viaje tan largo para encontraros mi negativa a vuestra exposición, señor conde —dijo la reina.

Rafael Lorenzo entrecerró los ojos y apretó el mentón al escuchar las palabras. La reina castellana se estaba mostrando un tanto obcecada.

—El duque de Salazar, el conde Blanco de Estrada y el marqués Roberto Esteban tomarán posición a favor del conde de Fortún si decide revelar el parentesco, además de otros señores y barones de Castilla. Majestad, podéis desencadenar una guerra en vuestro propio reino.

Rafael Lorenzo taladró con sus ojos claros a la reina castellana, que se mantenía en su postura intransigente sin ceder un ápice.

—Los señores castellanos no iniciarán una guerra a menos que el rey de Navarra se oponga a declarar al niño su heredero.

—No podéis pasar por encima del conde de Fortún, majestad. Ni con la amistad que mantiene don Juan Blasco con otras casas nobles, mi señora.

Leonor cerró los ojos con impotencia. Durante mucho tiempo había lamentado profundamente conocer quién era el verdadero padre de Jimena Blasco y, en su ingenuidad, había creído que a su abuelo le interesaría desvelar el secreto. Pero no había contado con la enorme enemistad que existía entre ambas casas, la castellana y la navarra.

—Castilla está en guerra con los almohades, y en modo alguno podrá respaldar una proclama sobre una corona que iniciará una guerra entre cristianos. —Rafael trataba de mostrarle a la reina que Castilla se encontraba en una situación delicada, y que necesitaba a todos los nobles para vencer a los almohades.

Leonor pensó que don Rafael tenía el asunto muy bien atado, aunque no la amedrentaba su confianza.

—Yo mismo hablaré con don Juan Blasco, el abuelo del pequeño. Y os hará saber su opinión al respecto —le informó el conde—. Y recordad que el condado de Fortún necesita a su conde: el pequeño Juan.

La reina Leonor entrecerró los azules ojos con suspicacia.

—Navarra necesita a su heredero, y es un hecho indiscutible.

El silencio de Rafael aumentó el optimismo de la reina, pero duró muy poco. El noble siguió en su proclama.

—El rey Sancho no cumplió el acuerdo matrimonial con la familia Blasco. Y el conde de Fortún jamás olvidará esa afrenta aunque su nieto sea en realidad el heredero de Navarra.

—Conde de Isuela, doy por concluida esta conversación. Mi palabra tenéis de que lo pensaré y os daré mi respuesta en breve.

Rafael Lorenzo optó por aceptarla. Sentía que la presión podía resultar contraproducente.

—Me encontraréis en la fortaleza de Frías. He sido invitado por la familia Armengol[12] hasta mi partida de nuevo a mi hogar.

—Comprended que en estos momentos tenemos asuntos que resolver mucho más importantes —le dijo la reina.

—Espero vuestras noticias, majestad.

Los días se sucedían con una lentitud aplastante. Tras el caos que se había suscitado en Fortún por la desaparición de la señorita Álvarez, parecía que todo volvía a la normalidad. La búsqueda infructuosa había llenado de desánimo al conde de Arienza. El séquito aragonés se había marchado a tierras de Burgos días atrás. Y Gonzalo tenía que regresar con don Alfonso, que había enviado varios mensajes ordenando su regreso inmediato.

Miguel Álvarez seguía haciendo indagaciones en las villas y aldeas cercanas a Fortún tratando de averiguar qué había sucedido con su hermana desaparecida, pero nadie sabía nada, ni había oído nada extraño o anormal. La impotencia que sentía comenzó a germinar en un odio negro y aplastante hacia todo lo que tenía que ver con Fortún. Si Dulce hubiera seguido en Burgos, ahora estaría viva. Por ello, la ira lo consumía en un acicate eterno. Había peinado los campos, los densos bosques, los ríos cercanos, pero nada. El cuerpo de Dulce seguía sin aparecer y Miguel maldijo el deber que lo obligaba a regresar con el rey Alfonso. No estaba preparado para volver a empuñar la espada contra los almohades hasta que hubiera sacado de su corazón el clavo envenenado que había recibido del condado de Fortún. Pero si no quería enfrentarse a una acusación por desertor, tenía que regresar con el monarca castellano.

Jimena se había recuperado de su enfermedad y lloró profusamente cuando tuvo que explicarle a su hijo Juan la ausencia de su instructora. La alegría parecía que se había

---

12. El castillo de Frías fue entregado a la Corona de Castilla por don Armengol, conde Urgel en el año 1202.

esfumado del interior del castillo, los rostros serios mostraban la gran pena que sufrían. La señora Álvarez había sido muy querida en Fortún y lamentaban profundamente su pérdida de una forma trágica y cruel. Pero la vida continuaba. Y la guerra, también.

La entrada de Carmen, su doncella, le hizo parpadear para apartar las lágrimas que se agolpaban en sus ojos.

—Mi señora, la señorita Álvarez os dejó una carta la noche que desapareció.

Jimena Blasco arrugó la frente debido a la sorpresa.

—¿Me dejó una carta? —La doncella le hizo un gesto afirmativo con la cabeza, Jimena suspiró profundamente—. ¿Y por qué motivo no me la entregasteis en su momento?

—Después de la visita, todos estábamos muy atareados, mi señora. Pero os juro que no fue premeditado. —Carmen sacó el pergamino del bolsillo de su vestido y se lo tendió. Jimena lo cogió sin apartar los ojos de su criada.

—Gracias, ya podéis retiraros.

Cuando terminó de leer las trazas negras de tinta, subió la mano hasta su garganta para contener un gemido. La breve explicación de Dulce lo cambiaba absolutamente todo. Se puso en pie de un salto y salió en busca de Gonzalo como alma que lleva el diablo.

Cuando el señor de Fortún leyó la misiva dejada por la señorita Álvarez, supo que tenía que actuar con prontitud. Mandó llamar a dos de los barones que le habían jurado vasallaje al conde de Fortún. Habló con Pedro Artáiz para contarle lo que realmente ocurría. Los cuatro hombres, tres castellanos y uno navarro, se dirigieron hacia el emirato de Batalyaws.

Capítulo 13

Palacio Mudaÿÿan

$\mathcal{T}$enía que enviar un mensaje urgente a su hermano avisándole del lugar donde se encontraba y por qué motivo no podía regresar a Fortún. Había actuado de forma apresurada, enredando los asuntos, y no veía la forma de solucionarlos salvo admitir la verdad, una realidad que iba a convertirla en una proscrita. Las semanas que llevaba en Mudaÿÿan le habían hecho pensar y meditar los pasos que debía seguir. Era culpable de asesinato porque, aunque ella no había sostenido la espada de Kamîl, sí había propiciado los hechos que dieron como resultado la muerte del señor Estella. ¡Y lo lamentaba tanto! Le pesaba en la conciencia y en el corazón. En su alma femenina y en su espíritu cristiano, sabía que no podría obtener el perdón por una infamia de tal magnitud.

Sin ser apenas consciente, extendió la mano para acariciar las rosas que florecían en el jardín *Al-Autira* [13] ajenas a su infortunio. El jardín se llamaba así por la gran cantidad de senderos que se mezclaban y se dividían hasta componer un laberinto abierto a la belleza. Las innumerables rosas amarillas que lo poblaban brillaban como el oro cuando los rayos de sol acariciaban los pétalos suaves. Y cuando la brisa las mecía, lograba que la dulce y penetrante fragancia recorriese cada rincón del palacio.

En ese preciso momento, ella disfrutaba del intenso aroma que desprendían.

Adoraba el palacio de Mudaÿÿan, le traía recuerdos ma-

---

13. El sendero.

ravillosos, y el tiempo que había estado alejada de sus muros había sido como si le hubiesen cercenado una parte de ella. Amaba su castillo en Arienza, pero la belleza y el color de Mudaÿÿan no tenían comparación con ningún otro lugar que ella conociera.

—La tristeza anida en vuestros ojos y ello me causa un gran desconsuelo.

La voz de Kamîl le llegó a través de la bruma perfumada. Se volvió hacia él y le ofreció una sonrisa cándida y afectuosa.

—Contienen tristeza porque ha llegado el momento de marcharme. Llevo aquí demasiado tiempo.

—No tenéis que hacerlo, Mudaÿÿan es también vuestro hogar.

Dulce tragó saliva varias veces para bajar el nudo de impotencia que sentía.

—Nada me causaría más placer que pasar más tiempo entre estos muros que tanto adoro. Aquí fui muy feliz, cuando la sombra de la guerra no se cernía como una amenaza sobre nosotros. Pero el muro que han erigido entre mi hogar y el vuestro resulta imposible de escalar cuando se está al otro lado.

—Ahora estáis en este lado.

Dulce amplió su sonrisa y el brillo de sus ojos se acentuó al escucharlo.

—En el otro tengo la mitad de mi vida, y unas obligaciones a las que no puedo renunciar. —Su voz se había tornado espesa de ánimo—. Le he enviado a Miguel un mensaje para que venga a buscarme a Caracuel. En ella le explico que tuve que ausentarme de Fortún por un asunto de vida o muerte.

—Aquí tenéis libertad para actuar como os dicte la conciencia y os conduzca el corazón. Fátima se sentiría enormemente feliz si no tuviera que veros partir de nuevo.

—No puedo abandonar a mi hermano Miguel. Lo amo y deseo estar a su lado. Y he retrasado demasiado el momento de la verdad. Mis acciones me pesan como enormes piedras, y vienen a pedirme explicaciones. Por ese motivo, no puedo volver la vista hacia otro lado.

Los ojos de Kamîl se oscurecieron durante un instante al

evocar un recuerdo de su niñez. Una evocación compartida por cuatro niños que efectuaban una promesa de honor.

Dulce supo exactamente lo que cruzaba por la mente de Kamîl.

—Para Miguel resultó muy duro perder a nuestro padre en Alarcos —le dijo ella.

—Para Fátima resultó muy duro perder a nuestro padre en Al-Arak[14] —repitió él.

El silencio se instaló entre la cristiana y el musulmán durante un momento. Ambas familias habían combatido fieramente, uno defendiendo a su rey cristiano, el otro defendiendo a su califa.

—Si Miguel pudiera separar lo que siente su corazón de lo que piensa su cabeza, todo sería mucho más fácil porque habría esperanza.

—Para él somos enemigos —le dijo Kamîl.

—¡Somos hermanos! —lo rectificó ella.

Kamîl cogió la mano de la joven y abrió sus dedos con delicadeza hasta dejar la palma expuesta. Clavó sus ojos en la larga cicatriz que la recorría y recordó cómo se había hecho el corte en el pasado. Entonces una ligera sonrisa asomó a sus labios. Dulce siempre se desmayaba al ver la sangre y aquel momento no fue una excepción.

—Erais tan pequeña. Aún recuerdo vuestro valor.

Dulce no le respondió, permitió que los dedos de Kamîl acariciaran la rugosa marca de la promesa que había aceptado. Del enorme amor que sentía por él y por su hermana. Aunque fuesen enemigos de su fe, aunque sus reinos estuviesen enfrentados, ¡los amaba! Y le dolía intensamente estar separada de ellos. Kamîl alzó la delicada mano con dulzura y besó de forma tierna la larga huella rugosa en la piel.

—La niña más valiente, y la más hermosa de todas.

La llegada de la hermana de Kamîl evitó que Dulce respondiera a las palabras de su amigo. Fátima se colgó literalmente de ella para arrastrarla hacia un escondido rincón del jardín.

14. Alarcos, en árabe.

—Tengo que hablaros con urgencia —le dijo.

Kamîl entendió que su hermana lo despedía.

Soltó la mano de Dulce con cierta desgana y realizó una inclinación de cabeza a ambas mujeres al marcharse. Dulce siguió los pasos que lo alejaban del jardín. Admiró su elegancia, sus ademanes suaves, su caminar sereno y ausente de vanidad. Kamîl era un hombre hermoso, paciente, el perfecto acompañante que hacía sentir a una mujer muy especial y bella.

Fátima observó el rostro de su amiga, y sonrió al comprender sus pensamientos sin que ella los pronunciara.

—Durante un tiempo creí que lo amabais. —Las pupilas de Dulce se clavaron en Fátima, pero no mostraron sorpresa por sus palabras.

—Lo amo tanto como a Miguel —le respondió. Fátima le mostró una sonrisa tierna.

—Después comprendí que vuestro fuego necesitaba una leña mucho más fuerte y duradera.

Dulce alzó las cejas, atónita.

—¿Mi fuego? —preguntó con un tinte de humor en la voz.

—Vuestra pasión.

Y esa palabra abrió una brecha en su corazón atribulado.

Recordaba perfectamente quién la había despertado. El hombre capaz de hacerle sentir que era un volcán en erupción y el único que podía acompañarla en su estallido.

—Desde aquella noche, no sois la misma —le dijo Fátima tratando de que ella se sincerase.

—Aquella noche encontré y perdí algo muy valioso.

«Un diablo con ojos de ángel», pensó para sí misma. Había analizado cada detalle del desastre que había propiciado, y llegó a la nefasta conclusión de que todo se podría haber resuelto de forma mucho más satisfactoria. Si pudiese volver atrás, todo sería diferente.

—No lo habéis perdido, os puedo ayudar a recuperarlo, si lo deseáis —le dijo la musulmana.

Fátima había ayudado en la recuperación del navarro. Cuando lo dejaron en el suelo de la mazmorra, apenas quedaba sangre en su cuerpo, pero Kamîl había sido muy claro. Lo necesitaban vivo. Era la pieza que utilizarían para recuperar a Abdel, el primo prisionero del conde de Arienza. Miguel lo había capturado en el castillo de Salvatierra, pero ignoraba que entre sus muros también se encontraba Fátima.

—No comprendo, amiga, ¿qué tratáis de decirme?

—El navarro no está muerto —admitió.

Dulce la miró como si Fátima desvariara.

—Por supuesto que sí, yo misma lo vi caer bajo la espada de vuestro hermano.

—Preguntadle a Kamîl, él os responderá a esta cuestión.

«¿Podría ser cierto? No, Fátima me está engañando», se dijo apesadumbrada.

—¿Por qué mentiría vuestro hermano? —le preguntó con voz temblorosa.

—¿Os mintió? —le preguntó Fátima a su vez con un timbre seco.

Dulce se dio cuenta de que Kamîl, en realidad, nunca había admitido la muerte de Adoain. Simplemente, ella lo había supuesto.

—Piensa hacer un intercambio.

—¿Un intercambio? —Apenas se atrevía a preguntar.

La situación la desconcertaba por completo.

—Nuestro primo Abdel está prisionero en Arienza. Y Kamîl sabe que Miguel no rechazará un intercambio que resulte beneficioso para él.

De repente Dulce lo comprendió todo, pero Miguel jamás accedería a un canje. Adoain era un desconocido y no le unía ningún lazo afectivo o familiar a los Álvarez.

Como si Fátima leyera sus pensamientos, alegó:

—Kamîl cree que estáis enamorada de él y que lograréis que vuestro hermano ceda al intercambio.

«¿Estaba enamorada?», se preguntó con el alma en vilo.

Pero no se sentía con la suficiente madurez para admitirlo. El navarro le había calado muy profundo en el alma, hasta el punto de que no le importaba haberle entregado su inocencia, a pesar de las intenciones que tenía para recuperar su herencia cometiendo una tropelía. Había perdido la cabeza, y admitió para sí misma que no se podía dirigir el corazón hacia un lugar cuando la mente barajaba la opción de otros muchos caminos.

En los días que se sucedieron, había estado reflexionando en profundidad sobre los motivos que tenía Adoain para planear un secuestro. ¡Debía de sentirse tan desesperado! Un completo extraño controlaba sus tierras, la herencia de su madre, y nada de lo que pudiera decir o hacer podría cambiar esa circunstancia. Disculpaba su intención y, durante un instante, el remordimiento clavó sus dientes afilados en sus emociones por justificar una actitud amoral por el puro interés emocional que le despertaba.

¡Pero estaba vivo! Y el alivio que sentía al ser consciente de esa realidad lograba que su corazón saltara de alegría y que sus entrañas se agitaran por la esperanza. Tenía que hablar con él, enseguida.

—¿Dónde se encuentra? —preguntó con voz anhelante.

—En la torre este —le respondió Fátima.

Dulce se volvió hacia el lugar donde estaba situada la torre este en el palacio, justo enfrente de ellas. En el muro opuesto del jardín.

Adoain había estado todos esos días tan cerca de ella que casi le parecía una afrenta propiciada por Kamîl. La torre este no era la única que podía albergar a prisioneros. El palacio tenía mazmorras completamente aisladas y ubicadas en diferentes puntos. Contempló el elevado muro y la gruesa reja que cubría la estrecha ventana pegada al suelo de piedra. Según su amiga Fátima, Adoain Estella continuaba vivo, pero ella lo había visto caer. O no; no lo había visto porque se había desmayado. Pero la herida que le había propiciado Kamîl era mortal. La espesa sangre saliendo del pecho de Adoain todavía le producía arcadas.

—Creí que había muerto —le confesó en un susurro.

—Kamîl supo herirlo sin que la estocada fuese mortal. Nadie maneja la cimitarra mejor que él. —La mente de Dulce era un hervidero de especulaciones—. Y me siento responsable —le dijo Fátima—. Cuando le conté vuestros planes, supo que tenía al alcance de la mano una moneda de cambio, y no me atreví a contradecirlo. Si conseguía hacer prisionero al extranjero, no haría falta esconder al pequeño. Regresó a Fortún con el infante cuando todos dormían, y el resto ya lo sabéis.

—Burló la guardia de forma increíble —le dijo Dulce, y sus palabras sonaron como una crítica.

—Mi hermano es muy talentoso a la hora de pasar desapercibido. Sabe moverse sin ser visto. Escuchar sin ser oído.

—Dulce lo sabía muy bien—. Recordad que pudo memorizar las diferentes dependencias de la fortaleza cuando fue a visitaros para pediros ayuda.

—¿Y cómo logró sacarnos a ambos del castillo sin delatarse?

Fátima la miró de forma enigmática, pero no respondió a la pregunta.

—No hace falta que me respondáis; Kamîl siempre lleva a su hombre de confianza, Abdul Ibn Salam.

—Podría haber tomado Fortún apenas sin esfuerzo —le dijo con humor.

Dulce pensó que era cierto. En el castillo habían quedado apenas unos hombres. Podría haber caído en manos almohades con suma facilidad.

—Debo ir con él. —Había dado un paso cuando la mano de Fátima la sujetó para inmovilizarla.

Las pupilas de Dulce se clavaron en el rostro de su amiga.

—Hablad con Kamîl. Os explicará sus motivos y os pedirá el favor de que intervengáis en el intercambio por nuestro primo.

Dulce lo intentaría, pero Miguel era insobornable. Demasiado recto, demasiado justiciero, y odiaba a los almohades con todas sus fuerzas.

—Más tarde hablaré con vuestro hermano, ahora debo hablar con Adoain. Tengo que pedirle una explicación sobre lo que pensaba hacer con el pequeño y explicarle por qué tuve que impedirlo. —Fátima soltó el brazo de su amiga y la vio lanzarse a la carrera para alcanzar el otro extremo del jardín.

La torre este albergaba las dependencias de la guardia de palacio y algunas celdas que se comunicaban con el pozo seco. Fátima confiaba en que Kamîl no se enfadara demasiado con ella por revelarle la verdad. Pero pensaba que su amiga tenía derecho a saber qué le había sucedido al hombre del que estaba o creía estar enamorada.

La agria discusión sostenida con uno de los guardianes hizo que Dulce se replanteara buscar a Kamîl para que autorizara su entrada en la celda. Sin embargo, el encargado de custodiar a los prisioneros de la torre este llegó justo en el momento en que Dulce se retiraba. La joven logró convencerlo de que había recibido órdenes explícitas de visitar al preso.

Descendió varios escalones hasta toparse con la gruesa puerta. Los goznes chirriaron al abrirse. Sus ojos tardaron en acostumbrarse a la penumbra. La única luz natural que iluminaba la pequeña habitación provenía de la estrecha ventana que daba al jardín. Era la mejor tortura mental que podía infligirse a un hombre: contemplar la libertad y masticar a diario la incapacidad de no poder alcanzarla.

El olor a cerrado penetró por los orificios de su nariz y le produjo una oleada repulsiva. Buscó con sus ojos la figura de Adoain y lo encontró de espaldas a ella. Miraba por la estrecha ventana y contemplaba todo lo que sucedía en el jardín. Otro hombre no habría tenido la posibilidad de ver a través de la ventana, pero su elevada estatura le concedía una ventaja sobre el resto de los mortales. Las cadenas que sujetaban sus manos y que estaban ancladas a la pared habían sido dispuestas de forma especial para tenerlas holgadas cuando mirase el jardín, pero al darse la vuelta quedaban trabadas a la espalda y le impedían cualquier movimiento. Para poder moverse tenía que estar de cara a la ventana, incluso para alimentarse, y Dulce ignoraba con qué propósito había sido atado de manera tan complicada. Frente a ella tendría una posición forzada, y el daño que recibiría en sus muñecas debía de ser terrible. El guardián cerró la puerta tras ella, y el chasquido del cerrojo al ser corrido le produjo un escalofrío en la espalda.

Adoain se dio la vuelta hasta quedar frente a ella, y lo que vio Dulce en sus ojos la hizo persignarse y refugiarse en la angustia que comenzaba a sentir. Nunca había contemplado un rostro envenenado por la ira, totalmente desfigurado por la cólera.

Si en el pasado los ojos del hombre le habían ofrecido una mirada cándida, ahora rezumaban un odio visceral por completo. Dulce se quedó clavada al suelo incapaz de iniciar un acercamiento o el inicio de una disculpa.

Lo miró de forma larga y profunda, tratando de atisbar un resquicio de humanidad en la expresión salvaje de su rostro. Pero la mirada afilada de sus pupilas cortaba como si fuese acero templado por el fuego. Adoain estaba irreconocible, y dudó entre dar media vuelta y marcharse, o quedarse y beber la ira que destilaban sus ojos.

Contra toda lógica, optó por lo último.

Desde su posición frente a la ventana podía ver a la mujer culpable de su encierro. Contempló su atuendo con el ceño fruncido.

¡Eran las ropas de una infiel!

La suave túnica abierta en los costados era tan fina que ondeaba a cada paso, y dejaba ver una especie de pantalón en un tono mucho más claro. Llevaba el pelo recogido en un elaborado moño, y algunos rizos habían sido recogidos por prendedores de perlas que brillaban bajo la luz del sol. Le extrañó verla con el rostro cubierto por un velo y, todavía más, ser testigo mudo del encuentro amoroso entre el hombre que casi lo había enviado a la muerte y la hermana del verdugo de su padre.

El rencor movió cada vértebra de su espalda produciéndole un dolor insoportable, una agonía que lo mecía en una locura de muerte y de la que tenía que cobrarse de inmediato la deuda contraída. Con premeditación, pasó la mano y acarició la larga cicatriz que recorría su pecho desnudo por la parte izquierda. Había sido cosida a conciencia, con puntadas finas y limpias. Adoain sospechaba que había sido curado por las manos de una mujer, porque la incisión en su carne había sido tratada de forma escrupulosa y metódica. Supo, sin lugar a dudas, que, si la herida se la hubieran infligido en Navarra, ahora estaría muerto. Ignoraba los medios que usaban los infieles para sanar, pero el hecho de que estuviese vivo, y no muerto, no hacía sino incrementar sus ansias de venganza.

Durante días había sufrido un delirio acuciado por la fiebre, y lo habían mantenido en cama sin poder alzar siquiera la mano para saciar la sed que lo mortificaba. Pero una mano desconocida había curado sus llagas, sanado su herida y alimentado su cuerpo hasta que pudo valerse por sí mismo de nuevo. Y el deseo de venganza aumentó, creció y lo mantuvo cuerdo, consciente de que el único propósito que tenía en la vida era destruir a la familia Álvarez. Sobre todo, a la mujer que le había provocado un deseo abrasador de unión carnal y por cuya causa se encontraba encerrado.

Adoain se había emborrachado con la imagen de los dos en la íntima caricia que habían compartido, ajenos a los ojos que observaban cada paso, cada gesto. Había sido testigo del beso dado y recibido con una sonrisa complaciente, y del resquemor que crecía en su interior de forma trepidante. Dulce se había convertido en la razón principal de su ajuste de cuentas. Con ella alcanzaría el culmen de su venganza, y entonces el conde de Arienza clamaría piedad. Pero Adoain no pensaba ofrecérsela, incrementaría su desdicha hasta que le resultara insoportable.

Una tribulación como no había conocido nunca.

Cuando sus ojos contemplaron la dirección que tomaba Dulce Álvarez desde su posición en el jardín, supo que el encuentro entre ambos había llegado. Y lamentaba profundamente estar atado a la pared con gruesas cadenas que sujetaban su ira, porque ello significaba que no podría estrangularla con sus propias manos. Pero cuando tuviera oportunidad, iba a ser implacable.

El tintineo de la llave al ser introducida en la cerradura devolvió a Adoain al presente. Plantada frente a él como una reina, se encontraba Dulce Álvarez, y lo miraba con un brillo que no quiso valorar. Sin embargo, no podía negar su hermosura, con ese tipo de belleza que incitaba a los hombres a infringir las leyes, fuesen humanas o divinas. Él mismo había mordido la manzana envenenada de la lujuria, y desde entonces no podía sacarse la ponzoña del corazón.

—¡Me siento feliz de veros indemne! —dijo la voz de la dama.

Adoain apretó los dientes hasta el punto de rechinarlos. Su expresión fue tan elocuente, que Dulce retrocedió un paso completamente alarmada.

—¿Me odiáis? ¿Por qué? —La voz de ella sonó extraña al hacerle las preguntas.

—Buscabais mi muerte en Fortún. —El gemido de sorpresa de la joven le pareció auténtico—. Y suelo pagar con desprecio a mis enemigos.

Las palabras de Adoain no tenían significado para ella.

—¿Por qué motivo buscaría vuestra muerte? ¡Me entregué a vos! —le recordó con el rostro azorado.

El recuerdo de su entrega le perforó los intestinos como si se los hubieran agujereado a golpe de martillo. Durante un instante, cuando se derramó en el interior de la hermosa dama, había sido el hombre más feliz del mundo, y el más estúpidamente confiado.

—Por el mismo motivo que el paladín del rey castellano buscó la muerte de mi padre.

El defensor a ultranza del rey castellano Alfonso era el conde de Arienza, ¡su hermano!

—¿Os referís a Miguel? —El brillo caliente en los ojos del hombre le tensó el estómago—. ¿Insinuáis acaso que mi hermano…? —Dulce no pudo continuar.

Su hermano era un valiente soldado, obediente al rey Alfonso. De ningún modo se cobraba vidas innecesarias.

—Vuestras palabras no tienen sentido —le dijo ella—, mi familia no conocía a la vuestra hasta que yo misma tropecé con vos en Fortún.

Adoain sabía que la mujer defendía a su hermano, ¿acaso Clara no lo defendería a él de hallarse en la misma situación?

—Mi padre Enrique fue asesinado por la espada de vuestro hermano, y yo he jurado vengar su muerte en esta vida o en la otra.

Nada de lo que decía él tenía sentido para ella.

Dulce inspiró profundamente y, mostrando una falta de prudencia alarmante, cruzó los dos pasos que la separaban hasta quedarse muy cerca de él.

—Presumo que andáis errado, conde de Bearin y, a menos que me mostréis pruebas concluyentes, no creeré ni una sola palabra. ¡Mi hermano es inocente de vuestra acusación!

—Pero no estáis aquí para hablar sobre el conde de Arienza, ¿no es cierto?

Dulce estaba tan cerca, que las bocas de ambos entrecruzaban alientos.

—Tuve conocimiento de vuestros planes sobre el pequeño Blasco, y no pude permitir que los llevarais a cabo.

Adoain apretó los labios hasta reducirlos a una línea fina. ¡Maldita hechicera! Lo había embaucado hasta cegarlo de pasión.

—¿Asesinándome? —le preguntó.

Hizo un movimiento brusco, y las cadenas chocaron entre sí produciendo un ruido seco. Logró que Dulce diera un respingo.

—De haberlo planeado, ahora no estaríais vivo.

Adoain pensó que las palabras de ella eran ciertas. Si lo hubiese querido muerto, lo estaría desde hacía varios días.

—Entonces, ¿por qué motivo se me retiene?

Dulce dudó si decirle la verdad, pero sopesó que nada ganaba mintiéndole.

—Porque os habéis convertido en una moneda de cambio.

Y tras decir las palabras, Dulce llamó al carcelero para que le abriera la puerta. Tenía que buscar a su amigo Kamîl y pedirle algunas explicaciones. Además, estar en presencia de Adoain le resultaba terriblemente abrumador.

Capítulo 14

$\mathcal{K}$amîl entró en la sala con paso marcial y se dirigió hacia donde lo esperaba Dulce y su hermana sin que su rostro mostrara alteración alguna. La castellana se posicionó justo en la mitad de la estancia, separada de Fátima por varios pasos. Un hombre entró justo detrás de Kamîl pero Dulce no lo había visto nunca, aunque por sus ropas supo que era un *cadí*.[15] El musulmán miró a su hermana con reprobación en sus ojos negros.

Fátima bajó el rostro avergonzada.

—Fátima no tenía que deciros nada. Se precipitó, y ahora ya no cuento con el factor sorpresa.

Castellana y musulmana le ofrecieron a Kamîl la misma expresión en el rostro: incredulidad.

«¿Factor sorpresa?», se preguntaron ambas.

—Agradezco que le perdonarais la vida —le dijo Dulce, y sus palabras sonaron con un respeto sincero—, pero Miguel no se dejará sobornar. El navarro no significa nada para él, y dudo que sepa siquiera de su existencia.

—En vuestras manos está su vida o su muerte —le dijo Kamîl con expresión severa—. Cuando Miguel Álvarez descubra lo implicado que está con vos, sospecho que no lo dejará marchar impunemente después de hacer suya vuestra virtud. Mi espada no lo mató, pero sí lo hará la de vuestro hermano, y lo sabéis.

Cada palabra de Kamîl se le clavaba en el corazón como si

15. Juez musulmán.

fuesen puntas de flecha afiladas. Su amigo le hablaba desde la racionalidad, y ella lo escuchaba desde la locura.

—Mi hermano solo tendrá un motivo para matarlo si vos se lo dais —le recordó ella—. Solo si delatáis a esta amiga que os quiere con toda su alma.

—Vuestro hermano ya tiene la razón que necesita, y vos misma se la habéis dado por escrito. —Dulce no comprendía qué trataba de decirle Kamîl—. Por ese motivo decidí traer al navarro a Mudaŷŷan.

Dulce apretó los puños con fuerza. La conversación discurría por puentes que ella no pretendía cruzar. Se preguntó en qué momento Kamîl había cambiado para ella.

—Creí que el motivo que os impelía era intercambiarlo por vuestro primo —le espetó con cierta acritud.

—Si pensáis así es porque no me conocéis lo suficiente. Y no, no pienso intercambiarlo porque lo haréis vos. Lograréis que vuestro hermano libere a mi primo.

Dulce creyó que Kamîl la sobreestimaba, y él, al ver su expresión, le mostró una mirada sapiente. Ella misma se había delatado al dejarle una nota a doña Jimena. Pensó que Dulce lo había olvidado, y se lo recordó solícito. Ella misma se lo había confesado a su hermana Fátima.

—Vuestra carta a la señora Blasco ha propiciado que vuestro hermano haya plantado a sus caballeros a las puertas de Mudaŷŷan corriendo un riesgo innecesario. El muy terco olvida que está en territorio enemigo, y que nada le gustaría más a nuestro califa que hacer prisionero al paladín del rey castellano.

El estómago de Dulce sufrió un vuelco que le resultó doloroso. Todo lo que había dicho Kamîl era cierto. Se había olvidado por completo de la carta que le había dejado a Carmen para su señora, donde le indicaba lo que pensaba hacer para descubrir a Adoain y sus intenciones. Carta que le había mencionado a Fátima antes de que partiese.

Ella misma le había dado a su hermano la razón que necesitaba para sitiar Mudaŷŷan.

—¿Mi hermano se encuentra aquí? —le preguntó con voz entrecortada, y con la leve esperanza de que Kamîl se hubiera equivocado. Pero su amigo se reafirmó en sus palabras. Dulce inspiró de forma profunda tratando de normalizar los latidos de su corazón—. ¡Ayudadme a convencerlo! —le rogó con una súplica.

El rostro del musulmán era de auténtico pesar.

—Hace años hubiera sido posible, pero no ahora, querida Dulce. Vuestro hermano se ha convertido en mi mayor enemigo.

—Hablaré con Miguel, pero no se dejará manipular, e ignoro qué hacer o cómo actuar en consecuencia.

—Si no lográis convencerlo, conozco un medio para que desista de su empeño de matar al forastero y de exponer su vida en tierra que él considera infiel.

Dulce seguía las palabras de su amigo con una esperanza demoledora.

—Os escucho.

—Contraed matrimonio con el navarro y salvaréis la vida de los dos.

Dulce tuvo que tomar aire porque se había quedado sin respiración.

La mente de la joven analizaba las alternativas y las posibles soluciones. Pero de todas, la que había ofrecido Kamîl era la más descabellada, aunque también la más acertada. Si convertía a Adoain en cuñado de su hermano, Miguel no podría tomarse ninguna justicia o revancha. El navarro tampoco podría esgrimir la venganza contra él. Era la mejor solución, y la más inalcanzable.

—Lo haría de buen grado, pero el navarro no consentirá —admitió al fin.

—Entonces tendréis que convencer no a uno, sino a dos hombres de lo apropiado de vuestra unión.

Dulce sabía que tenía que hacer algo de inmediato, pero se sentía sobrecogida por la magnitud de la labor que se le presentaba.

—Hablaré con Miguel —decidió después de un momento que a Fátima le pareció eterno—, apelaré a su sentido de la justicia y de la caballerosidad.

—¿Aceptáis un consejo, amiga mía? —Fátima intervino por primera vez en la conversación que mantenían Kamîl y ella.

Dulce volvió su rostro para mirarla con interés.

—Os escucho y lo agradezco. Consejos acertados siempre son bienvenidos.

—Contraed matrimonio en primer lugar con el extranjero, así no le daréis a vuestro hermano la oportunidad de cobrarse la ofensa. Que sea un hecho consumado. Vuestro hermano es un buen cristiano, no atentará contra un sacramento divino como el matrimonio.

Dulce entendía demasiado bien.

Casarse con Adoain significaría infligirle a su hermano una estocada directamente en el corazón, en sus sentimientos de protección y orgullo castellano. Sin embargo, al hacerlo, barrería cualquier amenaza y salvaría la vida del navarro.

—Mi hermano puede aceptar un hecho consumado, pero el conde de Bearin no me otorgará su consentimiento para unirme a él en matrimonio. Es un hombre demasiado orgulloso.

—Decidle que estáis encinta. —Las palabras de su amiga la dejaron atónita.

—¡Fátima, eso sería una mentira ignominiosa! —exclamó Dulce horrorizada.

—¿Es posible que lo estéis?

Dulce pensó a toda velocidad. Aunque era pronto para saberlo, tampoco tenía la certeza absoluta de no estarlo, y se dijo que, si ella no lo sabía, él tampoco tendría forma de adivinarlo.

—Hablaré con Adoain —dijo de pronto—. ¿Estáis preparado? —le preguntó al cadí, y este le respondió apenas con un gesto—. Dadme un momento, y después dirigíos hacia la torre este. Fátima —la aludida la miró de forma solemne—, haréis de testigo.

Dulce había comprendido qué hacía el *cadí* de Batalyaws en Mudaÿÿan; iba a oficiar una ceremonia: la suya con el navarro. Kamîl había sido muy previsor.

Dirigió sus pasos hacia el patio de armas, subió las empinadas escaleras de la atalaya y caminó por las almenas hasta encontrar el punto exacto desde donde podría mirar el lugar donde estaba su hermano acampado. Asomó la cabeza por el adarve y oteó el horizonte. Dos únicas tiendas de campaña estaban dispuestas en torno a una hoguera. No ondeaban ningún estandarte ni enseña y le pareció ilógico que su hermano arriesgara su cuello llegando tan al sur. Mudayÿyan se hallaba demasiado cerca de la ciudad de Batalyaws, y en cualquier momento podrían informar al ejército almohade de la presencia de los castellanos.

Era un suicidio acampar tranquilamente en los alrededores. Por ese motivo decidió que trataría de convencer a Adoain para que aceptara casarse con ella. Y después trataría de convencer a su hermano para que no lo matara. En cualquier caso, tenía ante sí un reto muy difícil de lograr y no sabía cómo podría llevarlo a buen término.

Pero Fátima le había dado, con su sagacidad, el arma que podía utilizar para obtener su consentimiento. Aunque manchase su alma cristiana con la mentira piadosa que iba a ofrecerle, bien valía el resultado que obtendría después.

Adoain seguía mirando por la ventana en la posición más cómoda que podía. Las gruesas cadenas se las quitaban por la noche para que se alimentara y se acostara en el jergón de paja, pero durante el día volvían a colocárselas en la misma posición, mirando siempre la libertad que le estaba siendo negada.

Dulce le había pedido la llave de los grilletes al carcelero, que se la entregó de forma renuente. Pensaba que la cristiana estaba loca porque, dejando libre de ataduras al prisionero, podría hacerle un daño irreparable. Sin embargo, las órdenes de su amo Kamîl unos momentos antes habían sido firmes e indiscutibles. La mujer ignoraba que el señor de Mudayÿyan había sido previsor y cuidadoso.

Cuando el cerrojo fue descorrido con prisas y la puerta chirrió al ser abierta, Dulce se introdujo en el interior de la celda con sigilo. Adoain no se movió de su sitio ni se volvió para comprobar quién lo visitaba. Seguía de espaldas y casi desnudo. Cuando la antorcha fue prendida en la pared por el guardián, la visión que tuvo Dulce de su dorso le provocó un gemido intenso y una ira desmedida.

—¿Qué os hicieron? —le preguntó llena de horror.

Adoain seguía sin moverse, como si estuviera ensimismado con las cosas que sucedían en el exterior.

—Es atroz e inhumano. —El silencio prolongado de él hizo que Dulce mascullara un improperio—. Podéis cerrar la puerta cuando salgáis —le dijo al carcelero, quien la miró intensamente sin obedecer la orden emitida—. No me ocurrirá nada malo.

—¿Estáis completamente segura? —La pregunta no fue formulada por el guardián sino por Adoain.

—Si habéis decidido matarme, poco importa que sea aquí o en mi lecho mientras duermo —le respondió ella—; por ese motivo no me preocupa quedarme a solas con vos.

Finalmente el carcelero abandonó la pequeña y húmeda estancia. Cerró la puerta y echó el cerrojo como medida de precaución. El extranjero no podría escapar aunque lo intentara. Y si le hacía daño a la mujer, él mismo lo mataría con sus propias manos.

—Os soltaré, pero antes tengo que obtener una merced de vos —le dijo ella.

Esas palabras sí obtuvieron la atención que esperaba. Adoain se dio la vuelta con violencia y la taladró con ojos fieros.

—Os mataré rápido, os lo prometo.

Esa no era la merced que ella quería obtener.

—Deseo que os unáis a mí en matrimonio —le soltó de sopetón.

Adoain parpadeó varias veces completamente superado en emociones contradictorias, y sin saber exactamente por qué sentía un calor específico recorriéndole los intestinos. Era lo último que podía esperar. ¿Unirse en matrimonio? ¡Debía de estar loca!

Dulce fue consciente, gracias a la suave y titilante luz de la antorcha, de las emociones que cruzaron el rostro de Adoain: incredulidad, confusión y una ira todavía más dañina. Supo que él no iba a aceptar esa unión aunque fuese temporal, pero tenía que intentarlo. Obtener su consentimiento.

—Un matrimonio entre los dos sería anulado inmediatamente después de que alcancéis la frontera navarra de regreso a vuestro hogar. Os doy mi palabra.

—No necesito una esposa para cruzar un reino —le dijo con voz tan fría como el hielo y con mirada tan caliente como el infierno—. Y olvidáis que he prometido matar a vuestro hermano.

Esas palabras la enfurecieron y le hicieron afianzarse todavía más en su postura.

—Juzgáis con demasiada ligereza las habilidades de un hombre que no conocéis, y ello demuestra vuestra soberbia pecaminosa, mi señor.

Adoain cuadró los hombros desnudos, y la miró hasta producirle un sofoco, pero ella continuó decidida.

—Y el matrimonio no es para protegeros a vos, sino al fruto que llevo en mi vientre.

Adoain sintió un mazazo en la cabeza que lo dejó completamente aturdido e indefenso. ¿Qué demonios le estaba revelando?

—¡Mentís! —exclamó con voz de trueno, y las cadenas chocaron entre sí haciendo un ruido ensordecedor al tratar de alcanzar la figura femenina.

Dulce bajó los párpados tratando de contener el valor que se le escapaba. Ya no había vuelta atrás. Respiró profundamente antes de volver a clavar sus pupilas en él.

—Estoy encinta y sois el padre.

El rugido fiero de Adoain hizo estremecer los cimientos de Mudaÿÿan. Dulce aguantó su estallido de pie y sin moverse, con un brío que ignoraba que tuviera. Sentía en su interior que acababa de cometer la mayor locura de su vida, pero estaba en juego la vida de su hermano y la de él.

Adoain pensó que la mujer mentía, pero no podía estar completamente seguro. Era virgen cuando la poseyó y, aunque no había transcurrido tanto tiempo desde el único encuentro amoroso, el embarazo podía ser cierto. Su corazón se dividió en dos sentimientos diferenciados: el odio y el honor.

Cuando el silencio resultó insoportable para ella, Adoain habló al fin, pero su expresión airada no había disminuido un ápice.

—Acepto —dijo al fin—, pero con una condición.

Dulce inspiró profundamente aliviada, aunque el peso de la carga que soportaba iba a aumentar mucho más.

—Deseo un duelo con el infiel. Si me derrota, me desposaré con vos.

«¿Adoain deseaba batirse con Kamîl? ¿Por qué motivo?», se preguntó alarmada.

—¿Y si mi amigo es derrotado por vuestra espada? —le preguntó con el alma en vilo.

La sonrisa diabólica de él le provocó un espasmo porque contenía una presunción de fuerza que logró acobardarla.

—Entonces que Dios se apiade de vuestra alma.

Era absurdo, fuera de toda razón o lógica. Delante de ella, en el patio de armas, se encontraban el hombre que había vuelto su vida del revés y el que era su mejor amigo.

Kamîl había aceptado el reto sin dudarlo un instante, y le había ofrecido una sonrisa que pretendía reconfortarla. Aun así, Dulce se sentía infinitamente mortificada por los resultados que obtenía de las decisiones apresuradas y elegidas parcialmente por su impulsividad.

—¡A muerte! —exclamó Adoain.

Dulce se tapó la boca con la mano para ahogar un improperio.

Cada contrincante había elegido el arma. El navarro se había decidido por la espada de corte. Kamîl le había facilitado la espada que le había regalado el conde de Arienza el día de su decimosexto cumpleaños. La tenía en alta estima y era un honor para Adoain que este no supo apreciar. La hoja afilada tenía unas muescas que dotaban al acero de mucha más ligereza y además permitían mantenerla fuerte y rígida. Pero a Kamîl no le preocupaba la confianza del navarro. Primero tenía que mostrar sus habilidades con ella, aunque por su apostura lo consideraba un buen contrincante. Pero él podía montar sin silla en un fogoso caballo árabe igual de cómodo que con un pesado corcel castellano. Su inteligencia era indiscutible, vestía como un príncipe de la Meca, pero sin ostentación. Y sabía en su fuero interno que era el más difícil contrincante para un hombre como Adoain Estella.

Kamîl había elegido una cimitarra. Los árabes preferían la cimitarra a la espada recta. Su larga y curvada hoja estaba diseñada para arrollar con estocadas al enemigo, así como acuchillar de forma profunda y mortífera. También eran excepcionalmente robustas si se las doblaba, y duras para no perder el filo mortal. Pero Adoain desconocía esos detalles.

El sentido del honor de Kamîl y su generosidad en la lucha lograban que sus rivales se confiaran. Pero su insensibilidad al dolor lo convertían en un guerrero sumamente peligroso en el ataque.

Al primer golpe de espadas, Dulce cerró los ojos.

—Kamîl vencerá —le dijo Fátima con una sonrisa de orgullo—. Siempre triunfa.

Durante los primeros momentos de la lid, quedó manifiesta la fuerza de Adoain que no daba ningún golpe vacío. Sin embargo, la agilidad de Kamîl lograba descentrarlo. Su delgada pero atlética constitución le permitía dar pasos ligeros y centrarse en movimientos veloces que lograban desgastar a Adoain. La pesada corpulencia del navarro hacía que sus golpes pudieran ser mortales si llegaran a alcanzarlo, pero Kamîl los eludía con una sutileza que desconcertaba. Sin lugar a dudas, el conde de Bearin buscaba el corazón del infiel, pero Kamîl no pensaba ponérselo tan fácil. Y contrariamente a lo que sentía, no pensaba infligirle demasiadas heridas a su contrincante ya que el navarro debía asistir de una pieza a su boda.

En uno de los ataques, la punta de la cimitarra de Kamîl logró hacerle un tajo en el brazo. Adoain no acusó la herida y aprovechó un descuido apenas perceptible de su rival para propinarle un golpe con la guarda y un puñetazo con el brazo y antebrazo arqueado, lo que le hizo escupir sangre y lo desestabilizó. Quizás él no era tan diestro en el arma como el almohade, pero sí podía ocasionarle un daño definitivo con sus puños.

Kamîl se pasó la manga de su túnica por la boca para limpiar la sangre que salía a borbotones de su labio inferior. Había quedado demostrado que el navarro no tenía intención de seguir perdiendo el tiempo en el juego que había iniciado, y decidió atajar el asunto para concluirlo de una vez. Pero si en algún momento creyó que las fuerzas del conde cedían, se llevó una ingrata sorpresa.

La espada de Adoain golpeaba con mucha más fuerza, y él tenía que recurrir a todos sus movimientos para que no lo cercara contra la pared. Si lograba encerrarlo, estaba perdido.

Con un movimiento enérgico y resuelto que pilló al navarro completamente desprevenido, logró ponerle el filo de su cimitarra en el cuello con una clara advertencia. Pero Adoain se movió con una energía insuperable y Kamîl se encontró con la punta de la espada de Adoain apuntando directamente a su corazón. El brillo acerado de los ojos del navarro resultaban claramente intimidatorios y Kamîl aceptó su derrota con una retahíla de insultos en árabe. Era la primera vez que perdía un duelo.

El navarro lo taladró con la mirada y le espetó con voz seca:

—Yo decido sobre mi destino, y si accedo al matrimonio es porque así me lo ha dictaminado mi conciencia. Nunca por las argucias de una mujer.

Kamîl rindió su arma y Adoain la aceptó. Pero antes de bajar su espada, le hizo un corte en el pecho. Pretendía ser un recordatorio por la grave herida que Kamîl le había infligido en Fortún y del duelo que había perdido.

—Y esto para que no lo olvidéis.

El corte rasgó la túnica blanca de Kamîl que, en unos instantes, se tiñó de rojo carmesí. La herida no era muy profunda, pero sí muy importante en significado.

—Os recuerdo que llegáis tarde a vuestra boda —le recordó Kamîl con ojos brillantes y sin inmutarse por el rasguño recibido.

Cuando los ojos del navarro buscaron a la novia, la encontraron tirada en el suelo y atendida por Fátima que se veía bastante apurada.

¡Qué diablos había ocurrido! ¿Quién la había golpeado?

Capítulo 15

*L*os rezos no calmaban el angustioso palpitar de su corazón, ni el salvaje galopar de su sangre por el interior de su cuerpo. Sentía frío a pesar del calor que notaba en las mejillas, y el rostro adusto de Adoain le producía un presentimiento letal de incertidumbre.

El *cadí* les pidió el consentimiento mutuo para unirlos en matrimonio. Dulce ofreció la promesa con voz entrecortada. El tono de Adoain había sonado severo aunque enérgico, pero no había mirado ni una sola vez a la mujer que tenía al lado temblando como una hoja. Se sentía tan terriblemente furioso, que no entendía cómo lograba contener el impulso de estrangularla y arrasar el palacio con todo su contenido.

Fátima, con voz alta y clara, reafirmó su posición de testigo en el enlace. Kamîl hizo lo propio como señor de Mudaÿyan. Se firmaron los acuerdos y el acta fue lacrada con el sello que portaba el *cadí* en su dedo, otorgándole la autenticidad que requería un documento de tal importancia.

Cuando la ceremonia terminó, apenas había durado unos momentos, Kamîl los invitó a brindar con una copa de vino que Adoain aceptó. Bebió como si pretendiera ahogar no sus penas, sino su cuerpo entero en el alcohol.

Dulce necesitaba alejarse de la sensación opresiva que sentía ante su presencia y en la urgente necesidad de hablar con su hermano.

—Regresaré en un momento. —Fátima le hizo un gesto con la cabeza de sorpresa porque ignoraba hacia dónde se dirigía—. Traeré a mi hermano conmigo —le explicó.

Los ojos de Adoain no la miraron cuando salió del salón

hacia el enorme vestíbulo. Dulce tenía que convencer a un castellano, y el resto esperaría resultados sin hacer absolutamente nada, pero no le importó. Era su deber y debía enfrentarse a la situación cuanto antes.

Guio sus pasos hacia el exterior. Cuando alcanzó la poterna de entrada y salida del palacio, dudó si debía continuar. Las sólidas puertas de madera estaban protegidas por una reja metálica. Pidió a los guardias que bajaran el puente levadizo, pero los soldados le hicieron un gesto negativo. La cabeza de Dulce se dirigió hacia la torre, los guardias siguieron su movimiento y vieron a Kamîl, que desde la gran ventana de la torre les hacía un gesto afirmativo para que permitieran su salida. Las dos cadenas en posición paralela comenzaron a moverse cuando la palanca fue accionada. El cabrestante las soltaba de forma lenta, y el sonido peculiar producido por los contrapesos al final de las gruesas cadenas le producía un escalofrío de temor que apenas lograba controlar. Antes de que sus pies tocaran la gruesa madera que atravesaba el foso, vio a cuatro hombres vestidos con armaduras de pie al otro lado. Los guardias tomaron posiciones y los amenazaron con las ballestas cargadas para que no se movieran, pero Dulce ignoró los gritos desde la parte superior de la poterna y comenzó a caminar en dirección hacia ellos.

Observó a Pedro Artáiz que la miraba con rostro adusto. Gonzalo Díez y los barones castellanos, Luis y Esteban, mostraban una actitud precavida. Dulce ignoraba qué hacían en Batalyaws.

Llegar hasta la presencia de esos hombres le costó el mayor esfuerzo de su vida, y en cada paso sumiso que daba se preguntaba por qué su hermano no estaba con ellos.

Los gritos de los soldados habían cesado y Dulce volvió su rostro para saber el motivo. Vio de pie a Kamîl junto a sus hombres. Ni Adoain ni Fátima estaban con él, y ella dio los dos últimos pasos que la dejaban plantada frente a los cuatro hombres que mantenían el silencio como toda medida. Aun así, ella no se sintió intimidada por esa circunstancia. Había tomado demasiadas decisiones erróneas y una más no importaba. Temía el castigo divino, que iba a ser implacable con ella, pero su débito no iba a ser reclamado en ese momento.

—¿Adoain Estella se encuentra vivo? —La pregunta de Gonzalo Díaz sonó dura y con un timbre peligroso.

Dulce lo miró con detenimiento. Desde su llegada a Fortún, apenas había visto al esposo y señor de Jimena Blasco. Por ese motivo, su presencia logró despertar su curiosidad. No era noble, pero su carácter valiente y decidido se había ganado el respeto no solo del conde de Fortún sino también del rey castellano Alfonso.

—Sí. —Su respuesta fue escueta pero clara.

Dulce escuchó el suspiro profundo de Artáiz, y desvió los ojos del señor Díaz hasta el navarro.

—¿Está prisionero? —Ahora la pregunta la había formulado el capitán navarro.

—No —respondió Dulce—. Acaba de desposarse.

La expresión de los cuatro hombres habría resultado cómica si ella no se encontrara tan sobrepasada por los remordimientos. Con los sentidos puestos en su amigo Kamîl, que la observaba desde las almenas, sentía sus ojos negros clavados en la espalda.

—Debo hablar con él —dijo de pronto Gonzalo Díaz.

Dulce miró por encima de su hombro hacia la presencia de Kamîl. Este le hizo un gesto afirmativo con la mano.

—No hay peligro, podéis cruzar el puente. Mi amigo os recibirá y os llevará ante la presencia del conde de Bearin.

Dulce cruzó por en medio de los hombres y siguió el sendero ausente de hierba hacia las tiendas de campaña, pero observó que no había actividad y ese detalle la intranquilizó. No había visto a su hermano, ni a ninguno de sus caballeros. Era extraño que no hubiera dado señales de vida.

Sin percatarse de que Artáiz la seguía, Dulce caminó más rápido porque sentía verdadera urgencia por llegar y comprobar quiénes eran los que se hallaban en el interior de las tiendas. La mano de Pedro la asió del brazo y detuvo sus pasos.

—Señora, ¿quién es digno de vuestra atención en este momento? —le preguntó Artáiz.

—Mi hermano —le respondió—. Busco a mi hermano, Miguel Álvarez.

—No lo encontraréis allí. —Le señaló las tiendas.

—Se me ha informado de que está acampado esperándome. Es urgente que hable con él.

—Las tiendas son nuestras, señora; no hay ningún pariente vuestro en el interior.

Los ojos de Dulce parpadearon al comprender la explicación del hombre.

—Decidimos venir a buscar al conde de Bearin.

—¿Mi hermano no se encuentra en el interior de las tiendas?

Pedro pensó que la mujer parecía lela. ¿Acaso no le había dicho precisamente eso?

—¿Con quién se ha casado el conde? —La pregunta del hombre la pilló completamente desprevenida—. ¿Habéis mentido con respecto a esa información?

Dulce se dio la vuelta para mirar hacia el palacio que seguía con el puente levadizo bajado. Los tres hombres permanecían de pie sin moverse, como si esperaran el regreso del hombre que se encontraba junto a ella para adentrarse en su interior.

—Adoain Estella se ha desposado conmigo —reconoció con cierta turbación.

—¿Desposado? ¿Con vos? ¿Lo habéis obligado? —le preguntó con voz dura como el granito.

—Con una espada sarracena amenazando su cuello, sí —confesó igual de aturdida como de turbada.

— No os perdonará que lo hayáis manipulado —aseveró atónito.

La advertencia del navarro le pareció descarada en extremo.

—¿Y qué importa que lo haya manipulado si he logrado con ello que siga con vida? —le preguntó de forma amarga.

—No olvidará que sois su enemiga.

Dulce no soltó una carcajada por pura terquedad. Le parecían de un absurdo increíble las palabras del navarro, que le sonaron como una amenaza. Había creído que Kamîl le había dicho la verdad, pero su hermano no estaba acampado a las afueras de Mudaÿÿan ni buscaba la sangre del navarro. Ella sí que había sido manipulada.

—Un enemigo más, qué importa, señor Artáiz.

Dulce trató de soltarse de la sujeción que Artáiz ejercía sobre su brazo pero sin conseguirlo.

—Deseo comprobar por mí misma que mi hermano no se encuentra en tierra almohade. Ahora, si me disculpáis.

Decidió acompañarla.

Cuando las dos tiendas fueron abiertas para ella y pudo comprobar que estaban vacías, Dulce soltó un suspiro de alivio, y a la vez sintió enormes deseos de comenzar a reír y no parar, o de llorar con la misma intensidad. ¡Le había mentido a un hombre para obligarlo a desposarse con ella! Su hermano ignoraba que se encontraba junto a Kamîl y Fátima..., todo había resultado un desastre.

De pronto, y sin previo aviso, comenzó a hipar tratando de contener las lágrimas que le escocían en los ojos, pero nada pudo hacer para controlarlas. Comenzaron a deslizarse por sus mejillas de forma profusa y sin tregua. La tensión de los últimos días, la angustia y la desesperación que la habían embargado convergieron en un torrente que no pudo sujetar.

Estaba metida en un buen lío, y le desesperaba no saber qué acción tomar o qué camino elegir.

Artáiz se encontró en la tesitura de no saber cómo consolar a la esposa de su señor, salvo conducirla de regreso al palacio. Si era cierto lo que le había revelado, Adoain iba a ser imposible de tratar y de controlar. Afortunadamente, él se encontraba cerca para socorrerla y evitar una desgracia mayor como su asesinato.

—Habría sido un gesto amable por vuestra parte acompañarla —le dijo con reproche Fátima a Adoain—. Mi amiga es una mujer valiente, pero tiene una labor delicada que realizar y ahora necesita vuestro apoyo.

Adoain volvió a llenarse la copa de vino hasta el borde. Pretendía que el alcohol mitigara la ira que sentía. Él, que había jurado que una mujer no volvería a manipularlo, se encontraba atado a una castellana que le hacía hervir la sangre.

—No suelo entrometerme en asuntos familiares —le respondió con aspereza.

—Pero Dulce es ahora vuestra familia. —Los ojos de

Adoain volaron hacia el rostro de Fátima con una evidente admonición.

Si seguía por ese camino, iba a encontrarse con un serio problema: él.

El ruido de la puerta al abrirse y la entrada de cuatro hombres hicieron que ambos se volvieran hacia allí. Cuando Adoain lo vio maldijo por lo bajo. ¿Qué diantres hacía Artáiz en Mudaÿÿan?

—¿Llego tarde a vuestra boda? —Las palabras de Artáiz le hicieron fruncir el ceño con actitud exasperada—. Enhorabuena, conde de Bearin, vuestra madre se sentirá honrada con la mujer que habéis elegido: una castellana como ella.

Adoain no pudo responderle de inmediato. Masticó la bilis de su ira y la engulló.

—Felicidades, conde de Bearin —le dijo Gonzalo Díaz—. Creíamos que estabais muerto y no felizmente desposado. Pero nos alegra enormemente encontrarnos con la segunda alternativa y no con la primera.

Sus palabras contenían una crítica que le escoció. Ellos no sabían nada de las circunstancias que lo habían conducido a casarse con la hermana de su enemigo. Su boca estaba sellada con la entrega de su promesa.

—Está preñada —respondió brusco— y es obligación de un buen navarro atender a la yegua hasta que nazca el potrillo.

Las palabras de Adoain arrancaron sendas carcajadas de los barones Luis y Esteban, que habían acompañado a su señor sin hacerle una sola pregunta. Estaban acostumbrados a obedecer las órdenes del yerno del conde de Fortún, a quien le debían vasallaje.

Las mejillas de Dulce ardían pero se lo merecía, y le pareció de una grosería sin precedente que en casa de su amigo Kamîl se portaran como brutos. Ni siquiera habían ofrecido sus respetos a Fátima como señora de Mudaÿÿan, ni a ella como esposa de otro conde. Era un insulto descarado comportarse así en casa de un extraño que les ofrecía la hospitalidad de su hogar y el pan de su alacena.

—El almuerzo se servirá en unos momentos —dijo de pronto Fátima corroborando sus pensamientos.

—¡No! —exclamó Adoain, pero, como si se hubiera dado

cuenta de lo anárquica que había sonado su negativa, moderó el tono un instante después—. Partiremos de inmediato. Tenemos un largo camino por recorrer.

Dulce y Fátima miraron a los hombres con rostro precavido.

—Está bien —admitió al fin—. No estamos tan lejos de Arienza. Llegaremos antes del anochecer y podremos aprovisionarnos.

Adoain miró a Dulce con una ceja alzada.

—Vos no venís, señora. —Dulce clavó sus pupilas en las de Adoain al escucharlo.

—No, no comprendo —logró decir con voz cargada de extrañeza.

—Deseabais un esposo y aquí lo tenéis. —Y le lanzó el pergamino donde quedaba registrado su matrimonio.

Dulce no fue lo bastante rápida para asirlo. El rollo de papel le golpeó en el centro del pecho antes de caer al suelo y rodar hasta los pies de Artáiz. Kamîl sacó su espada del cinto ante el insulto descarado, y los cuatro hombres hicieron lo propio con sus armas. Fátima creyó que podría desmayarse ante el horror que sentía, pero la mano de Dulce retuvo la de Kamîl y le hizo un gesto negativo para que se contuviera.

Adoain se dio perfecta cuenta del contacto femenino premeditado y del poder que tenía la castellana sobre el musulmán.

Su ira creció todavía más.

—Habéis logrado que no pueda matar a vuestro hermano uniendo nuestras familias, pero es lo único que vais a obtener de mí —le informó con voz de hielo.

La exclamación aguda de Fátima hizo que Dulce soltara el aire que contenía en su interior. Adoain estaba llevando el asunto mucho mejor de lo que esperaba, porque ella seguía teniendo la cabeza sobre los hombros.

—Marchaos entonces, y que Dios os bendiga.

Dulce decidió que no se quedaría más tiempo en el salón. Estaba a punto de echarse de nuevo a llorar, y ya había derramado demasiadas lágrimas inútiles en esos días. Fátima decidió acompañarla. Cuando las mujeres salieron de la estancia, el silencio las siguió por los largos pasillos.

—Caballeros, ya saben dónde se encuentra la salida. —El

tono empleado por Kamîl era indiscutible, pero el único que no se movió fue Artáiz.

Adoain, al percatarse, le habló de forma dura y el capitán le respondió con el mismo matiz de voz exaltado. Se negaba a dejar a su señora, lo que suscitó una agria discusión entre ambos. Mientras tanto, Gonzalo y sus hombres decidieron esperar en el patio de armas, ajenos al debate conyugal.

—No pienso abandonar a la condesa de Bearin —le respondió Artáiz de forma terca.

—Es una orden —lo amonestó Adoain.

—Si hubiera estado en esta situación, vuestro padre habría actuado de un modo muy diferente —le espetó el capitán navarro, que no comprendía la actitud del hombre a quien admiraba—. E incluso me atrevo a presumir que trataría de ver el lado positivo de la alianza inesperada.

Artáiz había visto con sus propios ojos lo que significaba la mujer castellana para él. Y por ese motivo, lo confundía su actitud ahora que estaba casado con ella. Un auténtico navarro no actuaría de forma tan incoherente.

—Olvidáis que estoy aquí precisamente por mi padre —le dijo Adoain.

Ambos hombres se miraron a los ojos sin emitir ni un parpadeo.

—Entonces os informo de que mi deber es proteger a mi señora, un deber que no olvido como vos.

Adoain masculló de forma ostensible. Había olvidado por completo que, de todos los hombres a su cargo, Artáiz era el más terco.

—He estado a las puertas de la muerte por ella —le reveló.

—Soy consciente de ese detalle, vi vuestra sangre en el lecho. De todos modos, he de deciros que yo hubiese actuado de la misma manera con el hombre que hubiera deshonrado a vuestra hermana —le respondió conciso—. No podéis culpar al infiel por tratar de protegerla.

Adoain sabía que su amigo tenía razón. Había estado tan ciego con los resultados, que había olvidado los motivos que los habían causado.

—El matrimonio es eventual. Terminará cuando regrese de nuevo a mi hogar. Ha sido el precio pagado por mi liberación.

Artáiz lo miró de forma intensa.

—Disculpad que no piense como vos. Un voto sagrado no puede romperse. Por ese motivo, debo proteger a mi señora. —Adoain sabía que Pedro no iba a marcharse sin ella y lo maldijo de forma violenta—. Y a vos de vuestra terquedad.

No era terquedad sino supervivencia, aunque Adoain terminó por aceptar. Tenía una esposa para bien o para mal, y debía hacerse cargo de ella aunque le pesasen en el alma las acciones cometidas contra él.

—Entonces id a buscarla. Me despediré del señor de Fortún, y le daré las gracias por acompañaros. Deseo marchar cuanto antes a Arienza y enfrentarme a Miguel Álvarez.

Kamîl seguía con gran interés la conversación que mantenían ambos navarros. Los gestos eran demasiado elocuentes, pero él había actuado bien. No lamentaba la manipulación que había tejido en torno a su amiga, porque, cuando contempló con sus propios ojos la entrega física, supo que ella sentía algo muy especial y que podía beneficiar a su causa. Su primo sería liberado de Arienza sin que se derramase una sola gota de sangre. El precio había valido la pena.

Pedro se quedó en la sala con los ojos de Kamîl clavados en él mientras Adoain abandonaba la estancia con paso firme.

En el patio, lejos de miradas curiosas, Adoain les agradeció que hubiesen acompañado a su capitán hasta Mudaÿÿan para buscarlo. Gonzalo le explicó a Adoain el caos que se había formado en Fortún ante la desaparición de doña Dulce Álvarez, y que todos los indicios apuntaban a un asesinato. Le habló de la angustia de su hermano que estaba como loco buscando sus restos mortales. Cuando Gonzalo calló, Adoain le informó de la muerte de su padre Enrique a manos de Miguel Álvarez y de la necesidad de encontrar su tumba. Gonzalo, a su vez, le explicó el verdadero motivo de su visita a Mudaÿÿan: conocía sus intenciones de raptar a su hijo y de llevarlo a Navarra con el rey Sancho. Adoain escuchaba atentamente. También le reveló el interés que sentía Aragón para que el pequeño no fuera coronado rey de Navarra. Le explicó el odio que envenenaba el corazón del conde de Fortún por el rey Sancho, y su poca disposición para que se llevara a su nieto a Tudela.

Le habló de los peligros que acecharían a su pequeño si Alfonso se posicionaba a favor del conde castellano y comenzaba una lucha con el rey navarro por su legitimidad. Tenían una guerra que ganar contra los almohades, y la armonía que existía entre los diferentes reinos cristianos no debía empañarse por una disputa que podía resolverse a la muerte del conde de Fortún. Gonzalo le pidió tiempo para resolver él mismo la cuestión con el rey Sancho, y Adoain aceptó.

Le parecía un trato justo que templaría ánimos y abriría caminos a la reconciliación. Imaginó que el rey Sancho estaría satisfecho de los resultados obtenidos: una promesa de futuras negociaciones que redundarían en acuerdos. El padre del muchacho se había comprometido a ello.

A cambio, le pidió a Gonzalo toda la información que pudiera guardar sobre el asesinato de su padre y el nombre del lugar donde podía estar enterrado. Gonzalo le informó de que no creía que Miguel Álvarez fuera el asesino del conde navarro porque durante años había combatido junto a él, y nunca había contemplado a un hombre más honorable. También le dijo que únicamente el arzobispo de Burgos tenía conocimiento de la llegada al reino de caballeros navarros y aragoneses, y lo que sucedía con ellos.

Adoain tenía que marchar a Burgos para descubrirlo, pero antes tenía que comprobar si Miguel Álvarez era o no culpable de asesinato.

Gonzalo, Luis y Esteban se despidieron del conde de Bearin y emprendieron el regreso a Fortún. Los ojos de Adoain se dirigieron hacia el palacio de Mudaÿÿan y la carga que había adquirido sin proponérselo. Como si el asunto lo agobiase hasta el extremo, se mesó los cabellos con impaciencia mientras esperaba la salida de Pedro y Dulce Álvarez, ahora convertida en condesa de Bearin.

Capítulo 16

Condado de Arienza

*E*ra el hombre más insufrible de cuantos había conocido pero no podía apartar sus pensamientos de él. De sus movimientos, de su rostro huraño y de su mirada severa.

Dulce pensó que Adoain se mostraba déspota, arrogante y de una soberbia que la enardecía a propósito. Sin embargo, estaba convencida de que se trataba de una fachada en honor a algo que ella desconocía. Había rechazado con desdén los obsequios que Kamîl le ofrecía para el viaje, a excepción de las monturas, mostrando una falta de agradecimiento que la sublevaba. Casi habían llegado a su hogar, al castillo de Arienza, [16] cuando los insultos proferidos mentalmente sobre la persona de Adoain se acumulaban sobre la conciencia de Dulce.

La trataba de forma tan fría que ella creyó que el hombre tenía hielo en las venas en vez de sangre caliente. Apenas habían intercambiado un par de palabras.

Adoain pensó durante largas horas en las circunstancias que habían cambiado su vida, y entendió que tenía que tomar partido en un sentido o en otro. Él no quería una esposa, pero la tenía. Así que decidió que, el tiempo que estuviera en Arienza, la trataría con cortesía aunque no lo mereciera. Durante unos días, se comportaría como un caballero, hasta que pudiera comprobar la posición que tomaba su cuñado con respecto a los esponsales de su hermana. Además, cuando se enfrentara a él, también tendría que aclarar su implicación en el asesinato de su padre.

---

16. Actualmente Castillo de Valdecorneja (Ávila).

No actuaría precipitadamente en juicios, pero iba a ser muy cauto.

Cuando llegaron al promontorio desde el que se divisaba gran parte del condado, Dulce detuvo su montura obligando a los dos navarros a detener las suyas también.

—Me adelantaré —les anunció, pero Adoain ya negaba con la cabeza antes de que concluyese la última sílaba.

—No os daré la oportunidad de que os amotinéis allí —le dijo señalando con la cabeza el castillo que se divisaba a lo lejos.

Dulce lo miró pasmada. ¿Amotinarse?

—Debo alertar a mis hombres y a los criados para que os den el recibimiento que merecéis. También debo preparar a mi hermano Miguel, si es que se encuentra en Arienza, sobre mis esponsales apresurados sin la obtención de su permiso ni el de mi rey. Le debo una explicación en privado —se justificó ella.

—Iremos juntos, y no se hable más.

Dulce apretó los labios ofendida. Ella pretendía tratar el asunto de forma diferente, elaborar un buen argumento, pero el terco navarro no se lo permitía. Si al menos no la mirase con ese hondo desprecio, su pulso podría volver a la normalidad. Pero durante todo el trayecto, solo había recibido de él silencios hirientes y miradas llenas de reproche.

—Como gustéis.

Arienza era casi tan espectacular como Fortún, aunque un poco más pequeño. Poseía una gran torre del homenaje rectangular y las murallas tenían torres cilíndricas en sus ángulos. Su situación era marcadamente estratégica, porque dominaba el paso del río Tormes así como el valle. Estaba rodeado por las altas cumbres de la sierra de Gredos y la sierra de Béjar. La entrada principal la constituía una puerta de arco apuntado y grandes dovelas.[17]

Adoain estaba impresionado porque el castillo se mostraba inexpugnable, como la mayoría de fortalezas cercanas a los confines almohades. Azuzó su montura para llegar cuanto antes.

17. Piedra labrada en forma de cuña, para formar arcos o bóvedas.

Dulce alzó el rostro hacia los guardianes de la puerta principal y les pidió paso. Uno de los soldados lanzó un grito llamando al capitán de la guardia, Fernán Ansúrez. La comitiva de honor se dispuso en el patio de armas al paso de ellos.

Ansúrez cuadró los hombros al mismo tiempo que hacía los honores de recibimiento. Su rostro se veía completamente aturdido. Dulce seguía en la grupa de su caballo, pero Adoain había desmontado nada más cruzar el portón.

—Señora, pensamos que... vuestro hermano mencionó... —El capitán de la guardia se sentía incapaz de finalizar la frase—. ¡Bienvenida a Arienza!

Cuando el capitán hizo ademán de ayudarla, Adoain se le adelantó. La sujetó sin esfuerzo de la cintura y la bajó de la grupa de su caballo con un solo gesto. Pedro había desmontado también y contemplaba con ojo crítico el interior de la fortaleza.

—¿Se encuentra mi hermano en el castillo?

Ansúrez hizo un gesto negativo.

—Sigue buscándoos, señora. No ha cejado un momento en tratar de encontraros, y hasta hoy creíamos que no tendría éxito. Esperamos su regreso pronto.

Esas palabras le produjeron una sensación de vacío en el estómago. Miguel se negaba a aceptar su muerte, y su corazón sufría por las mentiras que tendría que contarle para apaciguar su ánimo.

—Atended los caballos. Yo conduciré la visita a la torre.

Dulce le entregó las bridas a Ansúrez, quien a su vez se las cedió a un mozo de cuadra que esperaba paciente el encargo. Adoain carraspeó para llamar su atención sobre él, pero Dulce tenía la mente ocupada en su hermano y en las diferentes explicaciones que podría darle a su regreso.

—Señora... —Pero Dulce no prestó atención a la voz de Adoain, seguía demasiado ensimismada y perdida en sus pensamientos—. ¡Condesa de Bearin! —La exclamación potente le hizo dar un salto.

Clavó sus ojos en Adoain, que la miraba de forma indescriptible. Artáiz le hizo un gesto con la cabeza y entonces comprendió. Tenía que presentarlos como correspondía, pero Dulce no quería hacerlo porque ambos navarros se irían muy pronto y ella había pretendido presentarlos como invitados que estaban de paso. Recién llegados de Fortún para buscar a un amigo.

La mirada de advertencia de Adoain le hizo desistir de su empeño. ¿Cómo podía saber lo que pretendía ella? Con actitud renuente hizo las presentaciones formales que requería la ocasión.

—Capitán Ansúrez, le presento a mi esposo, el conde de Bearin, y su hombre de confianza, Pedro Artáiz.

El anuncio pilló por sorpresa al capitán castellano, que tardó más de lo habitual en presentarle sus respetos con los honores que merecía.

—¿Vuestro esposo? —El resto de los soldados la miraban con rostros estupefactos. Habían pasado del estado de luto al de fiesta en apenas un instante.

—Después os contaré los pormenores, capitán. Ahora deseo darme un baño y tomar algo caliente. Llevamos cabalgando toda la noche y gran parte del día.

—Daré aviso a la cocina para que preparen comida —aseguró Ansúrez.

Ansúrez hizo un gesto a dos soldados y se dispuso a escoltar a su señora hasta la torre. Adoain y Pedro los seguían de cerca y atentos a todo lo que sucedía a su alrededor. El interior era mucho más confortable que su exterior, aunque se notaba la actividad militar que se desarrollaba en los diversos salones porque había muy pocos adornos innecesarios. Dulce los condujo por las estrechas escaleras hasta la planta superior. Llegaron a un corredor amplio que distribuía las diversas alcobas, abrió la puerta de una y miró a Pedro.

—Vuestra estancia, señor Artáiz, enviaré a un criado para que os prepare el baño. Os subirán también unas viandas de la cocina. —Dulce miró a Adoain—. Seguidme, os mostraré los aposentos que ocuparéis.

Adoain la siguió en silencio. Dulce se detuvo a apenas un par de puertas de distancia de la alcoba de Pedro. Abrió la hoja de madera y se introdujo en su interior precediendo a su marido.

—La vuestra. Confío en que estéis cómodo —le dijo antes de comenzar a retirarse, pero Adoain fue muy rápido.

La sujetó por el codo para detener su salida hacia el corredor y que se perdiera entre los muros desconocidos.

—¿Es vuestra alcoba? —le preguntó, y durante un instante el rostro de Dulce mostró confusión.

—¡Por supuesto que no! —le respondió algo incómoda—. Mis dependencias se encuentran en el otro extremo del corredor, muy cerca de las estancias que pertenecieron a mi padre —le explicó de forma llana.

—¿Pretendéis presentarme como vuestro esposo y, sin embargo, me colocáis en otra alcoba? —Dulce bajó sus ojos hacia la mano de Adoain que seguía reteniéndola.

—Mi señor, creí que... —Dulce tragó con dificultad—. Hasta el regreso de mi hermano... —Dulce no continuó por ese camino—. El personal de Arienza no levanta especulaciones ni son adoradores de chismes —le informó.

—Vos, señora, dormiréis allí donde duerma yo.

Dulce abrió la boca con la intención de protestar con energía, pero Adoain no se lo permitió. Cerró la puerta de un golpe y la arrastró hasta dejarla pegada a su pecho. Las pupilas de la joven brillaron con cierto temor. ¿Qué pretendía hacer? Mantuvo la calma y selló su voz para que los criados siguieran haciendo su trabajo.

—Tengo que confesaros algo —le dijo en un arranque de franqueza y tratando de soltarse.

Tenía que decirle la verdad, que le había mentido para salvar su vida. Debía convencerlo para que partiera antes de la llegada de su hermano.

—Colocadme en vuestra alcoba, o seré yo quien os arranque hasta la última confesión.

—Pero no pretenderéis que... —Las palabras se quedaban atoradas en la boca, y le resultaba imposible formar frases coherentes—. Señor, es imposible; no podéis dormir en mi lecho. Ambos acordamos que nuestro enlace sería un intercambio por vuestra libertad, y que quedaría extinguido cuando crucéis la frontera con Navarra.

—¿Acaso no sois mi esposa? ¿No lleváis a mi hijo en vuestro vientre?

Dulce creía que no podría soportarlo. Le producía un temor desconocido el enfado que iba a provocarle cuando descubriera que le había mentido en algo tan importante como un hijo, pero, avasallada en remordimientos, terminó aceptando.

—Como gustéis —le dijo en voz baja, y tratando de alcanzar la puerta lo más rápido que podía—. Ordenaré a los criados que lleven vuestras pertenencias a mi alcoba.

—Señora, olvidáis algo. —Dulce comenzaba a detestar que la llamase en ese falso tono zalamero. Volvió su rostro hacia él—. Mi baño —le recordó.

Si no conociera su carácter irascible, Dulce podría pensar que se estaba burlando de ella. Sin embargo, por el mero hecho de ser su esposa, y también la señora de Arienza, tenía la obligación de atenderlo en el baño por más que le pesara ese avatar.

La sonrisa de Adoain la ponía sumamente nerviosa, porque curvaba los labios pero los ojos seguían siendo tan fríos como el acero.

Cuando ambos llegaron a su alcoba, los criados habían preparado el agua del baño y los diversos utensilios que iba a necesitar. Los ojos del hombre recorrieron la bella y cómoda estancia. Dulce se afanaba por sacar los jabones y los lienzos de un arcón que estaba situado a los pies del enorme lecho.

Estaba nerviosa, y bien le valía estarlo, pensó Adoain, porque su ira no iba a menguar ni un ápice hasta que se cobrara el agravio sobre su persona.

¡Nadie lo obligaba a hacer algo que no quería!

Aunque fuese para salvarle la vida. Pero estaba casado con una hechicera castellana que lo miraba de hito en hito y le hacía arder la sangre. Cuando se volvió hacia ella, se dio cuenta de que estaba muy pálida y quieta. Miraba por encima de su hombro con ojos brillantes a un punto indeterminado del tapiz que cubría la enorme pared.

—Tengo que haceros un ruego de indulgencia —admitió contrita—. Os obligué a contraer matrimonio, aunque fue por una buena causa, pero en modo alguno deseo que os sintáis atado a unos deberes conyugales que no os reclamaré.

Adoain no entendía las palabras de ella.

Los criados abandonaron la alcoba demasiado deprisa,

como si hubiesen entendido la mirada del conde. Adoain ya comenzaba a quitarse la ropa sudorosa.

—Os bañaréis primero —le dijo él.

Dulce retrocedió un paso completamente asustada. Trataba de mostrarse sincera, pero él no le permitía tregua alguna.

—Prometedme que os marcharéis pronto.

Adoain no comprendía el apremio que tenía ella para que se marchara.

—¿Por qué deseáis mi marcha con tanta premura? —le preguntó sin ambages.

—Porque fue el trato —le recordó ella—. Nuestra unión duraría el mínimo tiempo posible. El suficiente para que obtuvierais la libertad. Vuestra presencia en Arienza no es necesaria.

Adoain se acercaba peligrosamente. Únicamente tenía puesto uno de los atuendos que le había prestado Kamîl, y se ajustaba demasiado bien a los músculos de sus piernas. La túnica y el manto habían quedado tirados en el suelo.

—Yo no puse condiciones a nuestro enlace, ¿recordáis?

Dulce sujetaba los lienzos sobre su pecho como si fuesen un escudo protector. Veía caminar a Adoain hacia ella, pero se sentía incapaz de mover un pie sobre otro para retroceder o avanzar.

—Esta unión tenía un único fin. Proteger la vida de mi hermano de vuestra espada y vuestro cuello, de la suya —reiteró.

Adoain le mostró una sonrisa que no la engañó en absoluto. Dulce comenzaba a conocer sus muecas y gestos demasiado bien.

—Nunca he llevado del todo bien la manipulación femenina. Ni sus argucias traicioneras e infieles.

—Merezco vuestras palabras, porque soy la más traicionera de todas cuantas mujeres habéis conocido, pero actué de buena fe; os lo juro.

—El baño se enfría, señora…

Adoain había alcanzado el brazo femenino para atraerla hacia sí pero Dulce logró escapar a tiempo. Puso entre ambos la distancia necesaria para pensar cómo debía actuar, y qué no hacer para evitar enojarlo todavía más. Verlo furioso era lo último que deseaba.

—No es una buena idea —argumentó—. Debemos mantener la cabeza fría al tomar decisiones. Y bañaros no es una buena idea. Imagino que no deseáis estrechar lazos afectivos con una mujer que os ha manipulado.

Adoain estaba asombrado y, cuanto más se empecinaba ella en despacharlo, más interés mostraba él en impedírselo.

—Necesito vuestra ayuda para rasurarme el mentón. —Dulce estaba pensando en un montón de excusas para salir de la alcoba, pero no encontraba ninguna válida que fuera convincente.

Unos golpes suaves en la puerta le hicieron cerrar los ojos con un profundo alivio. La doncella traía una bandeja con comida y, al percibir su aroma, el estómago de Dulce rugió de forma violenta. La ceja de Adoain se alzó en un perfecto arco al escucharlo.

—Parece que tenéis hambre. —Sus palabras no eran muy exactas, más que hambre estaba famélica. No había probado bocado desde sus esponsales. Y se moría por disfrutar de un pollo asado y de pan caliente—. Ayudadme y os alimentaréis pronto.

La criada dejó sobre la silla una bata de terciopelo verde de un tejido de calidad que había pertenecido al conde de Arienza. Aunque su padre no había sido tan corpulento ni tan alto, la prenda podría servirle hasta que lavaran las ropas. La criada se llevó las prendas sucias.

Dulce cerró los ojos cuando Adoain se despojó de la última prenda y se introdujo en el agua caliente. El gemido de placer que soltó a continuación resultó muy elocuente. Le pasó el jabón perfumado, un jabón que olía a azahar, y el aroma le trajo a Adoain sensaciones muy placenteras. Sintió las manos femeninas sobre su cuero cabelludo, la espuma que formaba al frotar los cabellos y la agradable sensación que los dedos de ella le producían. Aprovechó para lavarse el cuerpo con un lienzo pequeño.

—El agua no os servirá —le dijo él, pero ella ya lo había supuesto.

—Regresaré en un momento —le dijo antes de vaciar sobre la cabeza de Adoain una pequeña jofaina de agua templada para aclararle la espuma.

Él escuchó sus pasos que se perdían por la alcoba, cerró un momento los ojos y dejó reposando la cabeza sobre el borde de la bañera. Un momento después, estaba completamente dormido. Cuando abrió los párpados de nuevo, Dulce había regresado, estaba bañada y con el largo cabello todavía húmedo y suelto sobre la espalda. Imaginó que habría aprovechado el baño que habían dispuesto para él en la otra alcoba, la que no pensaba utilizar.

El hogar estaba encendido y los troncos chisporroteaban entre llamaradas naranjas y azules, aumentando la sensación cálida de la estancia. Dulce traía los accesorios necesarios para rasurar el rostro masculino: una navaja con la hoja muy afilada, un jabón especial y un plato de latón pulido que servía de espejo para guiarse.

Estaba pasando el peor trago de su vida. La espuma del agua había desaparecido y el cuerpo musculoso de Adoain era perfectamente visible a sus ojos bajo el agua. Por ese motivo, optó por no bajarlos. Frotó el pequeño jabón sobre el mentón masculino y formó una espuma espesa. Cogió la hoja afilada y la pasó de forma muy suave por el rostro, pero, desde la distancia que trataba de poner con respecto al cuerpo de él, las pasadas no eran del todo buenas.

—Acercaos más o terminaréis por cortarme el cuello. —La palabra «cortar» detuvo la mano de la mujer a medio camino.

Pensar en producirle un corte en la cara la descompuso por completo. Tragó saliva de forma forzosa antes de acercar el filo de nuevo. Inspiró profundamente y, temiendo no mantener el pulso firme, miró hacia el agua cometiendo por ello un craso error.

El miembro de Adoain era perfectamente visible entre sus piernas y, ante el azoro que sintió por los recuerdos que la golpearon, alzó los ojos demasiado rápido. El movimiento enérgico de su cabeza movió la mano que sostenía la navaja y esta mordió la piel de la varonil barbilla. Las gotas de sangre comenzaron a deslizarse por el torso desnudo y a mezclarse con el agua.

—¡Qué demonios habéis hecho! —Adoain sostuvo la mano

de ella para apartarla de su rostro, y contempló atónito que Dulce se desmayaba y caía de cabeza en la tina.

El fuerte impacto derramó la mitad del agua al suelo, pero ella seguía inconsciente y con la cabeza y parte de los hombros entre sus piernas. Con rapidez, la asió y la dejó reposando junto a su pecho desnudo, pero el cuerpo de Dulce parecía un títere al que le habían cortado los hilos.

Capítulo 17

*L*os párpados le pesaban toneladas.

Sentía el estómago revuelto, y la acedía le subía por la garganta hasta instalarse en el paladar. Trató de alzar la mano pero no le obedecía. Y entonces recordó la sangre. Una nueva arcada la sacudió.

Odiaba esa debilidad que la atormentaba. No importaba qué hiciera o dónde estuviera, en el momento que sus ojos veían la sangre y su cerebro registraba el color y el olor, perdía el conocimiento.

—Olvidé que estáis encinta. —La voz de Adoain le llegó alta y clara.

Abrió los párpados y comprobó que la alcoba estaba en penumbra. El brillo de la lumbre del hogar iluminaba las lenguas de fuego que lamían los muros convirtiéndolos en oro. Adoain estaba plantado a los pies del lecho y la miraba entre sorprendido y preocupado. De improviso, dejó su puesto de guardián y se dirigió hacia el costado izquierdo del lecho.

Dulce ignoraba las cábalas que se había hecho Adoain mientras había estado inconsciente. Lo había preocupado y lo había empujado a tomar una decisión irrevocable. Hasta su desmayo, el motivo principal para casarse con ella había sido algo intangible, efímero. Sin embargo, tenerla inconsciente entre sus brazos había despertado un instinto protector tan agudo y definido que Adoain no cabía en sí de la sorpresa.

—Comed o volveréis a desvaneceros. —Dulce se sentó en el mullido colchón y separó la colcha para levantarse, pero Adoain no se lo permitió. Le puso la bandeja de plata en el regazo y le llenó la copa con el vino de la jarra—. Estáis tan pálida que parecéis enferma. —Desmenuzó un muslo de pollo y le ofreció un trozo jugoso.

Dulce abrió los ojos como platos. Ella apenas podía comer por sí misma, pero antes de poder emitir una protesta Adoain le metió un trozo de carne en la boca. Lo masticó por inercia y, cuando terminó de tragarlo, le introdujo otro trozo que acompañó con pan. De vez en cuando le acercaba la copa para que tomara un trago de vino para bajar los alimentos.

—¿Os encontráis mejor? —le preguntó.

Dulce le hizo un gesto afirmativo, pero sin pronunciar palabra. Adoain se lamió los dedos manchados de jugo en un acto que le pareció a ella provocativo y que la perturbó por completo. Sus pupilas seguían con avidez la lengua masculina al chupar los largos dedos y sonreírle, como si fuese de lo más normal que estuviera sentado a su lado en el lecho y alimentándola como si fuera una niña pequeña.

—Vuestro pollo estaba mejor que mi solomillo —le dijo al mismo tiempo que le quitaba la copa de la mano y bebía el resto del vino que quedaba en ella.

Adoain era un enigma indescifrable, pensó Dulce.

Cuando se olvidaba del motivo por el que estaba con ella, parecía irresistiblemente abrumador, incluso tierno. Pero Dulce había visto su lado más salvaje y le producía cierto temor. En ese momento, no sabía a qué atenerse con él, ni cómo actuar. Estaba perdida en unos sentimientos que la atormentaban. Lo contempló dejar la bandeja en la mesa, muy cerca del hogar, y quitarse la bata de terciopelo para quedar completamente desnudo delante de ella. La visión masculina la dejó mareada y con una incipiente incomodidad entre sus piernas.

—¿Os tengo que apartar yo? —La pregunta era muy clara.

Dulce reptó hasta la otra punta del lecho, al mismo tiempo que subía la colcha hasta la barbilla. Se sentía mortificada, avergonzada y con los miembros extrañamente blandos. Estaba encendida, con las mejillas tan rojas como la sangre, pero no se atrevía a pronunciar palabra por temor a decir algo tan desafortunado como «¡tomadme!». ¡Dios bendito! ¿Había pensado realmente eso?

El único encuentro íntimo que había compartido con él había terminado de forma desastrosa. Pero ella intuía que la relación física entre un hombre y una mujer podía ser mucho más placentera. De hecho, sentía una incipiente necesidad en el vientre y un calor abrasador entre sus piernas. ¿Sentiría él lo mismo que ella?

—Estáis… estáis desnudo —logró decir al fin aunque con voz temblorosa.

—Y vos lo estaréis muy pronto —aseveró él con ojos que ardían.

Adoain no podía dejar de mirar los labios entreabiertos y húmedos. Recordaba perfectamente cómo se había sentido en el interior femenino antes de que lo acuchillasen. Y se moría de ganas de quedarse de nuevo rendido sobre ella. Dulce no se había percatado de que llevaba puesta únicamente una bata tan fina que casi parecía transparente. Estaba tan centrada en él y sus movimientos, que no se había fijado ni una sola vez en lo que llevaba puesto. Su camisón recatado y la bata de terciopelo habían quedado completamente mojados cuando se desvaneció en la bañera. Adoain la había dejado desnuda y a merced de sus ojos hambrientos. Sin embargo, cuando su sentido del honor afloró entre la lujuria que la mujer le provocaba, buscó algo de ropa para colocarle y que preservara su pudor cuando despertara del desmayo. La fina bata le pareció muy apropiada porque quitársela no le llevaría ni un suspiro.

—Permitidme. —La fina colcha que ella sujetaba quedó de pronto arrugada a los pies de la cama. El salto de cama estaba completamente abierto y dejaba sus pechos al descubierto.

—¡Dios mío! —Dulce trató de cerrarla pero sin conseguirlo.

La prenda tenía únicamente una cinta, que en ese momento no servía para nada. Adoain estaba desnudo a su lado, con su mano caliente acariciando el valle satinado entre sus pechos, y creyó que iba a desmayarse de nuevo por el sofoco que sentía.

—En esta ocasión no sentiréis dolor.

¿Lo decía para reconfortarla?, se preguntó completamente superada.

En esos precisos instantes, cuando los ojos de color zafiro brillaban de deseo por ella, lo último que sentía era miedo y sí un desenfreno que no comprendía, que le quemaba el vientre como si le hubiesen volcado un hornillo lleno de ascuas.

—Sois puro fuego —le dijo entre susurros.

Los dedos que habían troceado el pollo y alimentado su estómago jugaban con uno de sus pezones rosados hasta que logró su propósito, endurecerlo. Dulce jadeó por la sensación palpitante que le dejó.

—Tengo que besaros.

La boca varonil penetró en la de la fémina causándole un motín emocional. La lengua rugosa y áspera recorría con descaro cada rincón escondido, saboreando su paladar y el interior de sus mejillas. Mientras tanto, las diestras manos masculinas obraban un hechizo sobre ella que la dejaba sin voluntad. Completamente subyugada.

Dulce había tenido miedo al encuentro íntimo la primera vez. Una sensación de alerta y angustia ante lo desconocido. Pero, tras sentirlo en su interior y comprobar que su embestida no era mortal, todo recelo había desaparecido para quedar una sensación acuciante de querer alcanzar el precipicio que Adoain abría ante ella. Un anhelo indescriptible le devoraba las entrañas y hacía que su corazón latiese a un ritmo apresurado y loco.

Cuando la penetró, la sensación de plenitud fue tan inmensa y placentera que no pudo contener un grito de satisfacción. Adoain comenzó a moverse mientras seguía devorándola con besos hambrientos, cargados de una sensualidad que no le permitían pensar o hacer nada, salvo disfrutar del momento de unión como si fuese la panacea de la plenitud.

Iba a estallar, lo presentía. La tensión se acumulaba en su vientre y subía por su garganta hasta convertirse en profundos gemidos que lo volvían loco.

El mundo dejó de existir y las oleadas de placer intenso los sacudieron al unísono dejándolos inertes y agotados.

Capítulo 18

Siempre había detestado bajar a las mazmorras del castillo. Las paredes húmedas, la falta de luz y el olor a encierro le resultaban desagradables. En vida de su padre Álvaro, siempre se habían mantenido vacías, pero tras la guerra con los almohades, su hermano encerraba cautivos que después intercambiaba por oficiales castellanos que habían sido apresados.

Bajó el último escalón y se pasó la mano por el vestido para limpiarse el sudor que le había dejado la piedra al tocarla. Había un total de cinco habitaciones que convergían en un vestíbulo amplio. La única luz en toda la estancia provenía de una ventana abierta en el techo que daba al mismo vestíbulo, pero las celdas se mantenían en una constante sombra y luz.

—Señora Álvarez. —El guardián dejó su puesto en uno de los rincones donde se entretenía con un juego de manos, acompañado de uno de los soldados que hacía el turno de día. El ayudante se levantó para saludarla con respeto.

—Busco a un cautivo almohade —le dijo conteniendo la respiración.

—Es insólito verla en las celdas, señora.

—Hay un confinado que no debería estar en Arienza.

—Su hermano, señora... —Dulce no le permitió continuar.

—Mi hermano está ausente y, hasta su regreso, yo decido qué presos debemos mantener.

El carcelero le hizo una inclinación de cabeza aunque sus ojos mostraban su desacuerdo.

—El único cautivo almohade se encuentra en la última celda. La acompañaré.

Julio, el guardián, prendió una antorcha y condujo a Dulce hasta la habitación que hacía la número tres. El suelo estaba limpio de excrementos y el jergón tenía mantas y ropa limpia. Los presos eran bien cuidados en Arienza.

—¿Abdel Ib Farid? —preguntó con voz suave.

Un bulto que estaba acostado en el lecho alzó la cabeza al escuchar su nombre. Dulce le hizo unas preguntas en árabe que el hombre respondió con prontitud.

—Es él —le dijo a Julio—. Abrid la puerta.

El guardián protestó de forma enérgica por la decisión de la señora de Arienza, pero Dulce mantuvo su postura inamovible. Había hecho una promesa a Kamîl.

—El conde de Arienza se enfadará terriblemente, señora. —Julio había utilizado el tono y las palabras que más podían hacerla retroceder, pero, si ella esperaba el beneplácito de su hermano Miguel, perdería un tiempo precioso y no estaba dispuesta a ello.

—Cumplid mi orden de inmediato —ordenó de forma contundente.

Julio inspiró profundamente antes de asentir. Sacó la llave de su cinturón y la introdujo en la cerradura.

—Su hermano pedirá mi cabeza, señora. No se puede soltar a un cautivo sin una buena causa que lo respalde.

Las palabras del guardián le dieron ganas de reír. Abdel Ib Farid no era un peligro para Arienza, pero se abstuvo de mencionarlo.

—Como responsable de esta liberación, asumiré mis actos y sus consecuencias.

Pero Julio no se quedó tranquilo, aunque no protestó más. El preso caminó despacio al recibir la orden de ella pronunciada en su lengua. Abdel conocía a los Álvarez de Arienza ya que su familia había sido en el pasado amiga de la suya.

Cuando Dulce contempló el rostro del cautivo, suspiró con enorme alivio. Su hermano era un hombre de honor y de intachable rectitud. Los cautivos no eran golpeados ni les escatimaban el alimento. Le pidió que la siguiera y lo condujo por las empinadas y estrechas escaleras hasta el patio que conducía a la torre.

Adoain se despertó por primera vez con la pereza como compañera de cama. Estaba caliente, satisfecho y, sorprendentemente, con ganas de silbar. Extendió su brazo por el lecho, vacío de la presencia de Dulce, y abrió los párpados con curiosidad por descubrir dónde estaba ella. Su lado estaba frío, señal inequívoca de que hacía bastante tiempo que se había levantado. ¿Qué demonios le sucedía que no era capaz de despertarse ante un mínimo movimiento? Porque estaba agotado sexualmente. Complacido en un plano muy superior al carnal. Y reconoció, con honradez, que Dulce le importaba mucho.

Adoain comenzó a analizar en profundidad los motivos y la actuación de Dulce hasta el matrimonio.

Era la primera mujer que conocía que actuaba en beneficio de otros en lugar del suyo propio. Se había entregado a él para proteger a un niño que no era suyo. Lo había obligado a casarse para proteger a su hermano del filo de su espada. Y, además, era la mujer más seductora y pasional de cuantas había conocido. A pesar del miedo, ¿o debía decir respeto?, que observaba en sus pupilas, no se le había negado la noche anterior, y le había hecho el amor hasta en tres ocasiones. Por ese motivo, se sentía tan lento y pesado en los movimientos, tan hambriento y con el humor tan ligero.

Lo único que le desconcertaba de ella era esa continua tendencia al desmayo que sufría, aunque lo achacó al embarazo. De pronto el rostro de Adoain se suavizó, un hijo creado con su sangre, con su aliento. Una vez que lo hubo aceptado, se sintió realmente ufano. Y cuando pensó en la oportunista Juana Ramiro, su estado de ánimo creció varios grados más. Además, su viaje a Castilla había resultado sumamente provechoso, salvo en un detalle; tenía que descubrir dónde estaba enterrado su padre y pedirle algunas cuentas a su cuñado Miguel Álvarez.

Si Dulce creía que su hermano iba a salir indemne, qué equivocada estaba. Adoain tenía que escuchar de sus propios labios que no tenía nada que ver con la muerte de su padre, y entonces seguiría buscando al verdugo de su asesinato.

Unos toques suaves en la puerta despejaron el sopor que sentía. Artáiz hizo su entrada en la alcoba y lo miró con rostro imperturbable.

—Mi señora os espera en el salón principal para el almuerzo.

Adoain se sintió disgustado por el tono perentorio de Pedro al referirse a la castellana.

—Vuestra señora es *mi* señora. Confío en que no lo olvidéis —recalcó Adoain con una sonrisa.

—No fui yo quien lo olvidó el día de vuestra boda —le recordó Pedro con una mueca cínica.

Y era cierto. Se había sentido tan furioso por la manipulación sufrida, que había olvidado la regla más elemental de todas las conyugales: la castellana era suya para siempre.

Adoain miró las ropas limpias y dobladas que estaban a los pies del lecho. El mismo atuendo que le había prestado Kamîl para su duelo y los esponsales. Las prendas eran de muy buena calidad, pero él extrañaba sus propios ropajes. De todos modos, el señor de Fortún le había prometido enviar sus vestimentas a Arienza a su llegada. Buscó con los ojos la capa pero no la vio, aunque divisó su manto perfectamente doblado en la silla que había cercana al hogar apagado. Se puso las calzas y el caftán, una túnica de seda abotonada por delante, con mangas, y que llegaba hasta los tobillos. Adoain se colocó la faja alrededor de la cintura y caminó hacia el lugar donde estaba el manto doblado y lo tocó. La última vez que lo había hecho, fue para cubrir el cuerpo desnudo de Dulce.

—Parecéis un almohade con esas ropas —le dijo Pedro con ojo crítico.

—He de reconocer que son muy cómodas —le respondió.

Pedro precedió a Adoain por los largos pasillos de Arienza.

Se sentía hambriento y se moría por ver el rostro sonrojado de la castellana que lo había cautivado por completo con sus impulsos.

El amplio salón estaba vacío. El motivo era que la mañana

estaba ya muy avanzada y el personal de Arienza continuaba inmerso en sus quehaceres cotidianos. Cuando tomó asiento en la larga mesa, un criado depositó una fuente frente a él sin que se lo hubiera pedido. Cerveza amarga, pastel frío de carne, queso fresco y un embutido que olía deliciosamente bien.

—¿Dónde se encuentra Dulce? —le preguntó a Pedro, que se había servido un vaso de vino.

Tomó asiento muy cerca de él.

A Pedro le parecía algo extraño el buen humor de Adoain. Días atrás se consumía de despecho, pero en ese momento parecía un niño al que le habían concedido su mayor deseo.

—La última noticia que tengo sobre ella es la fuerte discusión que ha mantenido con el capitán de la guardia, Julio, para liberar a un cautivo sin su aprobación.

La mano de Adoain quedó a medio camino de la boca al escuchar a Pedro. Finalmente la castellana había cumplido su palabra de liberar al primo del almohade. La decepción brilló durante un instante en sus pupilas al ser consciente de que lo consideraba una moneda de cambio. Incluso algo más que eso, un semental que la había preñado a la primera. Ese pensamiento le produjo un espasmo en el vientre. ¿Sería un indicio de los hijos que iba a darle? Porque no pensaba permitirle un respiro en el lecho. Y si se guiaba por sus instintos, el resultado de sus encuentros amorosos equivaldría a un hijo por año. ¡Iba a ser su ruina!

De pronto se percató de que Pedro le estaba hablando.

—Disculpadme, estaba distraído —le confesó.

—¿Cuánto tiempo nos quedaremos en Arienza?

Ni él mismo lo sabía. Tenía que visitar al arzobispo de Burgos para hacer averiguaciones sobre su padre, tal como le aconsejó el señor de Fortún. Pero no pudo contestarle porque en ese momento su esposa entraba en la sala. El rostro de Dulce se puso rojo como la grana y la vio tomar aire profundamente antes de dirigirse a él.

—Buenos días, Adoain; confío en que el almuerzo sea de vuestro agrado.

Él clavó sus ojos en la bandeja que estaba prácticamente vacía, ni se había dado cuenta de que lo había devorado todo.

—Mi señora —le respondió con una media sonrisa que le hizo fruncir el ceño.

¿Por qué motivo no la llamaba por su nombre?, se preguntó contrariada. Después de compartir un lecho lleno de sangre, un pollo asado lascivo y un desmayo ignominioso entre sus piernas, bien podría hacer un esfuerzo para no tratarla como a una extraña, porque la hacía sentir realmente incómoda.

—Gonzalo Díaz os ha enviado vuestras pertenencias. Los caballos se encuentran en las cuadras, descansados, cepillados y con la barriga llena de avena fresca.

Dulce tomó asiento frente a Adoain y a la derecha de Pedro. Se sirvió un poco de cerveza y un pedazo de pan con queso de la bandeja que había depositada en medio de la mesa. Pedro la imitó. El queso estaba realmente bueno y el crujiente pan era una delicia.

—Le he enviado al rey Alfonso una misiva para mi hermano Miguel anunciándole que me encuentro bien y que lo espero en Arienza. —Adoain seguía en silencio—. Confío en que acuda pronto a mi llamada.

—¿Por qué no se me informó de la liberación del cautivo? —le preguntó Adoain con voz controlada. Dulce parpadeó por la sorpresa—. No podéis tomar decisiones tan arbitrarias sin contar con mi aprobación.

Pedro soltó el pan encima de la mesa y se separó un poco de la madera, expectante. Auguraba un encuentro desagradable entre su conde y su señora.

—Fue el trato que hice con mi amigo Kamîl —le respondió ella—. Vuestra liberación por la de su primo.

Adoain se sentía un tanto molesto. Ella decía las palabras como si la razón la asistiera al completo, pero debía aprender que no podía tomar decisiones por su cuenta y riesgo.

—Ahora tenéis un esposo al que rendir cuentas.

—Soy consciente de ello, mi señor. Poseo un esposo que dejará de serlo cuando cruce la frontera navarra.

A él no le gustaron en absoluto las palabras de su mujer.

—¿Y quién tendrá que dar las oportunas explicaciones a vuestro hermano por vuestra decisión apresurada? —continuó él.

—No fue una decisión apresurada —le respondió algo recelosa. ¿Acaso no podía comprender que él estaba libre porque había cumplido su promesa?

—Poco meditada entonces —la corrigió.

—Era una cuestión de honor. Ofrecí una promesa a un amigo.

—En el futuro me consultaréis cualquier decisión que debáis tomar, la consideréis honorable o no. Y recordad, porque tendéis a olvidarlo, que los almohades son los enemigos.

Las pupilas de Dulce brillaron con un dolor que no pudo ocultar. Kamîl y Fátima no eran enemigos, pero mantuvo la boca en un silencio premeditado. Se sentía agotada de buscar soluciones. Como las medidas desesperadas que tomó cuando Adoain decidió secuestrar al pequeño que estaba a su cuidado. Como las decisiones apresuradas que tomó cuando estuvo cautivo en Mudaÿÿan y tuvo que negociar con un amigo para liberarlo, además de mentirle para obtener su cooperación.

Estaba cansada en extremo. Extenuada mentalmente porque le esperaba la prueba más difícil de todas: el encuentro con su hermano. También la amonestación que le impondría el rey Alfonso al conde de Arienza por su matrimonio no aprobado por la corona. Además del insulto a la casa Núñez. Dulce rezaba para que la disculpa ofrecida de buena fe y el hermoso regalo que le había enviado fuesen suficiente razón para olvidar la afrenta que se había cometido contra ellos.

Sí, su futuro inmediato la agobiaba hasta causarle un peso abrumador.

Dulce se levantó con urgencia del asiento y le lanzó una mirada frustrada a su recién adquirido marido que resultó demasiado elocuente.

—Disculpadme, tengo que resolver una cuestión en la cocina, a menos que juzguéis que necesito vuestra opinión para decidir sobre la sopa que se servirá.

Salió de la sala con los hombros abatidos, como si soportase sobre ellos todo el peso del mundo.

Y

La noche llegaba con demasiada premura y los problemas de Dulce seguían creciendo a una velocidad vertiginosa. Apenas había visto a Adoain tras dejarlo en la gran sala con Artáiz. Pero había estado demasiado tiempo ausente del hogar, al igual que su hermano y, por ese motivo, todo se había descontrolado en Arienza.

El agua caliente de su baño resultó una bendición que desentumeció los músculos doloridos y templó su ánimo decaído. Cerró los ojos y apoyó la cabeza en el borde de la bañera de latón mientras escuchaba los pasos de la doncella que preparaba su ropa. La cena se serviría en breves momentos, pero ella necesitaba esos instantes de soledad y sosiego de forma desesperada para recuperar el ánimo.

La mano que sujetaba el lienzo sobre su vientre la despertó de forma instantánea. Adoain estaba arrodillado en cuclillas frente a ella. Llevaba puesta únicamente la bata y, en ese momento, frotaba con cuidado la cara interna de sus muslos. Dulce, al ser consciente, se movió con brusquedad logrando que el agua del borde salpicara la bata de Adoain y la dejara adherida a su piel. El vello oscuro de su pecho era claramente visible bajo la tela mojada. Recogió sus piernas hasta abrazarse las rodillas y hundió la barbilla en el agua mientras su larga melena flotaba alrededor de ella.

Estaba muerta de vergüenza. Sentía una sensación de ardor en las mejillas y un fervor en el corazón que le impedía respirar.

—¿Dónde está Isabel? —preguntó con un hilo de voz.

Isabel era la doncella que la atendía desde que era niña.

—La he despedido por esta noche —le dijo Adoain con voz templada.

—No podéis hacer algo así —protestó ella con inusitada energía.

—Soy vuestro esposo y puedo hacer de doncella tanto o mejor que Isabel.

—No es correcto —alegó contrariada.

—¿Que un hombre ayude en el baño a su esposa? —La pregunta de Adoain había sonado burlona.

—Que me miréis de forma lasciva todo el tiempo. Me hacéis sentir avergonzada.

La mano de Adoain había soltado el lienzo y pasaba ahora la palma desnuda por los rizos del pubis. Dulce dio un respingo porque no tenía modo de saber si había sido involuntario. Si seguía tocándola de esa forma iba a estallar como si fuera un volcán en erupción, y entonces la vergüenza haría que se fundiese con el agua de la bañera.

—Os deseo —le confesó él sin pudor alguno—. Siento una enorme necesidad de introducirme en vos y cabalgar hasta alcanzar la gloria. Me habéis hechizado.

Los dedos de Adoain creaban magia dentro de ella, que comenzó a gemir al tiempo que bajaba las piernas y las abría para recibir con alegría las caricias sensuales. Los constantes jadeos y su respiración entrecortada lograban que la corona dorada de sus pechos asomara entre el agua tibia. El movimiento involuntario aumentó el deseo de Adoain hasta un punto insospechado.

—Lo lamento pero no puedo esperar, estoy a punto de derramarme aquí mismo frente a vos.

La alzó de la bañera sin importarle el reguero de agua que iba dejando a cada paso. La depositó con suavidad en el colchón y solo tuvo que soltar el nudo del cinturón y abrirse la bata, para descender sobre ella e introducirse con una sola embestida. Dulce estaba resbaladiza, mojada y tan caliente que pensó que iba a abrasarlo. Se separó del cuerpo de Dulce un poco para observar sus senos turgentes, su vientre níveo y la unión de los dos. Notó con perfecta claridad el momento en el que ella alcanzaba la liberación, y entonces comenzó a cabalgar más fuerte, más rápido y el potente orgasmo que le sobrevino un instante después le hizo lanzar un grito que lo dejó sin fuerzas, vencido de muerte encima de ella.

¡Dios del cielo! Dulce iba a matarlo del placer que le daba y de la vanidad que le hacía sentir. Ninguna otra mujer en el pasado que él amara físicamente había llegado al orgasmo tan rápido, ni disfrutado de buena gana sus reclamos sexuales. Si decidiera poseerla cien veces al día, Dulce no se le negaría ni una sola vez. ¿Podría un hombre pedir más? Adoain lo dudaba.

De nuevo volvió a moverse en el interior de ella. No se hartaba de su sabor, del olor grato de su cuerpo. Dulce alzó sus piernas y abrazó con ellas a Adoin por la cintura, de una forma tan íntima que apenas le permitía salir de su cuerpo para tomar impulso.

Se apoderó de la boca suave que le supo dulce como la miel y la sitió con la misma urgencia con la que sitiaba su cuerpo y pensaba asediar su vida.

La castellana había firmado una sentencia de esclavitud a su lado.

Capítulo 19

*L*a respuesta del rey era peor de lo que esperaba.

Su hermano Miguel se encontraba lejos del séquito de Alfonso, pactaba acuerdos en tierras de Aragón en su nombre y había resultado imposible hacerle entrega del mensaje. Por consiguiente, seguía creyendo que estaba muerta. Artáiz le había explicado, con todo lujo de detalles, que Kamîl le había infligido a Adoain una herida seria, aunque no mortal, y lo había dejado inconsciente. Nadie en Fortún se percató del hombre vestido como un caballero castellano que se introducía por la puerta secreta del muro norte. La misma salida que Dulce le había mostrado. La puerta se había construido como salida en caso de que los almohades lograran sitiar Fortún para alcanzar Toledo. El abuelo de Jimena Blasco lo había estimado conveniente y necesario. La abertura daba directamente al río Tajo y se encontraba bien oculta de las miradas invasoras. Ella la había descubierto en uno de los juegos con el pequeño Juan, que se la había mostrado henchido de orgullo.

Dulce llevaba los brazos cargados de ropa cuando tropezó con su marido, que la esperaba apoyado en la pared del corredor que distribuía las diferentes alcobas. Sus ropas oscuras lo hacían prácticamente invisible en ese momento de la tarde, que casi se había agotado. El crepúsculo iba oscureciéndose por el horizonte. Cuando Adoain hizo ademán de ir al encuentro de ella, se escucharon pasos fuertes y rápidos que subían los escalones y el siseo de una funda de espada en la pared, como si el dueño arrastrase demasiada prisa en alcanzar la planta superior y le importase muy poco la marca que quedara en la pared a su paso. Dulce se dio la vuelta con curiosidad y, de pronto, Miguel Álvarez hizo su aparición. Adoain quedó fuera del campo de visión del conde, que solo tenía ojos para su hermana. Su rostro mostraba la estupefacción que sentía.

—¡Dulce...! ¡Dios misericordioso! —Los ojos negros recorrieron la figura femenina con enorme alivio y una profunda desesperación—. Me avisaron de que estabais aquí y no podía creerlo. No hasta que os viera con mis propios ojos.

Dulce, al ser consciente del dolor que reflejaban las pupilas de su hermano, soltó las prendas de ropa, que cayeron al suelo, y se lanzó a la carrera para lanzarse a sus brazos. Miguel la abrazó con fuerza y la retuvo durante unos instantes con infinita ternura. Le parecía increíble que estuviera con vida. Había peinado Castilla buscándola, y encontrarla intacta logró quitar el luto que había cubierto su corazón.

—Creí que estabais muerta, ¡Dios! ¿Por qué no me dijisteis nada? —Un instante después, Miguel la sujetó por los hombros, la separó de su cuerpo y cerró los ojos que ardían con una llama incandescente de ira.

Sin pensar bien los motivos o la causa, alzó la mano y golpeó a su hermana en el rostro para, un momento después, volver a abrazarla con fuerza.

Dulce supo que la bofetada que le había dado Miguel era fruto del dolor y la desesperación que le habían ocasionado su desaparición y su silencio.

Un momento después, su hermano estaba tirado en el suelo. Adoain lo había separado de ella y le había soltado un puñetazo que lo había derribado.

—Volved a golpearla y os mataré —dijo de forma serena pero contundente.

Dulce contempló a su hermano, que se tocaba el mentón lastimado. Un instante después, miró al navarro, que tenía en el rostro una seria advertencia. Se inclinó para tratar de ayudarlo a incorporarse, pero Miguel no se lo permitió.

Cuando se alzó en toda su altura, se llevó la mano a la espada de su cinto con la clara intención de sacarla y clavársela al intruso en el corazón. Dulce se interpuso entre los dos hombres, que seguían mirándose con amenazas.

—¡Adoain, conteneos! ¡Por favor! —La exclamación de la joven no fue escuchada por ninguno de los dos.

Estaban demasiado concentrados en medirse mutuamente con rostro adusto y duelo en los ojos.

—¿Quién osa golpearme? —siseó Miguel con voz dura como el granito, sin apartar los ojos del desconocido y la mano en la guarda de su espada.

Un silencio sobrecogedor pendía entre los tres como un pesado nubarrón de invierno. Adoain cruzó los brazos sobre el pecho en clara provocación mientras observaba el intercambio de frases entre hermanos. Miguel, al ver su arrogancia, sacó la espada de la vaina donde dormía y la alzó hasta el cuello en una amenaza que Adoain no despreció.

—Dadme un motivo para no cortaros el cuello.

—¡Miguel! —volvió a exclamar Dulce—. Disculpad la altanería de nuestro invitado, creyó que me queríais lastimar pues ignora que sois mi hermano.

Miguel miró de forma breve a su hermana, que se movió un paso para quedar entre la espada y el navarro.

—No lo he atravesado todavía porque no deseo que os desmayéis —le informó con voz helada. Dulce le mostró una sonrisa sincera. Miguel era el mejor hermano del mundo y lo amaba con toda su alma—. Os ruego que os marchéis para que pueda limpiar la ofensa recibida y os evite el sofocón de ver sus entrañas en el suelo.

—Miguel, guardad vuestra espada, por favor. Adoain es un amigo.

¿Amigo? Su hermana no podía hablar en serio. Le había dado un puñetazo. Otros hombres habían muerto bajo su espada por mucho menos.

—Soy Adoain Estella, conde de Bearin, vuestro cuñado —le dijo con presunción. Y Dulce cerró los párpados ante el desastre que se avecinaba—. El flamante esposo de vuestra hermana.

Miguel lo miró con auténtica sorpresa tras escucharlo y, a continuación, entrecerró los ojos y endureció el mentón. Miró el rostro de su hermana buscando la confirmación de las palabras del extraño, pero sin bajar la espada de la garganta del navarro, a pesar de que Dulce se había colocado en medio.

Adoain soltó el aire que contenía desde que había revelado su nombre. Esperaba ver una chispa de reconocimiento en los ojos del castellano, pero ni su apellido ni su rango le decían nada. ¡Miguel Álvarez no conocía a su padre Enrique! Y entonces, ¿por qué le habían dicho al rey Sancho que el castellano había matado a su padre? ¿Quién osaba perjudicarlo?

Adoain tenía que indagar sobre ello, pero las palabras de Dulce lo trajeron de nuevo al presente.

—Dejad de provocarlo y de poneros en una situación precaria —lo amonestó ella con severidad, pero sin apartar la vista de su hermano—. Miguel se alegra de verme. ¿Verdad, hermano?

Dulce colocó su dedo índice sobre el brillo de la hoja de acero que Miguel sostenía en alto, y la fue bajando hasta que el extremo agudo quedó apuntando al suelo.

—¿Esposo? —le preguntó Miguel con un tono desabrido que la alertó.

Seguía mirando al navarro con un brillo muy peligroso en las pupilas. Dulce conocía muy bien su significado. Mostraba en el rostro la misma expresión confusa y frustrante que el día que recibió la noticia de la muerte de su padre a manos de los almohades. Y si se guiaba por lo sucedido en el pasado, la cólera haría su presencia muy pronto.

—Es una larga historia que estoy impaciente por contaros —le dijo para tranquilizarlo, pero sin conseguirlo.

Miguel seguía sin mirarla. Sus pupilas ya no tenían un brillo peligroso de advertencia, sino una determinación fulminante: el asesinato.

—¿Os forzó? —La espada tomó el mismo rumbo de antes, la garganta del navarro, pero ya no estaba quieta, temblaba ligeramente en la mano de su dueño por la cólera que contenía.

Dulce inspiró profundamente.

Tenía que elegir cuidadosamente las palabras antes de decirlas. Había seducido a un noble navarro con premeditación, convenciéndose de que lo hacía por la vida de un pequeño. Pero ya no tenía sentido seguir engañándose. Se había entregado por propia voluntad, porque sentía algo muy profundo que no podía analizar, porque le daba miedo la respuesta que podría obtener. Además, no podía contarle a su hermano las intenciones de Adoain con el pequeño Juan, porque ello aumentaría la crispación entre ellos. Ni el rapto por parte de Kamîl, porque intensificaría el odio hacia sus amigos del alma. Y entonces recordó lo furiosa que se puso en Fortún cuando Miguel le informó de forma desapasionada del compromiso que había concertado a sus espaldas. Supo de qué hilo tirar para proteger a Adoain y a Kamîl.

—No —le respondió de forma sencilla y culpable—. Me entregué a él como represalia a vuestro empeño de desposarme con don Núñez.

El rostro de Miguel era un hervidero de especulaciones. Analizaba, meditaba y sopesaba alternativas. Las facciones masculinas de Adoain eran indescifrables. Cada palabra que decía la castellana era un insulto a su hombría. Y no estaba dispuesto a tolerar mucho más.

—¿Estáis encinta? —La pregunta tronó en la garganta de Miguel antes de exhalarla por la boca.

Dulce respiraba de forma inquieta. ¿Por qué motivo su hermano se empeñaba en mantener una conversación privada delante del navarro y que solo los atañía a ellos dos? Había preparado un buen discurso, lleno de argumentos factibles que podrían convencer a Miguel. Posibles soluciones, pero quería hacerlo en privado y no en medio del corredor, a gritos y con la presencia de un esposo que le enervaba los sentidos.

Él la miraba de una forma que no presagiaba nada bueno.

Adoain esperaba la respuesta afirmativa de Dulce a todas las preguntas que le formulaba su hermano, pero en la última vacilaba demasiado. Él había pretendido ponérselo más fácil, que no diese tantos rodeos para admitir el matrimonio entre los dos. Por ese motivo lo desconcertaba el miedo que mostraban los ojos de la joven, el nerviosismo de sus manos y el temblor de sus hombros.

Dulce pensó que había llegado la hora de la verdad. Había engañado a Adoain diciéndole que estaba embarazada, pero era mentira.

El navarro se distanció de ella un paso para mirarla de frente. Estaba deseoso de conocer su respuesta.

—No, hermano, no estoy encinta. Ofrecí una mentira piadosa para obtener un resultado justo.

Miguel respiró con profundo alivio; Adoain, con inmensa ira.

—¿Qué decís, señora? —le preguntó el navarro con un timbre de incredulidad y furia controlada.

—No estoy encinta, conde de Bearin —admitió con voz temblorosa pero con la mirada firme—. Tenía que lograr vuestra cooperación, y fue la única argucia que se me ocurrió para lograrlo.

Dulce pensó que todo se había desbocado. Ahora no solo tenía un hermano que la miraba con dolor. Además tenía un esposo que controlaba su furia a duras penas. Sus ojos lanzaban llamas de cólera que dirigía únicamente hacia ella.

¿Si echaba a correr la alcanzarían?, se preguntó con cobardía.

Adoain dio un paso hacia ella, Miguel seguía en la misma posición y Dulce no lo pensó más. Asió el vuelo de su vestido y se dio la vuelta para escapar corriendo, pero al hacerlo tropezó con el pecho de Artáiz. ¿Desde cuándo estaba parado detrás de ella? ¿Por qué motivo ni Miguel ni Adoain la habían alertado de su presencia?

—¡Apartaos! —exclamó Adoain dirigiéndose a Pedro, que había colocado a Dulce tras su espalda para protegerla.

Miguel seguía sin salir de su asombro ante semejante tipo que había salido de la nada para proteger a Dulce, pero sobre todo ante el intento cobarde de su hermana de querer huir. ¿Qué demonios ocurría en Arienza? Julio, el capitán de la guardia, permanecía en pie en el último peldaño de la escalera con la mano alerta en la guarda de su espada. Parecía como si hubiera presentido el problema, pero se quedaba en la retaguardia esperando órdenes.

—Hablaréis con vuestra esposa cuando hayáis controlado vuestra ira —le dijo Pedro a Adoain—. Hablaréis con vuestra hermana —le dijo de igual forma a Miguel— cuando hayáis superado vuestra decepción.

Pedro condujo a Dulce hacia las escaleras y la instó a que bajara sin volver la vista hacia atrás. Ella así lo hizo, porque deseaba escapar de la presencia de aquellos dos hombres que estaban sumamente enojados con ella.

Y

El conde de Bearin y el conde de Arienza llevaban demasiado tiempo en el salón. Ella ignoraba por completo qué se decían y temía que sucediera un resultado pésimo. Miguel no iba a olvidar fácilmente su actuación por haber contraído matrimonio con un completo desconocido y desoído así su decisión de comprometerla con la casa Núñez. El conde de Arienza era un castellano muy orgulloso que no eludía una afrenta aunque proviniese de su propia hermana, y ella iba a hacer un surco en el suelo del vestíbulo esperando que llegaran a un acuerdo satisfactorio.

Artáiz seguía sus pasos igual que Julio. Sentía la presencia de ambos hombres sobre sus talones, exhalando el aliento sobre su nuca, y era una sensación molesta que la agobiaba sobremanera.

—¡Dejad de seguirme! Por favor —exclamó con voz afilada—. Soy perfectamente capaz de cuidar de mí misma.

La tensión que sentía era palpable en sus gestos y en su forma de hablar.

—Cumplo órdenes de vuestro hermano. No desea que os pierda de vista —le respondió Julio.

Dulce comprendía que Miguel había estado demasiado preocupado por ella, por ese motivo desconfiaba de todo y deseaba mantenerla a salvo. Pero ¡no corría peligro en Arienza!

—¿Y vos? —le preguntó de forma airada a Pedro.

Agradecía de forma infinita que hubiese acudido en su ayuda en el interior de la torre, pero estaba convencida de que Adoain no representaba un peligro para ella. Hasta el momento, se había tomado los inconvenientes con ecuanimidad.

—Mi deber es protegeros, mi señora.

—¿De mis hombres? ¿De mi hogar? —le preguntó un tanto hastiada.

—De vuestro esposo.

La respuesta la dejó atónita.

—Adoain nunca me haría daño —presumió con voz que no mostraba certeza, sino incertidumbre.

—Aún tenéis que enfrentaros a las consecuencias de vuestras acciones.

—Mentí para protegerlo —se excusó.

—Lo sabe, pero no lo valorará. El señor de Bearin detesta que lo manipulen, y vos lo habéis hecho en contadas ocasiones. Por ese motivo, debo cuidaros de vos misma y de él.

El grito airado de su hermano le hizo dar un brinco, y supo que no podía posponerlo mucho más. Debía hacer frente de nuevo a sus actos y su engaño, pero el desasosiego crecía en su corazón hasta provocarle una verdadera angustia.

Cuando huyó de la presencia de ambos hombres, no podía llegar a imaginar que su hermano y su esposo se encerrarían en el salón de audiencias para hablar sobre ella sin estar presente.

—Le hice creer que estaba encinta para que aceptara desposarse conmigo —le confesó a Pedro—. Siendo parte de mi familia, mi hermano no le cortaría la cabeza.

—Os engañáis —la rectificó Artáiz—, será la cabeza de vuestro hermano la que ruede por el suelo.

—Adoain no matará a su cuñado. Todo lo que hice fue alentado por esa causa.

—¿Creéis que lo habéis conseguido? —le preguntó Pedro con mirada seria.

—Que Dios me asista porque no lo sé.

La doble puerta se abrió al fin. Miguel seguía sujetando la puerta e inspirando de forma jadeante, señal inequívoca de que había mantenido una fuerte discusión con Adoain y que no habían llegado a ningún acuerdo.

—Entrad —le ordenó con voz marcial—. Os toca decidir a vos.

Capítulo 20

*E*l salón de Arienza siempre le había parecido un bastión de seguridad. Lo recorrió con la mirada y se detuvo en las dos sillas dispuestas muy cerca del hogar con las mantas dobladas sobre ellas. En los días lluviosos y helados, se había sentado junto a su padre frente al fuego y ambos habían tomado una infusión caliente. Dulce recordaba esos momentos con increíble ternura, pero la guerra se había llevado todo lo bueno que había en su vida. Observó los tapices que colgaban de los muros, las gruesas cortinas de terciopelo que, en verano, ataban a una esquina de la ventana para dejar pasar la luz y el calor del sol. Se fijó en la larga mesa de madera cubierta con el paño que su madre había bordado con cariño antes de que unas fiebres se la llevaran. Y siguió observando cada detalle de la habitación para tener sus ojos ocupados, para llenar su mente de recuerdos que le diesen la fuerza necesaria para enfrentarse a los dos hombres que la miraban sin ambages.

Dulce se decidió al fin. Posó la mirada en su hermano, que sostenía un pergamino extendido entre las manos y lo examinaba con detenimiento. Lo reconoció: era el documento en el que había sido registrado su matrimonio con Adoain. Inmediatamente supo lo que su hermano podría estar pensando.

—Es legal, hermano. Nos unió en matrimonio el *cadí* de Batalyaws.

Miguel permaneció en silencio y siguió mirando el documento con ojo crítico y con el ceño fruncido.

—No es válido en Castilla —sentenció después de unos breves instantes.

—Lo es —volvió a afirmar ella.

Adoain miraba el intercambio de palabras entre hermanos.

—Lo quemaré —amenazó—. Porque es un insulto a todo lo que creo. A lo que os han enseñado como cristiana y como hija obediente.

—No haréis tal cosa —respondió su hermana con voz insegura—. Ofrecimos nuestros votos sin coacción delante de un juez musulmán. El matrimonio es válido, y además fue consumado.

Los dientes de Miguel rechinaron al escucharla. Dulce murmuró una oración por la pequeña mentira, porque ella había obligado a Adoain a contraer nupcias.

—El rey Alfonso no lo dará por válido. Sois una noble castellana, necesitáis la aprobación de la corona para desposaros. Y también la mía, aunque os pese.

Dulce inspiró profundamente, cuadró los hombros y se dirigió a su hermano mientras este enrollaba el pergamino y lo ataba con una cinta roja de seda.

—Hay circunstancias en la vida —comenzó Dulce—, mucho más importantes que una aprobación real. El conde de Bearin estaba cautivo en Mudaŷŷan. Hice un trato con Kamîl para obtener su libertad, pero el precio fue una unión matrimonial entre los dos y la liberación de su primo Abdel Ib Farid.

El brillo en las pupilas de Miguel resultó demasiado elocuente. ¿Por qué había exigido Kamîl el matrimonio entre su hermana y un extraño? ¿O no era en realidad tan desconocido?

—¿No os pareció un pago excesivo? La liberación de un cautivo de guerra y vuestro consentimiento para un enlace organizado por él. Kamîl se excedió en sus pretensiones —concluyó. Miguel sirvió una copa de agua que ofreció a su hermana. Dulce la asió con agradecimiento—. Además, ningún lazo de amistad nos une con el condado de Bearin. Kamîl debería haberlo supuesto.

Dulce no sabía qué responder a esas palabras capciosas.

—Tenéis que pronunciaros en vuestra lealtad —dijo de pronto Adoain que no le interesaba la enemistad creada entre el almohade y el hermano de Dulce.

Había un hecho indiscutible, y era el matrimonio entre la castellana y él.

—¿Mi lealtad? —preguntó Dulce sorprendida—. Creí que la había dejado bien definida.

Miguel aprovechó el silencio que siguió a continuación.

—El navarro desea que abandonéis Arienza de inmediato ya que piensa regresar a Bearin en breve. Pero me he permitido la libertad de informarle de que no partiréis con él tal y como supone —le dijo Miguel con tono imperioso—, aunque respetaré vuestra decisión al respecto.

Dulce miró a Adoain atónita; seguía sosteniendo la copa de agua en las manos, y agradeció tenerlas ocupadas porque comenzaban a temblarle muchísimo.

Navarra estaba demasiado lejos y ella no quería abandonar Arienza ni a su pupilo Juan Blasco. Cuando decidió unirse en matrimonio a un extraño, lo hizo convencida de que su unión duraría muy poco. Había logrado que Adoain desistiera en su ansia de venganza sobre Miguel. Había conseguido liberar al primo de Kamîl sin que su hermano lo tomase como una afrenta personal y buscara represalias inmediatas. También había malogrado un compromiso con la casa Núñez. Sin embargo, ahora que era de nuevo libre, quería manejar el rumbo de su propia existencia. Aunque sentía algo muy profundo por él, no quería analizarlo porque la haría flaquear en su decisión.

Marcharse a Navarra no entraba dentro de sus planes...

—¿Estáis satisfecha con el resultado? —preguntó Miguel.

Dulce parpadeó varias veces porque la pregunta de su hermano era muy significativa. Comprendía que había actuado con premeditación para obtener un resultado satisfactorio.

—Y bien, ¿os marcharéis de Arienza como vuestro... vuestro esposo pretende y desea? —dijo Miguel con cierta vacilación expresa para incomodarla.

Adoain contuvo el aliento durante unos instantes que resultaron demasiado largos. Dulce tenía el rostro contraído por las dudas. La mirada vacilante y el tic nervioso de sus manos resultaban demasiado elocuentes.

Su decisión había sido tomada hacía mucho tiempo, ahora se daba cuenta. Se había entregado a él para hacerle desistir de llevarse al pequeño heredero. Le había dicho que estaba encinta para que accediera al matrimonio y así frustrar un acuerdo nupcial preparado por su hermano Miguel. ¿Cómo podía haber sido tan fría y calculadora?

—No, no me marcharé a Navarra. Arienza es mi hogar. —Un instante después de pronunciar las palabras, se arrepintió profundamente, aunque no las retiró.

Sentía por el navarro algo muy profundo que no había sentido nunca, pero estaba en juego toda su vida. Había actuado de buena fe para proteger a tres personas. Dulce creyó que sus acciones estaban justificadas.

Adoain sintió una rabia incontrolable, una ira desconocida por la veleidosa mujer que lo había manejado como un títere.

—Vuestro hermano no comprende que no puede decidir sobre esto —le dijo de pronto Adoain con voz helada. Dulce sintió un escalofrío en el cuerpo—. Ni vos tampoco, pero he sido magnánimo al permitir que os pronunciéis sobre ello. Erróneamente creí que hablaría la razón y no la estupidez por vuestra boca.

Dulce parpadeó al escuchar las agrias palabras.

—¡Navarro! ¿Acaso necesitáis una declaración de voluntad más alta? —le preguntó Miguel con voz tajante—. Porque mi espada está deseosa de ofrecérosla.

Adoain entrecerró los ojos al escuchar el insulto, y al mirar a su cuñado supo que Miguel lo estaba provocando a propósito. Quería un motivo para retarlo, lo veía en el brillo de sus pupilas. El matrimonio entre su hermana y él había vetado la posibilidad de enfrentarse a él, pero no le siguió el juego.

—Soy un hombre impaciente por naturaleza, pero os agradeceré que me permitáis hablar a solas con vuestra... vuestra hermana. —Adoain le devolvió la mofa que había utilizado Miguel anteriormente.

La palabra «hermana» le quemó a Dulce cuando Adoain la pronunció.

—No hay nada que decir, conde de Bearin —intervino ella—. Es mi deseo no continuar con un matrimonio que fue urdido para un fin concreto. —Adoain sintió las palabras de ella como un mazazo en la cabeza—. Lamento profundamente haberos mentido, pero fue por una causa noble —continuó—, y por eso os devuelvo la libertad y la palabra de aceptación.

—¿Me devolvéis la libertad? ¿Qué diantres queréis decir con ello? —El filo de la voz de Adoain cortaba.

Ella supo que no estaba encarando el asunto demasiado bien.

—Nos unió en matrimonio un *cadí* musulmán, y la ley musulmana permite que un hombre repudie a una mujer. —Adoain no cabía en sí del asombro—. Aceptaré vuestro rechazo con humildad.

Miguel observaba la respuesta de su hermana sumamente complacido. Era lo que esperaba de una castellana, pero la reacción de Adoain pilló a ambos hermanos por sorpresa. De pronto y sin previo aviso, la mano del navarro asió la garganta femenina con una advertencia letal. Rodeó con sus dedos largos el contorno del cuello en un claro gesto de amenaza.

—¿Os parezco musulmán… *señora*? —Dulce no le respondió—. ¿Creéis por un momento que podéis jugar con algo que trasciende de lo terrenal a lo espiritual? ¿Que podéis obligarme a contraer unos votos y después actuar como si fuera algo carente de importancia? —Las preguntas de Adoain estaban preñadas de razón—. Porque os aseguro que yo torno mi palabra veraz.

Miguel acudió en ayuda de su hermana pero Adoain mantuvo a la presa bien pegada a su cuerpo fibroso. Podía sentir el miedo en su cuerpo. Le apretó el cuello con la suficiente fuerza como para instar a Miguel a que se quedara quieto, ya que en ese estado de furia un hombre era capaz de hacer cualquier barbarie.

—¡Soltadla! —le ordenó Miguel con voz tajante—. ¡O juro que no llegaréis vivo a mañana!

Adoain seguía mirando los ojos femeninos, que mostraban un temor definido. Las ganas de golpearla eran muy superiores a sus fuerzas, pero logró contenerse. La soltó de forma reticente y con gesto desabrido, como si no soportara tocarla.

A pesar de lo que había afirmado anteriormente, Adoain le dio lo que esperaba.

—Repudiada quedáis, *señora*.

Un silencio abrumador inundó el salón durante unos instantes largos y pesados.

Pero él no esperó una respuesta. Abandonó la estancia con pasos largos, firmes, y una máscara de despecho en el rostro. Cuando salió hacia el vestíbulo, se cruzó de frente con su amigo.

Artáiz lo contempló con ojos entrecerrados. Ahora le tocaba a él tomar una decisión. Lo lamentó profundamente porque su lugar estaba en Arienza al lado de su señora. Alguien tenía que quedarse y poner un poco de orden en el caos que había provocado.

La partida del conde de Bearin sumió a Dulce en una extraña melancolía que la hizo sentir muy culpable. Había separado a dos amigos, aunque esa nunca había sido su intención. Cuando Artáiz anunció su postura de quedarse en Arienza a su lado, la primera sorprendida fue ella. Adoain mantuvo una fuerte discusión con él, que no llevó a ningún lugar salvo a la frustración. Airado y desengañado, reunió sus pertenencias y se marchó mucho antes de que despuntara el sol sobre el horizonte. Regresaba a Navarra, pero antes tenía que hacer un alto en la ciudad de Burgos para mantener una conversación con el arzobispo.

Artáiz se convirtió en una sombra que seguía a Dulce por todos los lugares. Julio hacía lo propio por orden de Miguel Álvarez, ya que este debía marcharse en busca de nuevos aliados entre los nobles castellanos para la guerra que había declarado Alfonso a los almohades. Ella volvía a su rutina de cuidar el condado de Arienza en lugar de su hermano. Miguel le había prohibido, de forma terminante, que regresara a Fortún y había impartido órdenes expresas al capitán de la guardia para que no la dejara salir sin una escolta. Su hermano le había confiado sus temores sobre la posibilidad de que Kamîl tratase de secuestrarla. Dulce no pudo convencerlo de lo contrario, ni supo hacerle ver que estaba equivocado. Pero Miguel desestimó cada argumento que ella esgrimía a favor de sus amigos. Su hermano estaba ciego y sordo a sus súplicas.

Se quedó de nuevo sola y con una sensación de pérdida en el corazón, de vacío en el estómago. Pese a la decisión que

Dulce había tomado, en el fondo de su alma sentía que se había equivocado. Tenía la sensación de que su juicio estaba confuso y la instaba a actuar de forma errónea. Pero continuó hacia delante, aunque incompleta, fragmentada en emociones y sentimientos.

Sin embargo, Dulce ignoraba que cada paso que Artáiz daba había sido perfectamente planeado. Por eso, la decisión del navarro de quedarse en Castilla a su lado había sido motivada por unos intereses que solo él conocía.

Pedro Artáiz esperaba el momento de actuar y, tras la partida del conde de Arienza, hizo los preparativos necesarios y esperó, como espera el zorro el momento de lanzarse sobre la presa y acorralarla.

El navarro nunca había visto a su señor tan implicado emocionalmente con una mujer. Durante días lo había visto beber los vientos por ella. Lo había oído reír y bromear. Adoain aceptó su matrimonio como él esperaba, con dichosa aceptación y, por ese motivo, no podía permitir que algo tan hermoso y fructífero fuese destruido incluso antes de haberse consolidado.

Artáiz no tenía previsto quedarse de forma indefinida en Arienza, pero no había podido contarle sus planes a Adoain porque este los habría desbaratado. Ahora tenía que ser paciente y aguardar a que llegara el momento esperado.

Una mañana la oyó vomitar con estertores. La vio en cuclillas en medio de unos matorrales con el pulso tembloroso y la piel pálida.

—La mentira se ha tornado verdad —le dijo él, que acudió a socorrerla.

Dulce permitió que la ayudara a reincorporarse porque sentía las piernas temblorosas, y el ánimo decaído.

—¿Lo sospechabais? —le preguntó atónita.

Ni ella misma podía imaginar que estaba encinta.

Artáiz le hizo un gesto afirmativo.

—Vuestro lugar está en Bearin. —La voz de Artáiz había sonado tranquila.

Dulce lanzó un suspiro que casi parecía de alivio.

—Lo sé —reconoció vacilante—. Esperaré el regreso de mi hermano para informarle, y entonces marcharemos a Navarra.

Artáiz negó varias veces.

—Pueden pasar varios meses hasta el regreso del conde de Arienza, y la nieve pronto hará su aparición en el norte. No podéis demorar vuestra marcha.

Dulce se encontraba en una encrucijada.

—No volveré a marcharme sin que mi hermano tenga conocimiento de ello.

—Podéis dejarle un mensaje —le explicó de forma práctica.

La castellana miró al capitán navarro decidida.

—Desde mi encuentro con Adoain, todo lo que comencé fue un terrible error. Ahora pretendo hacer las cosas bien, y una de ellas es mantener una conversación con Miguel para explicarle el porqué debo marchar a Navarra. ¡Ni una mentira más!

Pero Artáiz no compartía la opinión de su señora. Era imperioso regresar a Bearin antes de que la nieve dejara los caminos incomunicados.

—Señora, despedíos de Arienza porque auguro que tardaréis en regresar.

Capítulo 21

Bearin, Navarra

Adoain estaba agotado, pero se sentía felizmente resignado. Las semanas de búsqueda habían dado sus frutos. Había sido imposible mantener una audiencia con la reina castellana Leonor, pero el encuentro pactado por ella con el conde de Alagón había sido muy significativo y esclarecedor. Adoain había descubierto cosas de vital importancia. Su padre Enrique no había sido asesinado por ningún castellano como le había informado Sancho, ni la familia Álvarez tenía que ver con su desaparición. El conde de Alagón le había dado una dirección, el monasterio de San Román de Hornija, donde se solía enterrar a extranjeros que no eran reclamados por familiares. El monasterio de San Román de Hornija había sido fundado en el siglo VII por san Fructuoso [18], gracias al mecenazgo del rey visigodo Chindasvinto [19], y pertenecía a la Orden de San Benito [20]. Dentro de sus muros, había encontrado el sepulcro de su padre, y le había rendido los honores que merecía como caballero y conde navarro.

Había decidido devolverlo a Bearin, pero el monje encargado de las sepulturas lo había convencido para que dejara los restos de su padre en tierras de Castilla. Y el alma de Adoain se sintió sumamente aliviada, porque su padre había fallecido por una enfermedad y no por la vileza de un castellano.

---

18. Fructuoso de Braga, monje y obispo godo del siglo VII, venerado como santo.

19. Rey visigodo (642-653 d. C.).

20. Orden religiosa fundada por Benito de Nursia.

Sentía sosiego, consuelo, al conocer lo que había sucedido realmente.

Enrique había contraído la *variŭs*[21] en la ciudad de Simancas cuando se dirigía camino a Toledo siguiendo la orden del rey de Navarra. Sin embargo, Enrique nunca llegó a Fortún, y por ese motivo nadie había podido enviar aviso sobre su muerte. Su padre llegó solo a Castilla, y solo murió, pero Adoain pretendía indagar sobre la persona que le había dado a Sancho la falacia sobre el conde de Arienza, Miguel Álvarez. Él había estado dispuesto a matar a un hombre inocente por una información falsa, y estaba decidido a encontrar a la persona que estaba interesada en perjudicar a un hombre limpio de la sangre de su padre.

Adoain suspiró profundamente cansado. La travesía había resultado extenuante, pero al fin estaba en casa. A lo lejos divisaba su hogar, Bearin, que se alzaba orgulloso sobre el horizonte. Aunque no era un castillo tan espectacular como las fortalezas castellanas de Toledo, era su baluarte y donde quería pasar el resto de sus días.

Azuzó la montura para aligerar el trote. El segundo caballo lo seguía con docilidad. Los monjes le habían hecho entrega del semental de su padre y de todas sus pertenencias para que las retornara al hogar. Adoain se había colocado el sello familiar en el dedo meñique.

Estaba preparado para regresar a casa.

Bearin seguía igual que meses atrás. Antes de que su montura tocase la gruesa madera que cruzaba el foso, el portalón de entrada al castillo fue abierto por varios de sus hombres, pero algo extraño ocurría. Sus rostros mostraban desconfianza, enfado, y él ignoraba el motivo. En el patio de armas se congregaron algunos barones.

—Nos alegramos de vuestro regreso, conde. —La bienvenida la había ofrecido Ginés, el segundo al mando en ausencia de Pedro, su capitán y mejor amigo, que se había quedado en Castilla.

Adoain miró hacia la torre, preocupado por la ausencia de

21. Viruela.

su madre y de su hermana. Normalmente solían salir al patio para recibirlo.

—¿Marcha todo bien? —Pero la posible respuesta quedó sometida por el silencio que ocurrió a continuación. Por la puerta de la torre salía Pedro. Llevaba ambos brazos vendados hasta el codo, como si hubiera sufrido quemaduras.

—Bienvenido, Adoain. —Las palabras tenían un cierto tono de alegría.

—Os hacía en Arienza —fue su lacónico comentario.

—Estuve allí hasta resolver una cuestión.

Las palabras de Artáiz resultaban incomprensibles para él, pero sentía una necesidad imperiosa de preguntarle por Dulce, aunque se contuvo. Había decidido hacer borrón de esos días caóticos y actuar como si nunca hubieran existido.

—¿Mi madre se encuentra bien? —La pregunta no obtuvo respuesta.

Adoain dejó las riendas a un mozo de cuadra, mientras descargaba del lomo del caballo las pertenencias de su padre.

—Dadme un momento para hablar con ella, después reunid a los hombres. Traigo informes que debo explicar en primer lugar. —Las palabras iban dirigidas a Ginés, que le hizo un gesto afirmativo. Adoain traía cartas para el rey Sancho, una de Gonzalo Díaz, otra del arzobispo de Toledo.

Artáiz siguió los pasos de Adoain hacia la torre y le ayudó con los diferentes enseres que portaba, pero al llegar al gran salón estaba vacío. Adoain se extrañó todavía más.

—¿Mi madre? —le preguntó a Pedro.

—Se encuentra de visita en el señorío de Ancín para tratar sobre los próximos esponsales entre Jaime Arista y vuestra hermana.

Adoain conocía muy bien a Jaime Arista, el hijo primogénito de Santiago Arista. Su padre, Enrique, había comenzado las negociaciones para un posible compromiso entre Jaime y Clara.

—Santiago desea que el matrimonio se realice en primavera —terminó de informarle Artáiz.

Adoain dejó algunos artículos sobre el tablón de madera y clavó sus ojos en su hombre de confianza. Si el señorío de Ancín deseaba un enlace con los Estella, ello quería decir que los Ramiro se habían movilizado. Pero él tenía que resolver unos asuntos en Pamplona antes de comenzar una lucha con Luis Ramiro.

—Vuestra madre regresará en unos días —le dijo Pedro.

—¿Quién la acompaña? —preguntó con el ceño fruncido.

Era inusual que su madre se moviese de Bearin para gestionar asuntos que le incumbían únicamente a él como conde.

—Claudio y Vidal —respondió Pedro.

Adoain respiró con alivio.

—¿Y mi hermana, Clara?

—Encerrada en sus dependencias. Se niega a desposarse con Jaime Arista y, cuando supo de vuestra llegada, cerró la puerta con llave por dentro.

Los labios de Adoain se ampliaron con una sonrisa. A él le tocaría limar asperezas con su hermana, pero el compromiso había sido ordenado por su padre, Enrique, antes de emprender viaje al reino de Castilla.

—Tengo que deciros algo importante, Adoain —continuó Pedro.

El tono de voz del capitán había sonado algo inseguro, detalle que hizo a Adoain mirarlo con detenimiento. Sin embargo, Pedro no pudo decir nada más debido a la entrada al salón de varios hombres, además de Luis y Ginés. Adoain se fijó en los antebrazos de los hombres, que estaban vendados hasta el codo de igual forma que los de Pedro, y se preguntó qué diantres había ocurrido.

¿Un incendio en Bearin?

A continuación, comenzó en la sala una exposición de problemas, preguntas y cuestiones que se llevó el resto del día. Cuando los hombres se retiraron, hacía mucho rato que había pasado el momento de la cena. Clara seguía sin salir de sus aposentos, y Adoain se encontraba terriblemente cansado del largo viaje. Necesitaba una cama y dormir hasta la noche del día siguiente, pero antes necesitaba un baño, y se dispuso a tomarlo de inmediato.

El grito de su hermana Clara retumbó dentro de su cabeza. Adoain se alzó raudo del lecho y, espada en mano, se preparó para atacar a un posible enemigo. Parpadeó varias veces, pero la alcoba estaba desierta salvo por él. Los gritos provenían del patio de armas. Se pasó varias veces las manos por los ojos, para despejar el sueño que todavía sentía. Había dormido poco durante el viaje de regreso a casa. Se vistió de forma rápida y se dispuso a bajar; tenía que saber qué diantres ocurría.

Cuando llegó a la gran sala, Clara estaba dándole unos puntos de sutura a un soldado, al mismo tiempo que le recriminaba su actitud. Ninguno de los dos se percató de que él estaba parado en el umbral escuchando la reprobación de la joven. Artáiz entró momentos después con el rostro lívido de cólera, pero se dio cuenta de que Adoain estaba en el otro extremo de la estancia aunque sin entrar del todo en la sala. Clara seguía reprendiendo al soldado con voz dura.

—Todo esto es culpa vuestra —le dijo mirando a Pedro.

Como Clara estaba de espaldas a su hermano, no se había dado cuenta de su presencia.

—Debería daros vergüenza.

Artáiz le hizo un gesto para que se contuviera, pero ella no hizo el menor caso.

—No son soldados sino niños traviesos. Y hay que parar esto de una maldita vez. Ella no tiene la culpa de lo que le sucede.

Pedro seguía en silencio sin apartar los ojos de Adoain, que había comenzado a entrar en la sala en completo silencio. Su hermana seguía curando al hombre que mantenía los ojos bajos, completamente azorado.

—Cuando mi hermano lo descubra ¿qué creéis que hará al respecto? —Pero Artáiz no pudo responder a Clara porque una voz femenina gritaba e insultaba a varios navarros que se encontraban en el patio.

El color desapareció del rostro de Adoain.

Su estómago sufrió un vuelco, y el corazón comenzó a palpitarle en las sienes. Dirigió sus pasos hacia el exterior, de forma lenta, como si le costara un verdadero esfuerzo caminar hasta allí. Artáiz se hizo a un lado cuando pasó junto a él y mantuvo la puerta abierta para que la cruzara. Cuando los ojos de Adoain se acostumbraron a la claridad, contempló a una figura femenina que sostenía una espada en alto y amenazaba a dos de sus hombres. Otros miraban la escena divertidos.

¡Era Dulce de Arienza! Adoain cerró los ojos y rectificó, Dulce de Bearin. ¡Dios bendito! ¿Qué hacía en Navarra?

Uno de los navarros sostenía un cuchillo de grandes dimensiones en la mano derecha y, con el filo pegado a la muñeca izquierda, amenazaba con hacerse un corte. La sonrisa de su rostro mostraba una clara determinación. Dulce levantó la pesada espada sobre su cabeza y dio un golpe, pero el navarro había hecho un amago y se apartó a tiempo. La espada terminó por estrellarse en la dura piedra. Saltaron chispas cuando el afilado acero golpeó el suelo, pero ella volvió a alzarla sobre su cabeza aunque temblaba como una hoja.

—¡Piojos de albañal! ¡Ratas de cloaca! Yo os cortaré vuestro putrefacto vientre. Os arrancaré vuestro negro corazón y se lo daré a los perros. ¿Queréis sangre? ¡Yo os daré sangre! —Dulce descargó otro golpe de espada que nuevamente no alcanzó a nadie.

—¿Qué diablos ocurre aquí? —La voz de Adoain reverberó en el patio con inusitada fuerza.

Dulce dio un respingo y se dio la vuelta con la espada en la mano. Varios de los soldados bajaron sus rostros avergonzados, como si los hubieran pillado en una travesura.

—¿Qué significa esta patraña? —Nadie supo a quién iba dirigida la pregunta.

—Tratan de curar su mal, conde. —La respuesta provenía de Artáiz, que había salido con Clara al patio para escuchar la reyerta.

Adoain no podía apartar los ojos del rostro de la joven, que se veía acalorado, agitado y con un brillo de precaución en sus pupilas negras. Estaba muy hermosa, con esa hermosura capaz de destruir a los hombres, derrocar imperios y mover las montañas más firmes. Y estaba en su hogar. ¿Por qué?

—Eso es una estupidez —replicó Clara con voz molesta—. Dulce no tiene ningún mal que haya que curar con la visión de la sangre.

Adoain no podía moverse. Escuchaba el parloteo de su hermana y el de sus hombres, que justificaban sus acciones.

Sin embargo, él seguía inmerso en unos ojos castaños que habían significado noches de desvelo, días interminables de arrepentimiento y furia. Y estaba de pie, frente a él. ¿Cuál era el motivo?

—Confío en que ahora controléis esa tendencia a lesionaros voluntariamente —le dijo Clara a uno de los barones con voz firme.

Artáiz dio un paso hacia Dulce, que permanecía sin bajar la espada ni abandonar la guardia. La joven seguía mirando a los guerreros con suma desconfianza y a su marido, con mal disimulado arrepentimiento.

Adoain entrecerró los ojos de zafiro hasta reducirlos a una línea de desprecio. Apretó sus labios en una mueca de indiferencia que rayaba el desaire. Sentía en el vientre espasmos de ultraje y su orgullo vilipendiado. Por eso, deseaba que la visión de su mujer no se le hubiera clavado en la retina con esa fuerza devastadora. Porque la necesidad y la repulsa convergieron en una lucha donde no habría vencedor.

Adoain cruzó el patio hacia las cuadras. Pasó a escasa distancia de Dulce, pero ni la miró ni se paró junto a ella. Aun así, todos los que observaban podían apreciar la tensión física que existía entre ambos y los sentimientos extremos que trataban de ocultar.

Un momento después, salió montado en uno de los sementales a todo galope y se perdió en el horizonte sin volver la vista atrás ni un instante.

Capítulo 22

—¿*P*or qué no lo detuvisteis? —La pregunta de Clara hizo inspirar fuertemente a Dulce.

¿Acaso ella tenía la culpa?, se preguntó de forma anárquica.

—Ignoraba que hubiese llegado a Bearin —respondió—. Como recordaréis, me paso la mayor parte del día desmayada por culpa de vuestros hombres.

La recriminación era merecida.

Clara miró a su cuñada con la frente fruncida. La reacción de su hermano había sido ilógica aunque esperada. Y ahora ignoraban adónde habría ido o con quién, pero llevaba demasiado tiempo ausente. Artáiz seguía sentado en el gran salón con mirada indescifrable.

—Era vuestro deber darle aviso —le recriminó Clara al capitán con voz firme.

—Ayer resultó imposible mencionarlo. Los barones no esperaron para abordarlo. Había demasiados asuntos que atender, y pensé que, en la mañana de hoy, sería más factible. Pero olvidé vuestra tendencia a gritar cuando algo os desagrada.

Clara miró a Artáiz con censura en los ojos.

—Estoy cansada de coser heridas. De contemplar acciones de hombres llevadas hasta el ridículo —respondió con voz afilada.

—Los hombres actúan de buena fe.

—¿De buena fe? —preguntó Dulce con incredulidad—. Me parece mezquino y ruin que permitáis tales despropósitos.

Artáiz aceptó la crítica con entereza, pero no calló sus labios y le replicó:

—Una señora navarra no puede mostrar una debilidad como la vuestra y que, de esa manera, la puedan poner en entredicho.

Dulce bajó los ojos al regazo completamente soliviantada. Ella no tenía la culpa de desmayarse cada vez que veía sangre. Y Artáiz se había aprovechado precisamente de esa flaqueza que lograba avergonzarla hasta un punto inconcebible para traerla a Bearin sin que ella pusiera objeción alguna.

La entrada de Adoain en la sala silenció la protesta que pugnaba por salir de su garganta. Seguía sin mirarla, sin dirigirle la palabra. Estaba de pie con el rostro inusualmente blanco, Dulce no tenía modo de saber si la falta de color era provocada por la ira o por el cansancio.

Adoain miró directamente a Artáiz, al mismo tiempo que apretaba los puños a sus costados.

—Llevadla a Tudela, desde allí podrá regresar a Toledo. He contratado a unos hombres para que la acompañen hasta el condado de Arienza. —Artáiz iba a lanzar una protesta pero Adoain no se lo permitió—. Mi postura es inamovible.

Clara masculló al escuchar la sentencia de su hermano. La orden había sido contundente y carente de objetividad.

Dulce no podía tolerar el insulto descarado de Adoain al ignorarla. Se mordió los labios para sofocar un gemido y cuadró los hombros con soberbia.

—¿Creéis que estoy aquí por propia voluntad? —Adoain ahora sí la miró, pero sus ojos apuñalaban con la mirada.

El filo de sus pupilas producía un daño mucho mayor que el acero toledano.

—Estáis repudiada, ¿lo habéis olvidado? —Dulce se mordió los labios hasta hacerse sangre. Él no tenía ni idea de cómo era su vida, ni de todo a lo que se había enfrentado desde su llegada a Bearin.

—Difícilmente puedo olvidar algo así, pero preguntadle al señor Artáiz el motivo por el que me encuentro en vuestro hogar.

Dulce se levantó de forma ceremoniosa y, haciendo un gesto con la cabeza, se despidió de Clara y del capitán.

—¿Adónde se supone que vais? —La pregunta de Adoain

quemaba como el fuego, pero ella ya estaba acostumbrada al dolor.

Dulce alzó la barbilla y se enfrentó a él.

—A los aposentos que se han destinado para mí en vuestro hogar. Pero tenéis mi palabra de que estaré lista para partir en el momento que lo estiméis necesario. Y ahora, si me disculpáis, buenas noches, conde de Bearin.

Clara miró a su cuñada completamente maravillada. Aunque lo intentara, aunque practicara cien veces al día, ella jamás podría adoptar esa actitud de reina que sabe lo que quiere y cómo obtenerlo. Se movía con una gracia inusual y con infinita elegancia. Era, sin lugar a dudas, una mujer a la que admiraba muchísimo.

Semanas atrás, cuando Artáiz hizo su entrada en el castillo con una mujer a lomos del caballo que montaba, ninguno pudo saber que traía consigo a la esposa de su hermano. Y Lucía, orgullosa como ella misma, había aceptado a la joven castellana con demasiada celeridad. Se sentía realmente feliz de la nueva hija que le había dado Adoain. Cuando la muchacha despertó de su desvanecimiento, todos ignoraban qué era lo que los provocaba. Había buscado el cuello de Artáiz con una espada, pero el navarro la había reducido con inusitada facilidad y, ante la impotencia que le producía no poder causarle una herida grave, lo había maldecido, perjurando durante días, hasta que comprendió que ya no había retorno posible a Arienza.

Artáiz había probado las aristas ásperas de su carácter castellano, hasta que Lucía intervino y controló su voluntad y talante con una facilidad que lo dejó asombrado.

—La esposa de mi señor debe estar aquí.

Adoain apretó los dientes por las palabras del capitán.

—No la quiero en Bearin —dijo con tono decisivo—. Ella no desea estar aquí.

Clara pensaba intervenir, pero la mirada de Artáiz la detuvo.

—Decidí traerla contra su voluntad, es cierto —confesó él, pero sin arrepentimientos en la voz—, aunque existe un motivo válido para ello.

Adoain parpadeó atónito, pero ¿lo sorprendía? Ella había

dejado muy claras cuáles eran sus prioridades. En ellas no entraba él, y esa certeza era la que más lo ofendía. Estaba en Navarra por la fuerza. ¡Un insulto más hacia su persona!

—Os enfrentaréis a Miguel Álvarez de igual forma, esté ella aquí o de regreso.

Clara seguía la conversación del capitán con suma atención. Era muy poco dado a explicaciones, y sentía una enorme curiosidad por la que estaba ofreciendo en ese preciso momento.

—Os quedasteis en Arienza por voluntad propia. Desobedecisteis mis órdenes al respecto, y ahora tendría que castigaros por vuestra rebelión.

—Aceptaré el castigo que corresponda a mi indisciplina, pero mi señora no se marchará. Sigo órdenes de vuestra madre Lucía. La condesa de Bearin tiene que revelaros algo de suma importancia que cambiará vuestra perspectiva por completo. Fue lo que me decidió a traerla a vuestro lado pese a su negativa. —Pero Adoain no escuchaba.

—¿Cómo que no se marchará? Eso está por ver.

Fueron las últimas palabras que pronunció. Abandonó la estancia con paso ligero y con tensión en todo el cuerpo. Su llegada de tierras de Castilla había sumido al condado en una inquietud generalizada.

El frío hacía su presencia en cada rincón del castillo. Dulce sentía el helor y la humedad calarle muy dentro, tan profundamente que le producía una inmovilidad preocupante. Los días se sucedían monótonos y faltos de actividad. Apenas salía de sus aposentos porque hacerlo equivalía a tropezarse con algún integrante del castillo que se creía en la obligación de tratar de curar su mal.

Adoain se entregaba a entrenamientos físicos hasta caer extenuado. Atendía los asuntos del condado durante la mayor parte del día. Visitaba a los aldeanos y los campesinos, y supervisaba el trabajo del campo. Cuidaba y adiestraba a los halcones y los perros, que mantenían alejados a las alimañas de los rebaños. Dulce no lo veía durante el desayuno, tampoco en los almuerzos o la cena. Ignoraba dónde se alimentaba o dónde dormía. Y la tensión se dejaba notar en los rostros de forma muy efectiva.

Algo muy grave pasaba con el conde de Bearin, y todos sabían que era por culpa de la castellana de Arienza.

Pero todo comenzó a cambiar una noche.

Dulce se había cansado de la indiferencia de Adoain y de su mutismo, y por ese motivo había decidido coger las riendas de las dificultades en sus manos para tratar de controlarlas. Se acabaron los intentos de lesión de los habitantes del castillo en su nombre, se terminaron las miradas de lástima y de desdén que le ofrecían como si fuera un cachorro abandonado.

Caminó descalza por el corredor de Bearin, y no le importó el frío de las piedras, ni el fresco húmedo de las paredes desnudas. Tenía que hacer algo, o se volvería loca.

Su bata azul de terciopelo arrastraba un palmo por el suelo, pero ella parecía no percatarse. Siguió la estela de luz de las velas que mantenía iluminado el largo y ancho pasillo. Cruzó frente a la puerta de la alcoba de Clara, la de su suegra y llegó hasta el extremo del corredor con el corazón agitado y la garganta cerrada.

Abrió la manilla con sumo cuidado, tratando de no despertar a la persona que dormía en su interior, pero tropezó con el ruedo de su batín y tuvo que tragarse un gemido lastimero. Su mano seguía sosteniendo la espada, firme a su costado, y, cuando entró en la alcoba, se dio cuenta de que estaba completamente a oscuras. Apenas veía nada, era incapaz de determinar dónde estaba la ventana o el hogar con las ascuas casi apagadas para orientarse, pero ese detalle no la amedrentó.

Tenía que conseguir cooperación por parte de Adoain, y no se marcharía hasta lograrlo.

Entrecerró los ojos para escudriñar la estancia. Gracias a los lienzos blancos, pudo caminar sin dificultades hasta el lecho, pero cuando llegó estaba vacío. La cobertura que servía de abrigo en la cama estaba revuelta a los pies. Dulce suspiró resignada porque esperaba encontrarlo, obligarlo a echarla de su hogar antes de que Miguel tomara represalias al respecto. Iba a darse la vuelta cuando unos brazos la sujetaron y una mano cubrió su boca para ahogar el grito que ya salía por ella. Sintió la respiración masculina en su oído, los latidos del corazón de Adoain en su espalda y el deseo de venganza en la fuerza de sus brazos. Pero Dulce se equivocaba en todas sus apreciaciones. La respiración era vehemencia; los latidos, deseo, y los brazos, tierra erial que florecía con su contacto.

Hizo un movimiento para darse la vuelta y la espada arañó el suelo con el canto afilado, produciendo un sonido peculiar y desagradable. Dulce pudo sentir la risa que emergía de la profundidad de la garganta de Adoain, pero se apagó antes de salir por su boca. Sus brazos la aprisionaron más fuerte.

—¿Buscáis mi corazón, señora?

No buscaba su corazón sino su alma compasiva, se dijo Dulce en un arranque. Pero se mentía a sí misma porque buscaba su contacto cálido, su fuerza protectora, su amor profundo y completo. Aunque sus actos impulsivos del pasado los habían cercenado para siempre.

—Esperaba convenceros sobre un asunto, señor —le respondió ella—, y el filo de una espada suele ser una buena persuasión.

La mano de Adoain bajó de la boca de la mujer al cuello, donde la dejó descansando en un contacto tan suave que Dulce no supo distinguir si era una caricia o una advertencia.

Cuando la revelación se abrió paso en sus ojos, semanas atrás en Arienza, se sintió mareada, perdida. Dulce se había sentido atraída por Adoain desde el primer momento. Había llegado a amarlo con una intensidad abrumadora. Pero en ese preciso momento, cuando el rencor y el despecho los unían en un lazo tan apretado que apenas les permitía un respiro, descubría que nunca lograría que la amara como se ama al niño concebido, como se espera el milagro ansiado, como se anhela la esperanza fértil.

Adoain percibió los cambios que se sucedían en el cuerpo femenino que él abrazaba. La tensión ante lo desconocido, la relajación por lo aceptado. Dulce era un cúmulo de sentimientos que se abrían a él y, aunque estaba cansado de la lucha que sostenía en su interior, no podía permitir una estocada más. Su orgullo se interponía de forma que no había vuelta atrás.

—Necesito que me ayudéis —logró balbucir con un hilo de voz.

Los brazos desnudos de Adoain seguían sujetándola con fuerza.

—Me despojasteis de ese honor, ¿lo habéis olvidado?

—Os lo entrego de nuevo —dijo la voz de Dulce con un quiebro—. Hasta que me marche.

Las agujas de la afrenta volvieron a clavarse en el corazón del hombre con puntería certera. Había estado a punto de olvidar que ella no estaba junto a él por voluntad propia.

—Buscad un valedor menos exigente y más incauto que os preste la ayuda que solicitáis, y no, no abandonaréis Bearin.

Dulce respiró de forma profunda.

—¿Me permitís darme la vuelta? Vuestro aliento en la nuca logra ponerme sumamente nerviosa. Y necesito veros.

Los labios de Adoain se curvaron en una sonrisa que ella no vio.

Acarició el cuello femenino hasta llegar al punto donde latía el pulso, la constancia de la vida. Siguió bajando por el hombro hasta rozar el seno agitado, en un contacto que la derretía. La sujetó por la cintura y la volvió hacia él con infinita suavidad, pero sin permitir un mínimo de separación entre los cuerpos. Y, de repente, con el movimiento, el acero de la espada tocó el muslo de Adoain y fue la chispa que necesitó para despertar de la ensoñación que la castellana le provocaba. Durante un instante vivo, anhelante, había estado a punto de besarla, pero la cordura lo zarandeó por completo.

Logró separarse de ella manteniendo el orgullo intacto porque, si la hubiese besado, estaría perdido.

—Regresad a vuestra alcoba. Mañana hablaremos, si acaso logro reunir la suficiente paciencia para tolerar vuestra presencia durante un momento.

La voz de Adoain sonó fría como el mármol de las sepulturas, oscura como el pecado premeditado. Pero se lo merecía.

—Por favor —comenzó ella—. Pedid a vuestros hombres que no se lastimen a mi paso. Hacedlo, y no tendréis que tolerar mi presencia un instante más; os lo prometo.

Adoain no contestó a su solicitud, y ella decidió batirse en retirada. Todo había quedado dicho entre ambos.

Capítulo 23

*L*ucía había regresado al hogar con excelentes noticias.

Adoain la esperó en el gran salón acompañado de un gran vaso de cerveza amarga. Pronto tendría que partir hacia Pamplona para mantener una audiencia con el rey Sancho, pero no había podido hacerlo porque el rey se encontraba ausente. Clara había ido a la aldea para curar a algunos niños que habían enfermado de repente. Artáiz, sentado a su lado, compartía el mismo silencio de siempre. Y Dulce no salía de sus dependencias desde la noche en que fue a buscar a Adoain para que la ayudara con sus hombres.

En Bearin había una calma preocupante. Como la quietud que precede a la tormenta.

Lucía entró en el salón desde el patio de armas. Adoain se levantó del asiento cuando su madre se acercó a él.

—Esperaba ver a Dulce en el salón. —Él alzó una de las cejas con escepticismo.

Su madre no lo veía desde hacía meses y, sin embargo, su preocupación venía acompañada de un nombre que le hizo apretar la mandíbula con fuerza.

—Las últimas noticias que tuve de ella eran que estaba en sus aposentos —le respondió con acritud.

—¿Se encuentra bien? —En esta ocasión la pregunta iba dirigida a Artáiz, que le hizo un gesto afirmativo con la cabeza—. No es bueno que se altere, necesita descansar.

—Dulce Estella se encuentra perfectamente —añadió el capitán con prontitud.

Al escuchar su nombre ligado al de Dulce, Adoain apretó los puños a sus costados tratando de contener el mal genio.

Todos actuaban con naturalidad, como si no hubiese ocurrido nada.

—La repudié, madre. No debería estar aquí sino en su hogar.

Los ojos castaños de Lucía lo taladraron con firmeza.

—El señorío de Ancín ha accedido a los esponsales con Clara después de la primavera, aunque no he podido retrasarlo el tiempo que pretendía —respondió Lucía como si no hubiera escuchado la confesión de su hijo.

Adoain silbó por lo bajo. Su madre había estado bastante ocupada en su ausencia. La abrupta entrada de Ginés le hizo desviar la atención sobre su madre.

—El rey Sancho viene de camino. Ha atendido la solicitud de vuestra madre de mantener una reunión con Juana Ramiro y vos aquí, en Bearin —dijo de pronto.

Artáiz miró atentamente a Lucía por su logro. Mover al rey Sancho del castillo del cerro de Santa Bárbara resultaba poco menos que imposible.

Adoain miró el rostro de su madre con atención. Él no quería resolver la cuestión con el señorío de Ramiro delante de sus hombres ni en su hogar. Había pretendido hacerlo en la corte de Pamplona.

—En vista de los éxitos obtenidos, creo que me dedicaré a sembrar los campos con los aldeanos, y os dejaré a vos el cuidado de Bearin —replicó Adoain con aspereza.

Lucía clavó las pupilas negras en su hijo, pero ella no podía quedarse quieta ante la amenaza que se cernía sobre la familia por la actuación de una mujer despreciable.

—Una acusación de tal magnitud no debe tomarse a la ligera.

—No lo hice, madre, pero no deseo convertir mi proclama de inocencia en un circo. Vos deberíais conocer los motivos.

—Que el rey haya accedido a venir a Bearin es una clara muestra de su apoyo a vuestra causa. —Adoain se mantuvo en silencio. Lucía se volvió al resto de los hombres que había en la sala—. Dejadnos solos —les pidió con amabilidad.

La estancia se quedó vacía salvo por Artáiz, a quien Lucía le había indicado que se quedara.

—Ginés, dad aviso para que busquen a mi nuera, necesito hablar con ella.

Ginés le hizo un gesto afirmativo a su señora, y marchó con celeridad a cumplir la orden.

—Señor Artáiz, que la guardia esté preparada para recibir al rey.

Adoain masculló ostensiblemente. ¡Él era el conde, maldita fuera! Su madre actuaba como si él siguiera en Castilla. Artáiz ya había salido a impartir órdenes a los soldados. Después buscaría a los barones.

—Mantener aquí a la castellana nos llevará a la guerra. Su hermano es el campeador del rey Alfonso de Castilla —le dijo Adoain a su madre con los dientes apretados de furia.

La sonrisa de Lucía desató las alarmas dentro de la cabeza de Adoain. Intuyó que ella sabía algo que él ignoraba, pero no acertaba a imaginar qué.

—Os informo de que padre está enterrado en el monasterio de San Román de Hornija. —Lucía lanzó un suspiro de forma sonora. Conocía el monasterio—. He podido traer parte de sus pertenencias, también su caballo. Los monjes fueron sumamente amables.

Lucía bajó los párpados durante un momento, como si meditara algo importante.

—El caballo de vuestro padre será un buen regalo para vuestro primogénito —le respondió Lucía con ojos brillantes de emoción.

Su amado esposo estaba enterrado en tierra consagrada, y tan cerca de su hogar que el alivio aligeró su corazón cansado. El viaje de su hijo a Castilla había sido muy fructífero.

—Falleció a causa de una enfermedad: la *variǔs* —continuó Adoain—, camino de Toledo. Por ese motivo no pudieron informarnos.

La muerte por enfermedad resultaba menos dañina que la producida por un asesinato. Con la primera podía uno encomendarse a Dios, con la segunda maldecir y entregarse al diablo.

—Resulta un alivio saber que descansa en paz en mi tierra —le respondió Lucía.

—También sentí un enorme alivio al saber que no murió a manos castellanas como me hicieron creer. Estuve dispuesto a matar a un hombre inocente por una información falsa, pero debo llegar al corazón de la trampa que fue tejida de forma tan hábil.

Lucía tomó asiento muy cerca de su hijo y le tomó la mano con afecto. Adoain le permitió el contacto porque se encontraban a solas, lejos de miradas indiscretas.

—Habéis hecho una excelente elección. —Adoain supo que se refería a Dulce.

Pero él estaba en completo desacuerdo.

—No conocéis los hechos que me llevaron a desposarme con ella —le respondió con voz seca, casi hiriente—, ni los motivos que me hicieron repudiarla después.

—No podéis repudiarla —aseveró Lucía sin dejar de sonreír, detalle que logró crisparlo.

—Nos unió en matrimonio un *cadí* musulmán —le informó Adoain con voz medida tratando de controlar el enojo que sentía.

Los ojos de Lucía brillaban expectantes.

—Lo sé. Artáiz me lo contó todo. No dejó ni un detalle por más escabroso que pudiera parecerme. Por ese motivo os puedo decir que, para poder repudiar a una esposa como dictan sus leyes religiosas, debéis practicar su fe, no la nuestra.

Adoain no había pensado en ello, pero ahora que lo meditaba, su madre tenía razón. Él había dado los votos como cristiano, Dulce también. Estaban unidos ante el Dios de ambos, y ese descubrimiento lo encolerizó todavía más.

—¡No la quiero en Bearin! —exclamó violento, y se le antojó que Lucía no le prestaba la debida atención. Adoain se molestó por su actitud—. No deseo iniciar una guerra con el conde de Arienza, ni dormir con un áspid en mi lecho.

Lucía suspiró profundamente porque la voz de su hijo sonaba demasiado agraviada.

—Constanza Méndez era amiga mía. —Adoain entrecerró los ojos sin comprender qué trataba de decirle su madre—. Días antes de trasladarme a Burgos para los torneos donde conocí a vuestro padre, amadriné a un niño, al hijo de Constanza: Miguel Álvarez, conde de Arienza. —Adoain se quedó mudo ante la noticia, y se preguntó si era simplemente casualidad o el destino que volvía a interponerse con fiera determinación en su camino—. Mi ahijado Miguel no declarará la guerra a su madrina, ni a Bearin —afirmó de forma contundente—. Confiad en vuestra madre en este asunto.

La mente de Adoain sufrió una revelación. Por ese motivo su madre había aceptado tan plácidamente sus esponsales con una castellana. Sentía que ese enlace era una señal del cielo y se mostraba feliz en demasía.

—Pero ello no disminuye mi deseo de que retorne a Castilla —continuó él con voz excesivamente dura.

Lucía apretó la mano de su hijo como si tratara de consolarlo.

—Vuestra esposa no puede regresar ya a Castilla por... —Lucía no terminó la frase porque Dulce acababa de hacer su entrada en el salón acompañada de una doncella.

Tenía los párpados hinchados. Oscuras bolsas bajo los ojos, señal inequívoca de que había estado llorando la mayor parte del día. Pero ni su rostro serio ni su andar derrotado arrancaron un ramalazo de compasión en Adoain, que evadía su mirada a propósito. La evitaba porque, si no lo hacía, volvería a metérsele en el corazón y la herida que le causaría después sería mucho más dolorosa. Él no estaba dispuesto a permitirlo.

Lucía se levantó de su asiento y caminó directamente hacia ella. La abrazó con afecto y le depositó dos besos en las mejillas. Adoain seguía los gestos de su madre con desagrado.

—Estáis muy pálida —le dijo Lucía preocupada.

—Estoy cansada de que me provoquen los desmayos —se quejó ella con voz atormentada—, pero a fe mía que no puedo evitarlo.

Lucía le mostró a su nuera una sonrisa llena de empatía.

—He hablado con don Juan de Tarazona, el anterior obispo de Pamplona, y le he expuesto vuestro caso. Como amigo de la familia Estella, amablemente me ha informado de que tomará cartas en el asunto y de que hablará con monseñor Arbizu sobre ello. No tenéis nada que temer.

«¿Por qué hablaba Dulce de desmayos provocados? ¿Qué temía?», se preguntó Adoain más interesado de lo que quería admitir.

—¿Qué sucede para que hayáis tenido que hablar con Juan de Tarazona? —le preguntó Adoain a su madre con un timbre severo en la voz.

Adoain pensó que en su ausencia habían ocurrido demasiadas cosas, y nadie estaba presto a revelárselas.

Lucía miró a su hijo, que tenía en el semblante una expresión de urgencia.

—Monseñor Arbizu visitó Bearin en vuestra ausencia. —Pero Lucía ya no le explicó nada más—. Señor Artáiz, creí que os encargaríais del asunto tras mi marcha.

Artáiz le hizo un gesto negativo a la condesa viuda.

—Los hombres son difíciles de convencer, mi señora. Desean ayudar a la castellana elegida por su señor, y creen que doña Dulce terminará por acostumbrarse.

«¿Mis hombres provocaban los desmayos de Dulce? ¿Y cómo diablos lo conseguían?», se preguntó él.

—Vuestro señor hablará con ellos y zanjará el asunto de inmediato.

Adoain estaba perdido. Ignoraba qué asunto tenía que zanjar con sus hombres.

—Monseñor Arbizu se mostró demasiado suspicaz —dijo Artáiz—. Hizo preguntas con doble intención y con el único propósito de meter ponzoña. Conocéis lo fanático que es y lo que detesta a los castellanos. Resulta lógico que los hombres traten de protegerla.

Adoain se hacía infinidad de preguntas, pero mantenía la boca cerrada para tratar de comprender la conversación que mantenía Artáiz con su madre. Y, de pronto, un recuerdo cruzó su mente y le provocó un espasmo en el vientre. Evocó, con perfecta claridad, el desvanecimiento de ella tras recibir la herida en el pecho provocada por el almohade, cuando la hizo suya por primera vez. También el desmayo cuando él le devolvió la afrenta a Kamîl en Mudaÿÿan. Y la noche que cayó vencida encima de la bañera cuando lo lesionó mientras lo afeitaba. Los brazos vendados de los soldados cobraban un significado especial para él. Dulce le había pedido ayuda para controlar a sus hombres y evitar que se hirieran en su presencia.

Ella se desmayaba al ver la sangre.

¡Había estado completamente ciego! ¡Soberbio en su despecho!

Volvió su rostro hacia Dulce y la contempló con mirada

compasiva. Estaba realmente pálida y más delgada. Y sintió unos deseos irreprimibles de golpear a sus hombres con los puños hasta causarles una herida grave, y no el simple rasguño que se provocaban a sí mismos.

—Tomad un poco de cerveza —le dijo de pronto—, devolverá el color a vuestras mejillas.

Dulce miró a Adoain con extrañeza, porque su tono había sonado ausente de despecho, algo completamente nuevo para ella.

—¡Me siento feliz! —exclamó Lucía, pero su alegría duró poco.

La entrada impetuosa de Clara y su gesto adusto borraron la sonrisa de sus labios. Traía un cesto de cáñamo con hierbas curativas, el ruedo de su vestido manchado de barro y el cabello completamente alborotado.

—Veo que mi cuñada se encuentra tan desanimada como yo. ¡Bienvenida, madre!

Las palabras de Clara cortaban cuando clavó sus ojos azules en Lucía.

—Se agradece el saludo sincero y emotivo —la reprendió Lucía con tono seco.

Clara reculó en su postura belicosa, pero no en el filo de su lengua.

—Disculpad mi tono desabrido, madre, pero deseo retrasar lo máximo posible el anuncio de mi condena a muerte, ya que imagino que se realizará de forma inmediata.

—Moderad el tono cuando os dirijáis a madre —le aconsejó Adoain con una clara advertencia que su hermana no desoyó—. No toleraré una insolencia más.

Artáiz había tomado asiento un poco alejado del grupo familiar, pero la acción no pasó desapercibida para Dulce, que decidió acompañarlo. Se encontraba terriblemente cansada, pero sin ganas de dormir. Tenía apetito, pero no le apetecía comer. Y la apatía que la embargaba minaba las pocas fuerzas que tenía. Si cerraba los ojos igual lograba tranquilizarse un rato.

Clara inició una discusión con su madre y Adoain que dejó de seguir Dulce un momento después. Debía de ser terrible que la obligaran a casarse con alguien a quien detestaba, aunque ¿acaso ella no habría seguido la misma suerte de no haber aparecido en su vida Adoain Estella? Pero él la despreciaba, y ella maldecía los actos que la habían separado de él. Aun así, se sentía afortunada porque se había enamorado de un hombre terco, pero único, un navarro muy atractivo, aunque con el corazón tan duro como las piedras.

Artáiz se dio cuenta en el mismo momento que Dulce caía hacia delante vencida por el sueño. Logró sujetarla a tiempo y evitar que su cabeza diera contra la madera de la mesa. La reclinó sobre su costado y apoyó la cabeza de la joven sobre su brazo. Pero antes de acomodarla del todo, Adoain la cogió en brazos con suma delicadeza y se la llevó del salón hacia la alcoba. Lucía y Clara miraban atónitas la partida de Adoain con su esposa en brazos. Se hacían un montón de cábalas, pero la sonrisa taimada de Artáiz les resultó contagiosa.

Al fin el halcón había decidido lanzarse al vuelo y proteger a su presa.

Capítulo 24

La mañana llegó demasiado rápido.

Dulce se despertó más cansada de lo normal y con el ánimo abatido. Le escocían los ojos, parecía como si le hubieran echado un puñado de arena sobre ellos. Los frotó con los puños cerrados en un intento de alejar la soñolencia y calmar el ardor que sentía. La cortina de terciopelo estaba cogida con una cinta hacia un lado, y los rayos del sol entraban de forma tímida en la alcoba, que seguía sumida en el silencio. El hogar estaba encendido, las llamas jugaban entre ellas creando sombras y figuras extrañas que atraparon su atención por completo. Asió la suave colcha con las manos y la subió hasta su barbilla; se estaba increíblemente bien dentro de la ropa de cama, caliente y arropada... Volvió a cerrar los párpados, convenciéndose a sí misma de que abandonaría el lecho en unos momentos. Pero ansiaba alargar todo lo posible la paz que la invadía. Rodó hacia la parte derecha del lecho y un aroma conocido impregnó sus fosas nasales hasta casi provocarle una sacudida.

¡Era el olor de Adoain! Abrió los ojos de golpe.

El lado de la cama estaba vacío, pero el hueco frío en el almohadón de plumas evidenciaba que había dormido con ella. Se alzó hasta quedar sentada en el lecho para mirar con curiosidad a su alrededor, y entonces comprobó que estaba en la alcoba de su esposo y no en la suya. La bata masculina, de rico terciopelo y bordada con el emblema de Bearin, estaba tirada de forma descuidada sobre el arcón depositado a los pies del lecho. Sobre el anaquel del rincón había varios libros, más unos guantes de cetrería y una copa con gemas. Sobre la cátedra estaba su manto navarro perfectamente plegado.

Dulce retiró el cobertor de su cuerpo y se calzó las finas zapatillas tratando de buscar la bata porque solamente tenía puesta la camisa de hilo, que le llegaba hasta la mitad de los muslos, pero no vio su vestido por la estancia.

Ignoraba en qué momento la habían desvestido. Lo último que recordaba del día anterior era el cansancio que sentía, y la discusión que mantenían Lucía y su hija sobre los futuros esponsales de la joven con Jaime Arista.

Como sentía frío, Dulce optó por ponerse el batín de Adoain, pero la tela le arrastraba bastante por el suelo. Era el hombre más alto que había conocido y, a decir verdad, los navarros eran hombres muy fuertes y de elevada estatura.

Dulce se dirigió hacia el ropero y abrió una de las hojas para buscar algo de ropa, pero no había nada de sus pertenencias. Inspiró profundamente y se alisó el cabello enredado porque no tenía ni un cepillo para adecentarse antes de salir al pasillo. No había dado ni dos pasos hacia la puerta cuando esta se abrió para dar paso a Adoain. Tras él venía una doncella con un gran lienzo en las manos y un criado que portaba una cubeta con agua templada. Llenó una jofaina con ella y depositó un trozo de jabón en una de las esquinas. La doncella dejó el lienzo a los pies del lecho revuelto. Los criados salieron tan rápidos y silenciosos como habían entrado.

—Buenos días —le dijo Adoain con mirada cálida.

Dulce apretó en torno a su cuerpo el terciopelo de la bata.

—Que lo sean también para vos —le correspondió con mirada precavida—. Ha sido una sorpresa despertarme en vuestra alcoba —le dijo de forma directa, sin medias tintas.

Y a él le gustaba esa cualidad franca en ella. Los castellanos nunca daban un rodeo para decir lo que pensaban.

—Os quedasteis dormida sobre el capitán Artáiz —le informó.

Dulce lo miró extrañada porque no se acordaba de ese incidente. Solo del cansancio que sentía.

—Entonces le ofreceré mis disculpas cuando sea menester —respondió con sencillez.

Adoain caminó lentamente hacia ella. Dulce retrocedió hacia atrás expectante.

—¿Tenéis miedo?

Si seguía mirándola así, tan apasionadamente, iba a derretirse como el azúcar al fuego, pensó Dulce de forma alocada.

—¿Debería tenerlo? —le preguntó de forma cauta y apretándose la bata todavía más en torno al cuerpo.

—No tengo intención de lesionarme para provocaros un desvanecimiento, podéis estar tranquila con respecto a ese asunto.

El iris de Adoain brillaba de forma enigmática.

—No lo hacen de mala fe —le respondió de forma humilde. Ella defendía a sus hombres, y ese detalle le gustó mucho—, pero mi dolencia viene desde la niñez.

Dulce se refería a los navarros que trataban por todos los medios de curarle la dolencia que creían que tenía.

Comenzaba a respirar con dificultad porque Adoain no estaba enfadado ni colérico. La miraba sin ira en las pupilas y sin usar un tono despectivo. ¿Qué había cambiado en él?

—Venid —le ordenó. Dulce negó varias veces con la cabeza—. Debemos mantener una conversación muy importante —le explicó él.

—Ya estamos conversando —le replicó a una distancia que consideró prudente.

—Es hora de firmar una tregua por el bien de mi madre y de vuestro hermano.

Un solo parpadeo separó las palabras de Adoain de las de Dulce.

—Acepto vuestra rendición —le dijo.

Adoain soltó una risa porque seguía manteniendo las distancias pero de una forma encantadora. Los ojos de la mujer lo miraban de forma serena, sin rencores. Y él se dio cuenta de que sentía por ella la misma emoción que en Fortún.

El descubrimiento lo dejó anonadado. Resultaba inútil negarlo. Estaba enamorado por primera vez de una mujer que no le correspondía en afecto. Que lo había utilizado y que estaba en su hogar contra su voluntad. Una mujer que se había casado con él para salvar la vida de su hermano y deshacer un compromiso impuesto.

—Nuestra rendición mutua —le aclaró él, pero Dulce le hizo un gesto con la cabeza.

—Nunca os declaré la guerra.

—Acercaos, por favor —pidió Adoain en voz baja.

Dulce sentía el corazón desbocado, el estómago encogido y la piel ardiendo. No estaba preocupada. Lo miraba con atención para percibir algún cambio de humor, pero los ojos masculinos mostraban una serenidad que lograba calmar sus temores más escondidos. El magnetismo de Adoain era abrumador. Sentía que la atraía irremediablemente hacia él, y se preguntó qué había sucedido para ese cambio de actitud. Entendía que estuviera enojado con ella por haberlo manipulado y mentido, pero le resultaba imposible valorar que en el día de ayer deseara su marcha y, en la mañana de hoy, pactar una tregua.

—¿Me desnudasteis vos? —le preguntó ella con un hilo de voz. Adoain negó con la cabeza dos veces.

—Hice llamar a vuestra doncella personal.

Dulce iba a darle las gracias, pero las palabras quedaron adheridas a la garganta femenina por la entrada en la alcoba de Lucía. No había llamado a la puerta, y ese detalle le hizo fruncir el ceño a Adoain, que no deseaba ser interrumpido.

Había llegado el momento de aclarar su postura con respecto al matrimonio entre ambos, definir el futuro que se abría ante ellos, pero sin la presencia de su madre.

—El rey Sancho está llegando a Bearin. Lo acompaña Luis Ramiro y su hija, Juana, así como varios miembros de su familia. Debéis reunir a los barones y preparar al ejército. Artáiz ya está reuniendo a los hombres en el patio.

Adoain clavó sus ojos en Dulce.

—Vestíos, más tarde continuaremos esta conversación —le dijo.

La figura varonil desapareció por el corredor con paso enérgico.

—Debéis vestiros como una señora navarra.

—¿Cómo una navarra? —le preguntó Dulce a su suegra con tono confuso.

—Debéis afianzar vuestra posición como condesa de Bearin. El rey Sancho va a ser implacable con mi hijo por sus esponsales.

Su hermano, Miguel, también tenía que rendir cuentas al rey castellano, Alfonso, por los esponsales de ella.

—Ignoro cómo hacerlo —le dijo con humildad.

—Os ayudaré. Acompañadme.

Lucía se dirigió hacia las dependencias de su nuera, pero, antes de abandonar la habitación de su hijo, cogió su manto, que estaba perfectamente doblado.

La alcoba de Dulce estaba fría. Un joven criado reavivaba en ese preciso momento las ascuas apagadas, mientras otro se encargaba de llenar una bañera con agua perfumada. Lucía se dirigió al arcón que contenía parte del vestuario de Dulce. Pedro solo había podido coger de Arienza unos vestidos para el camino, pocos, porque el regreso a Bearin era largo y difícil.

—Este servirá. —Lucía se volvió hacia ella—. Os ayudaré con el baño.

—Pero no será necesario —protestó Dulce de forma enérgica.

Le parecía inaudito que su suegra se ofreciera para ayudarla como si fuera una doncella. Dulce estaba realmente azorada. Lucía la trataba con demasiada generosidad y empatía. Un trato que en modo alguno se había ganado.

—No deseo que os desmayéis dentro del agua, podría ser muy peligroso —le respondió con una sonrisa traviesa en el rostro que la hizo sonrojarse hasta la raíz del cabello. Lucía les hizo un gesto a los criados para que se marcharan.

Salieron en completo silencio y se llevaron las cubetas de agua vacías.

—Solo me sucede cuando contemplo la sangre —le respondió azorada.

«Simplemente la he mencionado y ya me siento indispuesta», se recriminó a sí misma.

—Se os pasará con el tiempo —aseveró Lucía, que ya caminaba hacia el lecho para dejar sobre él el hermoso vestido de terciopelo rojo que había elegido—. A vuestra madre le ocurría lo mismo. Veía la sangre y se descomponía.

Dulce atesoraba cada recuerdo que la madre de Adoain desgranaba sobre Constanza. Resultaba irónico que hubiese encontrado en Navarra a una amiga tan querida de su madre y de la que estaba aprendiendo tantas cosas.

—¿Mi madre también se desmayaba?

¿Por qué motivo su padre o su hermano no lo habían mencionado nunca?, se preguntó contrariada.

—Ocurría ocasionalmente, pero recuerdo que, en uno de los torneos que ambas observábamos, concretamente el juego de espada, uno de los caballeros hirió al otro y, de repente, Constanza quedó tirada a mis pies. Vuestro padre dejó de luchar para socorrerla, y recibió a cambio una herida grave en el costado aunque no intencionada. Añoro con afecto ese día, porque fue el comienzo de un amor que perduró en el tiempo y en la adversidad. Vuestro padre amó con locura a Constanza y ella le correspondió.

Dulce se iba despojando de la camisa de hilo mientras escuchaba a Lucía. Ahora creía firmemente que la divinidad había puesto a la madre de Adoain en su camino. Era un milagro que, estando tan lejos de Arienza, no se sintiera sola y desamparada. Había encontrado en su cuñada y en su suegra a unas verdaderas amigas que la ayudaban de forma bondadosa.

Lucía tenía los ojos clavados en el vientre de su nuera, que ya iba adquiriendo un volumen redondeado y firme.

—¿Se lo habéis comunicado? —Dulce sintió de pronto una timidez que le hizo bajar los ojos y meterse de golpe en el agua tibia de la bañera.

Hizo un gesto negativo con la cabeza, pero sin abrir los labios, que mantenía cerrados.

—Tenéis que hacerlo —la animó Lucía.

¿Cómo podría decirle a Adoain que iba a ser padre cuando ella misma lo había negado de forma rotunda anteriormente? Dulce se hizo la pregunta pero no obtuvo respuesta.

—No me creerá —le dijo con un candor que resultaba tierno—. Tiene poderosos motivos para no hacerlo. Le he mentido demasiadas veces, y una de ellas fue sobre un embarazo falso que se ha tornado veraz.

—¿Habéis yacido con mi hijo más de una vez?

Las mejillas de Dulce se tornaron de color carmesí, como las hojas de las amapolas castellanas. Recordó las dos semanas previas a la llegada de Miguel a Arienza. Adoain la había amado en esos días, mañana, tarde y noche, pero no podía confesarlo a su suegra porque el pudor que sentía era demasiado grande.

Tras unos momentos largos, le hizo un gesto afirmativo a Lucía.

—Mi niña, eso es algo que no podréis ocultar por mucho tiempo. La vida se abre camino a pesar de nuestra reticencia.

Dulce lo sabía, pero no por ello resultaba más fácil de admitir. Lo había manipulado para que se casara con ella informándole de que estaba encinta sin estarlo. Le había dicho igualmente que no lo estaba para dejarlo libre, y poco después descubría que su mentira se volvía muy real y devastadora. ¿Podría otra mujer en una misma circunstancia obtener un resultado diferente?, se preguntó atormentada.

—Descubrí que estaba encinta poco después de su marcha. Irónico, ¿verdad? Lo acicateé demasiado para alejarlo, y no era consciente de que el destino iba a decidir por mí.

Dulce calló un momento para tomar aire.

—Y la vida me puso donde merecía estar, hundida en un lodazal hasta el cuello y sin poder hacer nada para salir a la superficie —reconoció con un hilo de voz.

—Mi hijo se alegrará al saber que le haréis padre —le dijo Lucía. Pero ella lo dudaba seriamente, aunque no contradijo a su suegra; todo lo contrario, trató de complacerla con su respuesta.

—Esperaré el momento propicio para revelárselo, aunque admito que temo su reacción —aceptó aunque no convencida del todo—. El conde de Bearin tiene un carácter difícil.

Lucía no podía estar más de acuerdo con ella.

Adoain era un magnífico guerrero navarro. Se había ganado la fama de valiente y temerario a pulso; las aristas de su personalidad producían roces que hacían sangrar. Nunca había sentido un interés especial por mujer alguna, circunstancia que la había preocupado enormemente. Las utilizaba cuando la necesidad se imponía, y las dejaba con suma facilidad. Era un hecho el que detestara las manipulaciones femeninas.

—No podéis esperar mucho, querida, o lo descubrirá por sí mismo y, entonces, se enfurecerá terriblemente porque creerá que lo habéis ocultado para castigarlo.

«¿Enfurecerse todavía más? Algo así iba a ser imposible», se dijo Dulce.

Lucía la ayudó a aclararse la larga melena castaña y le

pasó el lienzo para que secara su cuerpo. Dulce seguía completamente ensimismada en sus pensamientos, pero a Lucía no le hacía falta elucubrar para saber qué senderos se abrían ante su nuera y su vacilación al escoger el más indicado.

Ella confiaba en el poder del amor para resolver y limar los malentendidos. Los pasos en falso provocados por la juventud y la inmadurez serían fáciles de rectificar.

Dulce era la mejor y única elección en la vida de su hijo ahora le tocaba a ella, a Lucía Estella, hacérselo comprender a Miguel Álvarez, e incluso a Alfonso de Castilla.

Capítulo 25

Sancho, con su imponente y regia presencia, lograba llenar el salón por completo. El castillo de Bearin había mejorado mucho gracias a los cuidados de Lucía Blasco, la castellana casada con Enrique. Veía en el austero mobiliario, en los muros sólidos y la pulcra limpieza, la influencia del buen gusto y el saber rodearse de cosas útiles para que la vida resultara más cómoda y confortable.

Adoain miraba en silencio la figura del monarca navarro y su gesto adusto al escudriñar cada rincón de su hogar. Pero un movimiento femenino le hizo desviar su atención del rey hacia la mujer que estaba sentada en el otro extremo, con el rostro contraído por la furia. Juana Ramiro le lanzaba miradas contenciosas a su padre, que se mantenía en completo silencio observando a los hombres de Adoain, que se mostraban expectantes y alertas. Una palabra o un gesto inesperado podrían desencadenar una lucha entre ambas familias, y era lo último que deseaba.

Estaba allí por un único motivo, que deseaba solucionar cuanto antes.

Adoain examinó con atención la robusta figura de Juana y no pudo esconder un ademán de desagrado. No era una mujer fea, pero estaba muy lejos de ser la extraordinaria belleza que se creía. Lo más notable de su físico era su cabellera pelirroja, aunque las pecas de su rostro la empañaban. Era alta y de curvas pronunciadas, pero cualquier otro atractivo se veía opacado por su carácter libidinoso y supino. Era manipuladora, falsa y malvada, y él no estaba dispuesto a hacer ninguna concesión en su beneficio.

Artáiz y Ginés se habían colocado en posiciones estraté-
gicas, dominando con sus figuras la ventana, la puerta y el
acceso a las escaleras. El resto de los guardias seguía en el patio controlando a los hombres que componían el séquito del
rey y los del señorío de Ramiro.

—Me parece inaudito, por no decir exasperante, que cada
vez que envío a uno de mis condes a Castilla regrese desposado con una castellana. —El comentario de Sancho provocó
alguna sonrisa en Artáiz, pero no en Adoain, que seguía con
el semblante serio.

Indudablemente Sancho se refería a Enrique Estella, su
padre, cuando se desposó con la castellana, Lucía Blasco, en
un viaje que hizo a Castilla para participar en uno de los torneos que celebraba el rey castellano para la feria anual.

—Posiblemente, el oro que los castellanos quitan a los infieles es un reclamo que no pueden rechazar los pecadores
ambiciosos, señor. —La respuesta de Juana resultó inapropiada, e hizo que el rey alzara una ceja.

—¡Mantened la boca cerrada! —le ordenó Ramiro a su
hija con tono preocupado.

La insensata no se había dado cuenta de que sus palabras
habían sido un insulto descarado a Adoain, pero él no dijo
nada al respecto y continuó en completo silencio.

Artáiz cruzó los brazos sobre el pecho y se dirigió hacia
Juana con mirada elocuentemente amenazadora.

Adoain había resuelto con Sancho la cuestión sobre Juan
Blasco. Le había hecho entrega de las dos cartas que le habían sido confiadas, y esperó el tiempo oportuno hasta que el
rey las hubo leído. Pensó que iba a estallar en cólera, pero se
sorprendió por su reacción calmada. Se tomó la aclaración, la
advertencia y la amenaza de Gonzalo Díaz de la única forma
que podía, con previsión. La reina Leonor también había sido
contundente al informarle sobre la posible guerra que le de-
clararía a Castilla si seguía con la intención de recuperar al
infante Blasco. Le dio a entender que el rey Alfonso se alza-
ría en defensa del conde de Fortún. Además le confirmó que
la información que había recibido sobre el asesino de su padre era errónea, e indagó sobre la persona que le había facilitado el nombre. Aun así, el monarca le aseguró que haría

indagaciones al respecto, y buscaría el motivo real que escondía la falsa acusación.

Adoain suspiró aliviado.

A Sancho le había causado una honda impresión descubrir que el padre del niño estaba dispuesto a esperar hasta la muerte del conde para mantener una conversación con él, y decidió que podía esperar un poco más de tiempo antes de reclamar al heredero en la corte de Burgos. Pero su presencia en Bearin era motivada por otros asuntos que nada tenían que ver con el encargo que le hizo al conde meses atrás, sino con una furibunda mujer que lo acusaba y buscaba la reparación de su nombre. Sin embargo, Adoain Estella ya no podía desposarla porque lo había hecho con una completa desconocida, y le había creado, con su desobediencia, un problema de gran envergadura.

La aparición de Lucía Blasco y de Dulce Álvarez logró que en la sala aumentara el silencio y la incómoda sensación de incredulidad.

Dulce se detuvo en la puerta que cruzaba el vestíbulo interior con el gran salón y Ginés se hizo a un lado para permitirle la entrada. Cuando Adoain la contempló vestida con su manto, el estómago le dio un vuelco por las emociones tan profundas que le provocó. Adoain supo que su madre había obrado el milagro de lograr que una castellana vestida de seda no desentonara en un salón lleno de guerreros. Dulce llevaba parte del cabello suelto, salvo dos finas trenzas que habían sido prendidas en la nuca con una cinta del mismo tono verde de su manto.

Estaba tan hermosa que le quitaba la respiración.

Lucía le dio un pequeño empujoncito en la espalda para que comenzara a caminar hacia su esposo. Dulce se volvió para sonreír a su suegra mientras le hacía un gesto afirmativo con la cabeza y, al hacerlo, su cuerpo quedó de perfil de modo que el redondeado vientre fue visible y manifiesto para todos los que la observaban con atención.

Adoain cerró los ojos ante la sensación aplastante que sintió dentro del pecho, y supo cuál había sido la intención de su madre al colocarla de perfil: que su embarazo fuese visible a todos en el gran salón, incluso para él, que lo ignoraba.

¿Por qué motivo no se lo había mencionado? ¿Para castigarlo? Se hacía las preguntas de forma anárquica, pero controló el ardor del enfado apretando los puños a sus costados y endureciendo el mentón como respuesta.

Dulce dio el primer paso hacia él, que mantenía la respiración serena con un verdadero esfuerzo. De frente su embarazo no era notable y un dolor agudo, como nunca había sentido, borró el sentimiento de felicidad que nacía ante el descubrimiento de su próxima paternidad. Adoain desvió los ojos de su esposa a los de su amigo Artáiz. El navarro le hacía un gesto apenas imperceptible para que la tomara de la mano y afianzara su posición en el condado de Bearin delante del rey. Lucía mantenía en el rostro una vacilación preocupante porque su hijo estaba actuando como un necio. Si no hacía algo de inmediato, lo iba a estropear todo y entonces Sancho no quedaría convencido de la posición que ocupaba la castellana. ¿Acaso no se daba cuenta de que el rey se sentía furioso con él por su desobediencia? Un conde navarro no podía casarse sin la aprobación real. Pero Lucía suspiró, la alianza que había establecido Bearin con Arienza mediante los esponsales con la señora Álvarez hacían a Adoain prácticamente intocable. Y ese era el motivo para que Lucía hubiese acogido en sus brazos a la castellana. ¡La hermana de su ahijado! ¿Podía una madre pedir más?

Su hijo no podía imaginar la suerte que le había deparado el destino.

Dulce veía en el rostro atractivo de su esposo una mirada como no había visto nunca. El brillo de sus ojos producía escozor pues mostraba una clara decepción y una resignación atormentada, y creyó que le desagradaba incluso verla.

Apenas faltaban un par de pasos para quedar junto a él, pero no tuvo el valor para darse la vuelta y desaparecer. Tenía los ojos de los navarros clavados en ella.

Adoain reaccionó al fin. Extendió su mano derecha y le mostró una sonrisa que solo alcanzaba sus labios, porque sus ojos eran dos pozos negros. Dulce asió la mano de su esposo a pesar de la duda que la corroía. Cuando quedó a su lado, Adoain besó sus nudillos con infinita ternura, algo que la desorientó por completo.

—Permitidme que os presente a nuestro rey. —Y, a continuación, Adoain hizo las presentaciones oportunas con regia solemnidad.

Sancho observó a la castellana como si fuera un águila que otea en el horizonte una presa. La mujer era hermosa, tan frágil como un gorrión, y pudo comprender perfectamente qué había visto el halcón en ella. Y una revelación se abrió paso en su mente como el estallido de un relámpago en un cielo cubierto de nubes. Él mejor que nadie sabía que Castilla era un reino poderoso y lleno de hombres leales dispuestos a morir por su rey. Si lograba establecer más matrimonios de navarros con castellanas, tendría al rey Alfonso de aliado. La idea no era en absoluto descabellada, y siguió abonándola en su mente como si fuese una planta fértil. Sancho posó sus ojos de forma breve en su guerrero más leal, el duque Noain Suarbe. Después miró al conde Rodrigo Lerin, y supo que tenía en ellos valiosas monedas para seguir estableciendo alianzas con señoríos de Castilla. Con el matrimonio de Adoain Estella podía contar en un futuro con el apoyo del condado de Arienza y quizá también con el de Fortún.

Adoain, sin saberlo, le había dado poderosas armas.

—Es un placer, señora. —Sancho besó la mano de Dulce con suma cortesía.

La voz del rey le pareció a ella complaciente.

—Mis felicitaciones por vuestro estado de buena esperanza. Imagino la felicidad que debe de sentir vuestro esposo por tan dichoso acontecimiento.

Adoain seguía en silencio contemplando la sonrisa tímida que Dulce le dirigía al monarca navarro.

—Confío en que se me informe de la visita de vuestro hermano, don Miguel Álvarez, cuando decida visitaros en vuestro nuevo hogar —le dijo Sancho de forma atenta—. El conde de Arienza será bien recibido en la corte de Pamplona. Presumo que se lo confiaréis prontamente.

Dulce se preguntó cómo conocía el rey de Navarra tanto sobre ella y su familia.

—Exijo una reparación a esta afrenta.

Varios rostros masculinos se dirigieron hacia la mujer que tenía la tez acalorada.

—Ese es precisamente el motivo que nos retiene aquí —dijo de pronto Sancho mirando a Adoain—. Hay una cuestión que habéis olvidado en tierras de Castilla.

—El conde de Bearin no tendría que haber contraído matrimonio con una castellana cuando debía reparar una ofensa perpetrada contra mi familia. —Las palabras de Ramiro hicieron que Adoain se volviera hacia él.

—Nunca he tenido la intención de ofreceros la reparación que reclamáis. —Su voz cortaba como los cuchillos recién afilados.

La exclamación ahogada de Juana fue muy expresiva. Adoain se dirigió con mirada fiera hacia su padre Ramiro.

—Vuestra hija mintió descaradamente al declarar que había intentado forzarla para mantener relaciones físicas. —Juana trató de cortar las palabras de Adoain pero no lo consiguió porque su padre le hizo un gesto para que se contuviera—. Y provocó un duelo que concluyó con la muerte de un muchacho inocente. No existe reparación alguna por mi parte que deba ofrecerle.

Ramiro entrecerró los ojos negros ante la explicación sencilla y contundente del conde de Bearin.

—Es vuestra palabra contra la de mi hija, conde —le espetó el navarro de forma tirante, como si la situación en la que se encontraba le desagradara muchísimo y no tuviera más remedio que enfrentarla—. Aceptaréis que vuestra postura conviene muy poco al diálogo esclarecedor que pretendemos.

—Soy una doncella navarra que casi pierde la honra por vuestra culpa. —Las palabras sisearon en la boca de Juana como el silbido de una serpiente—. Y reclamo una reparación.

—Mi palabra debería ser suficiente... —comenzó de nuevo Adoain—, así como todos los latigazos que soporté por vuestras mentiras —le espetó con dureza—. Sin mencionar el ostracismo del que me hicisteis objeto con vuestra mentira.

Adoain inspiró aire para continuar, pero fue interrumpido por Dulce, que seguía el diálogo con sumo interés. En un solo vistazo había comprendido el juego de la mujer pelirroja. Había tenido la intención de comprometer a Adoain en su beneficio. No ignoraba, porque se lo había explicado su

suegra, que, si un navarro ofrecía una reparación, la mantendría hasta la muerte. Así de honorables eran.

—La reparación mediante el matrimonio es del todo imposible porque el conde de Bearin ya está casado, entonces
¿qué reclamáis en compensación?

Adoain clavó sus pupilas en ella, pero Dulce no lo miraba
a él sino a la mujer que tenía un rictus de crueldad en el rostro. Era la primera vez que Adoain la oía hablar de forma tan
contundente.

—Reclamamos un compromiso con la casa de Bearin, o
en su defecto, un pago de cinco mil maravedíes de plata —espetó Ramiro con rostro enrojecido.

Él había pretendido mantener la conversación en privado, y no delante de todo el maldito condado, ni de la esposa
del conde que estaba llevando la situación bastante bien a
pesar de ser forastera.

Lucía lanzó una exclamación que fue perfectamente audible. Cinco mil maravedíes era un pago exorbitante. El condado de Bearin no podría reunir esa suma ni en dos años.

Adoain no daba crédito. ¡Ni loco pensaba pagar! Él no
había hecho nada; era la maldita palabra de una mujer contra la suya, y no iba a capitular, ni aunque lo ahorcasen por
rebeldía.

—Que así sea —sentenció Dulce con ojos entrecerrados.

La avaricia de los Ramiro era abusiva, pero ella deseaba
ayudar a Adoain y para hacerlo podría vender un terreno
con un molino que había heredado de su madre. Debería ser
suficiente para pagar la deuda.

—¡Majestad! —La exclamación de Lucía desvió la atención de Sancho hacia ella—. Es injusto el reclamo de la cuan-
tía de la deuda, ¡mi hijo es inocente! O, en su defecto, su palabra contra la suya. ¿Por qué le otorgáis más valor a la
palabra de una mujer que no ha podido aportar ninguna
prueba en su favor?

El rey Sancho estaba asombrado de la avaricia de la mujer, pero no deseaba el enfrentamiento entre dos señores navarros.

Juana había sido una de las damas de honor de su esposa
repudiada, y con la llegada de Adoain a Pamplona para pagar

los impuestos se había desatado el caos. Cuando Juana Ramiro llegó hasta él para reclamar una ofensa, supo que no era todo lo inocente que aparentaba, pero con la acusación le había dado el motivo para persuadir a Estella de marchar a Castilla para proteger sus intereses. Él le había dado credibilidad porque le interesaba y, ahora, llegados a ese punto, no podía retractarse de su palabra aunque buscó una forma de compensar el daño. Aun así, tenía que actuar con inmensa cautela.

—La mujer —Lucía se negaba a pronunciar el nombre de la navarra— acusa a mi hijo de intentar forzarla. Y alega que tal hecho deleznable fue evitado por el joven Arielz, a quien mi hijo tuvo que herir de gravedad en respuesta a su ataque cuando trató de defenderse de la acusación vil ante vos. Sin embargo, estos hechos son demostrables, majestad. Además —continuó Lucía—, nuestra familia ha pagado al señorío Arielz mil maravedíes como compensación. Los Arielz entienden que el muchacho actuó impulsado por la mentira de una mujer y no reclaman deuda de sangre. Entonces, ¿por qué motivo lo hace ella? Carece de lógica, mi señor.

—¡Madre! —bramó Adoain para que Lucía se contuviera.

Ella actuaba como una dama de alta alcurnia creyendo que podía mirar de frente al rey de Navarra. Pero entre hombres de honor se resolvían los asuntos de forma muy diferente.

—Muestro con palabras los pensamientos de la gran mayoría —siguió ella.

—¡Suficiente! —exclamó Adoain.

Sancho ignoraba que la familia de Adoain se había puesto en contacto con la familia del joven fallecido para pagar la deuda contraída. Y si el señorío de Arielz no reclamaba sangre…

—¿Sois virgen? —La pregunta directa del rey Sancho a Juana hizo que Ramiro diera un paso al frente.

Dulce, al escuchar al monarca, pensó que esa posibilidad podía cambiarlo todo.

—Lo soy, majestad —le respondió Juana sin emitir un parpadeo—. Gracias a la intervención del joven Arielz, que evitó mi deshonra a manos del conde de Bearin.

Sancho escudriñó el rostro femenino con atención.

—¡Desconocía vuestras maquinaciones hasta aquella misma noche! —exclamó Adoain cada vez más furibundo.

Cuando llegó a Pamplona con el dinero de los impuestos para el pago anual, no podía ni imaginarse lo que le esperaba en la corte. La acusación tan grave perpetrada por una mujer ambiciosa, que aspiraba a ser la señora de Bearin. Sin embargo, Adoain no podía comprender qué la movía, porque había condados más importantes y ricos que el suyo. ¿Qué diablos pretendía de Bearin?

Todos en el salón ignoraban que Juana Ramiro había jurado desposarse con el hijo de Enrique Estella y, ante el desaire constante de Adoain a sus insinuaciones, había optado por urdir una mentira que lo involucrase para tratar de acorralarlo y obligarlo a desposarla. Pero Juana no había contado con los ardides del rey Sancho, ni la terquedad del navarro, que había soportado meses en cautividad y una cantidad ingente de latigazos sin ceder en su negativa. Su determinación no había menguado ni un ápice. La muerte de su joven pretendiente no había sido premeditada, pero ella lo consideraba un daño colateral, aunque nada estaba saliendo como había previsto.

—Yo mismo elegiré al médico que os examinará —dijo de pronto Sancho— y, si se me informa de que no sois virgen, se comenzará una investigación profunda sobre este asunto. Se buscará a todos aquellos hombres que hayan gozado de vuestros favores…

El gemido de miedo de Juana Ramiro demostró su culpabilidad.

Adoain suspiró al fin por el resultado de la reunión. Ella misma se había atado la soga al cuello.

Dulce abrió los ojos de par en par sorprendida. El asunto estaba adquiriendo unas proporciones completamente contrarias a lo que había pretendido el señorío de Ramiro.

—Aceptamos —dijo finalmente Lucía aceptando la orden real con complacencia—. Acataremos vuestra decisión final, majestad.

—Esperad —dijo de pronto ella—, tengo algo que decir al respecto.

Pero sus palabras no fueron tenidas en cuenta salvo por su padre, que le pidió al rey hablar a solas con él para solicitar la merced de una rectificación.

Sancho accedió porque supo que todo volvía a su lugar correspondiente.

Capítulo 26

*B*earin volvía a estar en silencio.

La partida del rey con su séquito había dejado unos rostros cansados pero satisfechos. El señorío de Ramiro tenía que convencer al rey para que depusiera la última orden, aunque a él ya no le atañía.

Mientras Adoain estaba sentado frente al fuego, su madre intentaba convencer a su hija. Clara seguía encerrada en sus dependencias, de las que se negaba a salir desde el momento en que tuvo conocimiento de su compromiso con Arista. ¿Acaso ignoraba la muy necia que no tenía opción?

—Me alegra que todo haya resultado bien. —Dulce caminó hasta él con dos copas llenas de vino.

—El rey en ocasiones se muestra terco, pero es justo en sus decisiones —le respondió con voz tranquila.

Dulce le pasó una copa y se sentó cerca de él junto al fuego. El calor resultaba muy placentero.

—¿Cómo pudo creer la palabra de una mujer sin pruebas que la respaldaran?

Adoain tomó un largo trago de vino antes de responderle.

—Porque convenía al rey darle credibilidad. —Dulce no lo comprendió—. Era la forma de lograr mi cooperación en un asunto bastante delicado. Y se aseguró de todas las formas posibles de hacérmelo entender.

—¿Por eso fuisteis a Castilla? —Dulce había atado cabos.

—El pequeño Juan Blasco es su nieto. Y me encargó la misión de traerlo a Navarra.

—Raptarlo —lo corrigió ella con voz suave.

Adoain entrecerró sus ojos pero no desmintió la rectificación.

Dulce podía comprender que sus conclusiones habían estado equivocadas. Un buen caballero no discutía la orden directa de su rey. Ella lo sabía muy bien por su hermano Miguel, quien nunca rehuía una orden real de Alfonso de Castilla.

—Pensé que el motivo que os inducía era tratar de recuperar vuestras tierras. La herencia de vuestra madre.

Adoain soltó una risotada ausente de humor.

—Me importa muy poco Castilla ni la herencia de mi madre —le respondió.

Dulce bajó los ojos con cierto pesar al escucharlo.

—¿Y si yo me pronunciara igual con respecto a la vuestra?

A él le parecía imposible que ella pudiera expresarse así.

—Ahora sois navarra, la única tierra que debe importaros es Bearin. Debéis olvidaros de Castilla y de vuestro hermano, de todo.

Las palabras de Adoain le produjeron una pequeña conmoción. ¿Cómo podía estar tan equivocado? ¿Olvidarse de todo? ¡Imposible! Ella amaba a su hermano, a sus amigos. Lo que le pedía Adoain era completamente imposible. ¿Cómo olvidar a Fátima? ¿A Kamîl?

—Ese fue uno de los motivos que me detuvieron y me llevaron a decidir no acompañaros cuando el deber me impelía a hacerlo. Mi obligación era venir con vos a vuestro hogar como vuestra esposa —le respondió sumisa—. Pero no puedo renunciar a todo lo que amo para siempre, porque no es justo. No, señor.

El silencio de Adoain fue como un soplo de aire gélido.

En la alcoba, antes de la llegada del rey, parecía diferente, más cercano, casi afectuoso. ¿Qué había cambiado desde entonces? Pero Adoain rompió al fin su quietud. Se terminó el último trago de vino de un golpe y la miró con ojos brillantes de interés.

—¿Tenéis algo de que informarme? —inquirió con frialdad.

—No.

—Meditad… ¿estáis segura? —Ella continuó con la boca sellada—. Os repito, ¿tenéis algo de que informarme?

—Sí, pero no —le respondió en un murmullo.

—¿Y eso qué diantres significa?

—Que siento miedo de vuestra reacción ante cualquier información que os revele. Tenéis motivos para estar enfadado, eso no lo discuto. Pero no comparto vuestra tendencia a magnificarlo todo.

—Tenéis mi palabra de que no os torturaré… todavía.

¿Torturarla? Sí, Dulce lo creía capaz de eso y más.

—Creí que habíamos pactado una tregua en vuestra alcoba.

—Detesto que me mientan, que me manipulen. Y vos, señora, habéis pecado por partida doble.

«Bueno, si así estaban las cosas, mejor terminar cuanto antes», pensó ella para insuflarse el valor que le faltaba.

—Estoy embarazada —le soltó de sopetón—, y lamento primero mi engaño y posteriormente mi silencio, aunque no ha sido de una forma consciente, ni lo uno ni lo otro.

Adoain cerró los ojos ante el estremecimiento que lo sacudió.

—¿Lo sabíais en Mudaŷŷan? —le preguntó conteniendo el aliento.

Dulce negó de forma efusiva.

—Lo descubrí en Arienza poco después de que os marcharais. Artáiz tuvo a bien informarme de mi nuevo estado, que resultó toda una sorpresa para mí.

—¿Pedro? —le preguntó asombrado.

—Sospechó que podía estar encinta tras comprobar mi indisposición varias mañanas. Creí que había caído enferma por algún alimento que había tomado en mal estado. Recordad que mi madre murió siendo yo una niña y mi padre dejó un vacío de información con respecto a estos asuntos.

Dulce estaba sentada de forma regia, sin abandonar la tensión de la espalda, sin hacer gestos con las manos, que mantenía enlazadas sobre su regazo. Le contó acerca de los días que había pasado en Arienza tras su marcha y la actuación de Pedro una noche cuando la obligó a viajar a Navarra. El enojo de Adoain menguó un porcentaje importante.

—Le dejó a mi hermano una breve carta donde le informaba de que había decidido regresar con mi esposo. Lo demás ya lo sabéis —concluyó con cierta turbación—. Pero estimo que mi hermano, Miguel, sumará los hechos y actuará en consecuencia. Sabe que yo no escribí la misiva, y por tanto no tiene mi confirmación de que estoy aquí por voluntad propia.

Esa circunstancia no le preocupaba en absoluto.

—Nunca esperé encontraros en Bearin —le dijo con suavidad.

Ella aún recordaba su rostro lleno de sorpresa cuando la vio amenazando a dos de sus soldados.

—La mañana de nuestro encuentro, me sentí realmente enfadada con vuestros hombres porque uno de ellos se hizo un corte profundo cuando pasaba a mi lado. Caí desvanecida y desperté de nuevo en mi lecho, pero mi paciencia se desbordó y no medí mis acciones. Cogí la espada de Artáiz para salir a su encuentro. No estaba dispuesta a tolerar una lesión más, aunque agradezco infinitamente la preocupación que muestran por mí. Pero es algo que no puedo controlar, y ellos se empeñan en no ver.

Cada vez que Adoain recordaba el momento, el corazón se le encogía. La visión de ella sosteniendo la espada por encima de su cabeza se había convertido en algo precioso. Verla en su hogar había sido una sorpresa que movía cada fibra de su ser y lo dejaba paralizado de iniciativas.

—Entonces no os deseaba en Bearin. Vuestro rechazo en Arienza a acompañarme a mi hogar resultó muy esclarecedor —le dijo Adoain con el rostro serio y sin apartar las pupilas de las suyas—. Debo mostraros mis sentimientos para que sepáis a lo que os exponéis.

Dulce se mordió el labio inferior preocupada. La voz masculina había sonado demasiado calmada e indiferente, y por ese motivo no sabía a qué atenerse con él.

—Si no me hubieseis mentido, todo podría ser diferente. Pero ninguna mujer manipula mi voluntad y vive tranquila para disfrutarlo.

El gemido de Dulce fue audible a pesar de que apenas había abierto la boca.

—Dad gracias de que es ella y no yo quien recibe vuestras palabras, hermano; os merecéis una buena tunda. Padre hizo mal al no dárosla a su debido tiempo, y mirad el resultado. Sois un esposo insensible y un bruto.

Las palabras de Clara impidieron que Dulce rompiera a llorar. Sentía un nudo en el estómago y la garganta cerrada, como si un guantelete de hierro la aprisionara. La voz de Clara le llegó entre indignada y conciliadora.

Cruzó la enorme estancia y se sentó a escasos pasos de ellos. Lucía la seguía de cerca. En unos momentos llegarían los barones y los soldados de más rango para compartir la cena con el conde y su familia en el gran salón de Bearin. Sin embargo, Dulce deseaba marcharse a su alcoba para que nadie fuese testigo del inmenso dolor que la atenazaba.

Lucía tenía, en el brillo de sus pupilas, un malestar que se guardó en su interior. Había escuchado la última aseveración de su hijo y no podía estar más en desacuerdo. Pero el momento de hablar con él todavía no había llegado.

La alegría y el vigor se habían marchado del rostro y figura de Dulce. Caminaba por los largos pasillos de Bearin como alma en pena. Se sentía desmembrada, incapaz de ser parte de la familia a pesar de los esfuerzos de su suegra y de su cuñada para lograrlo. Adoain se mantenía lejos, firmando acuerdos y pactos con otros señoríos para la compra y venta de ganado. Ella no lo veía desde hacía días y esperaba con anhelo y temor su regreso, que podía suceder en breve. Los soldados ya no se lastimaban a su paso, detalle que Dulce agradecía sobremanera porque ya podía pasear con normalidad por el patio o por la aldea sin temor a sufrir un nuevo desmayo.

Un alboroto en las almenas le hizo alzar el rostro hacia la muralla. Varios soldados corrían hacia un lado y hacia otro, visiblemente alarmados. Clara salía en ese preciso momento de la torre en su busca y, al tropezarse con ella, le ofreció una sonrisa tímida.

—La enseña de Arienza ha sido avistada por el centinela de la torre sur. —El corazón de Dulce saltó dentro de su pecho al recibir la noticia—. Vuestro hermano, Miguel, avanza en dirección a Bearin y mi madre os reclama para preparar la bienvenida.

Durante unos instantes largos y silenciosos, Dulce se mantuvo quieta, zozobrando entre la dicha y la preocupación. Ansiaba ver a su hermano, abrazarlo, pero la posible respuesta a su marcha de Arienza le preocupaba seriamente.

—¡Venid! Madre espera vuestros consejos para enfrentarse a su ahijado, pues lo desconoce todo sobre él.

—¿Sabe Miguel que Lucía Blasco es su madrina? —Clara le hizo un gesto afirmativo con la cabeza.

—Le ha enviado varios mensajes desde que estáis aquí. Madre le ha informado de todo con respecto a vos y vuestra decisión de vivir en Navarra con vuestro esposo.

Dulce reflexionaba sobre las palabras de Clara. Si su hermano, Miguel, hubiese aceptado su decisión de vivir lejos de Arienza, ahora no se encontraría a las puertas de Bearin con un ejército respaldándolo.

—Iré a contemplarlo con mis propios ojos.

Con pasos firmes subió los escalones de acceso a la muralla sur y se alzó de puntillas para otear entre los pequeños pilares de piedra que coronaban los muros.

Miguel vestía armadura completa. Lo seguían de cerca varios caballeros, entre ellos Voltoya y Arlanzón, barones que le habían prometido vasallaje. También divisó la armadura del capitán de la guardia, Ansúrez, y la visión la llenó de enorme inquietud. Se recogió el vuelo de la falda y bajó los escalones de piedra con rapidez. Clara la observó desde el centro del patio y temió que sufriera una caída, pero los pasos de Dulce eran ágiles y firmes a pesar de su estado.

Llegó hasta ella casi sin resuello.

—¡Rápido! Mandad que ensillen un par de caballos y ordenad que abran el portón. Llevaré la enseña de Bearin para recibirlos.

—¿Pensáis salir a su encuentro? —dijo Clara casi atónita.

Dulce inspiró profundamente.

—Mirad a vuestros hombres, se están preparando y no precisamente para ofrecer una cálida bienvenida.

Clara clavó sus ojos en Ginés, que impartía órdenes claras y precisas. Ignoraba que seguían las órdenes de Adoain de, durante su ausencia, no permitir la entrada en Bearin al conde castellano.

—Pedidle a vuestra madre que me acompañe y que los hombres depongan las armas.

Clara no podía hacer tal cosa porque iba contra todas las normas.

—Ningún navarro acatará la orden de una mujer.

Dulce parpadeó varias veces confundida. Se dio la vuelta y llamó a gritos a Artáiz varias veces. Lo buscó con los ojos pero no lo encontró. Varios soldados navarros se detuvieron al escucharla, sorprendidos por su actitud, pero siguieron con sus quehaceres un momento más tarde.

—¡Artáiz! ¿Dónde os encontráis? —Dulce comenzó a recorrer las diferentes estancias adosadas al patio principal tratando de buscarlo, las caballerizas y el almacén de grano.

Clara la seguía en la carrera.

—¿Por qué motivo lanzáis alaridos? —preguntó Lucía, que salía, en ese preciso momento, del interior de la torre. Se plantó sorprendida delante de ellas—. ¿Qué sucede? —preguntó alarmada—, se os escucha desde las alcobas.

—Estoy buscando a Artáiz —le dijo Dulce. Lucía la miró con franca sorpresa por el tono alarmado de su nuera—. Necesito que contenga las órdenes que Ginés les está impartiendo a los hombres, y que le han sido dadas anteriormente por Adoain.

Lucía miró entonces a su alrededor y se dio cuenta de que Bearin estaba siendo preparado para un posible asedio, pero nada tenía sentido.

—Clara, seguid buscando a Artáiz y transmitidle mi solicitud. Lucía, necesito que me acompañéis al encuentro de mi hermano para que Miguel comprenda nuestra buena disposición a un diálogo.

—Mi ahijado no atacará Bearin —dijo convencida.

Dulce la miró con una expresión indefinida en el rostro. Lucía pudo observar la angustia y el apremio que brillaban en sus pupilas.

—Mi hermano no atacará a menos que sea provocado, y eso precisamente es lo que sucederá si no hacemos algo al respecto.

Capítulo 27

La línea de plata que formaban las armaduras en la distancia era claramente visible en el horizonte. Las enseñas del condado de Arienza y los señoríos de Voltoya y Arlanzón ondeaban con la brisa de la mañana. ¿Por qué motivo Miguel habría cruzado un reino por ella? ¿Quizá porque no le habían llegado los mensajes de su suegra?

Dulce miró las monturas que ya estaban preparadas. Lucía montaba orgullosa una yegua briosa, y ella se dispuso a hacerlo en otra pero mucho más dócil. Bajó los escalones de la muralla con vacilación, pero de pronto Ginés sujetó las riendas de ambas monturas con el rostro iracundo.

—Soy la madre de vuestro conde y os exijo que soltéis las riendas.

Ginés le hizo una negación con la cabeza. Y con un grito que parecía de guerra, mandó cerrar el portón y asegurarlo.

—No podéis impedir que demos la bienvenida a mi hermano —le dijo Dulce con un hilo de voz tembloroso—. Ha realizado un viaje muy largo para verme.

—Las órdenes de nuestro señor son incuestionables, señora. No podéis salir de Bearin hasta su regreso.

—¡Al lado de mi hermano no sufriré daño alguno! —masculló Dulce, convencida.

Lucía decidió intervenir entre Ginés y Dulce, que se miraban de una forma antagónica.

—Os dice la verdad. Debemos mostrar nuestra hospitalidad al conde de Arienza.

—Mi señor trata de evitar que vuestro hermano os rapte y os impida volver a Bearin.

Dulce sopesó las palabras del soldado de más rango en ausencia de Artáiz. Ciertamente cabía esa posibilidad, pero cerrar el portón y armar a los hombres podía interpretarse como una clara provocación, que su hermano iba a tomarse al pie de la letra.

—El portón no se abrirá —sentenció Ginés con voz de trueno—. Y vos no saldréis de estos muros bajo ninguna circunstancia.

—Entonces, yo misma iré a recibirlos. —El ofrecimiento de Clara hizo que Lucía y Dulce volvieran sus rostros hacia ella—. Mi hermano no dejó ninguna orden concerniente a mí, ¿no es cierto? —Ginés la miró y no pudo objetar nada al respecto.

—Yo la acompañaré. —La voz de Artáiz le produjo a Dulce un profundo alivio. Acababa de incorporarse al círculo de personas que debatían sobre la partida de ambas señoras hacia el encuentro de los castellanos. Artáiz era alguien conocido por Miguel y el más indicado para acompañarla y ofrecerle la bienvenida.

—Capitán, las órdenes del conde han sido muy claras —le informó Ginés.

—Lo sé —respondió Artáiz—. Asumiré las consecuencias por desobedecerlas.

Ginés hizo un gesto negativo con la cabeza, pero no podía mantener una postura diferente a la del capitán de Bearin. Él era el segundo al mando.

—¡Debo marchar a su encuentro! —exclamó Dulce—. Mi hermano se merece mi respeto y bienvenida.

—Señora, no saldréis de los muros de Bearin —le dijo Artáiz—, yo mismo y doña Clara le daremos la bienvenida.

—Nadie va a impedir que salga a recibirlo. —Y diciendo estas palabras, azuzó su montura y la dirigió hacia el portalón—. ¡Bajad el puente de inmediato! —vociferó con voz aguda. Pero los hombres se mantuvieron pasivos a su demanda.

Entonces, delante de ella, uno de ellos sacó una daga de su bota y se hizo un corte largo y profundo en la palma de la mano y le mostró la herida sangrante sin rubor alguno. Dulce tragó con dificultad al observar las gotas de sangre, que comenzaron a manchar la camisa clara. Un instante después comenzó a deslizarse del caballo inconsciente, pero Artáiz logró sujetarla a tiempo antes de que cayera al suelo.

Los navarros se mantenían al tanto de las conversaciones, a pesar de su aparente silencio y docilidad. Estaban acostumbrados a tomar decisiones por el bien de la familia y el conde había sido claro con respecto a su esposa y la orden tajante de no dejarla salir del castillo.

Nadie desobedecía una orden del conde.

Con el desmayo de la castellana se solucionaba la cuestión sobre su partida. Artáiz, aunque miró al soldado con reprobación, no dijo nada al respecto. Se limitó a sostener a Dulce y llevarla hacia sus aposentos.

En el patio de armas, todo había quedado en silencio.

Miguel había desmontado de su montura y alzado la celada de su yelmo. Desde la alta loma podía ver de forma clara la actividad que se desarrollaba dentro de la pequeña fortificación. El castillo no suponía un impedimento para hacerse con él; bastiones más imponentes habían caído bajo su mano, pero le preocupaba enormemente la seguridad de su hermana. Estaba convencido de que había sido obligada a marcharse de Arienza y ese hecho lo enervaba hasta un punto inconcebible.

Juró que el navarro tenía los días contados. Dulce había mostrado de forma clara que no tenía intención de marchar con él, y por ese motivo había decidido ir a buscarla.

Miguel ordenó montar las tiendas en la ladera oeste, más cerca del castillo. Allí la depresión del terreno era menos acentuada. Cerca discurría un pequeño arroyo donde podrían abastecer a los animales. El barón de Voltoya y de Arlanzón desmontaron de sus sementales y caminaron hasta donde estaba el conde de Arienza observando la lejanía con ojos de águila. Sus pupilas negras seguían cada uno de los movimientos de los hombres del castillo, evaluando las diferentes alternativas en caso de tener que asediarlo.

—Lo están preparando —dijo el barón de Voltoya con el ceño fruncido.

—Esperaba otro tipo de recibimiento —comentó con voz seca el barón de Arlanzón, pero Miguel seguía callado sin decir palabra.

Era inusual que su hermana no se asomara siquiera a las almenas. Algo tenía que suceder en el interior de los muros, y la preocupación que sentía alcanzó límites peligrosos.

—¿Reunimos a la comitiva? —preguntó Ansúrez con voz calmada.

Miguel cerró los párpados durante un instante antes de hacer un gesto afirmativo con la cabeza.

—Preguntadle al conde Vives si desea acompañarnos.

El conde Vives comandaba la guarnición leonesa que acompañaba como escolta al pequeño ejército castellano. Alfonso de Castilla le había pedido a su primo, el rey de León, unos refuerzos para custodiar a su paladín Miguel Álvarez. Si el rey de Navarra, Sancho, mostraba su apoyo al conde de Bearin, la presencia de los leoneses le indicaría de forma clara que tendría un grave problema con otro reino cristiano.

Ansúrez se dirigió hacia la guarnición de treinta hombres que se mantenían ligeramente separados del ejército de Arienza. Cuando le transmitió la solicitud del conde, Vives asintió con rostro enjuto. Sin desmontar de su caballo, le hizo un gesto con la cabeza a su capitán y ambos trotaron a paso ligero hasta alcanzar el collado donde se encontraba Miguel Álvarez oteando el castillo.

El conde dirigió los ojos hacia los barones.

—Mantened la vigilancia y preparad a los hombres. Que la infantería asegure el campamento, pues ignoro el tiempo que estaremos en estas tierras del norte.

Carlos y Martín acataron la orden y se dispusieron a reagrupar a los hombres, y a impartir las órdenes recibidas.

Un séquito de cinco caballeros, tres castellanos y dos leoneses, comenzó un suave galope en dirección al puente levadizo, que se mantenía cerrado por completo. Miguel bajó la celada de su yelmo y aseguró la espada a su cinto. Confiaba en que el navarro aceptara su reto de una única lucha por la liberación de su hermana.

Dulce despertó con el sabor de la bilis en la boca. Tragó saliva de forma repetida ante la arcada que la sacudió. Odiaba la sangre, pero detestaba todavía más la debilidad que la aquejaba cuando la veía. Bajó los pies del lecho y tanteó con su mano sobre el cobertor buscando su capa. Se pasó las palmas de las manos varias veces para peinar sus cabellos desordenados e, inspirando de forma profunda como para coger ánimo, se levantó y comenzó a caminar hacia la puerta de la alcoba. Sujetó el picaporte y lo accionó, pero la madera seguía cerrada delante de ella. La golpeó varias veces con sus nudillos, todavía sorprendida de que la hubiesen encerrado.

—¡Abrid, por favor! —exclamó con tono calmado a pesar de la agitación que sentía—. ¿Alguien me escucha? —preguntó con un hilo de voz.

Pero nadie acudió a su llamada, ni prestó atención a sus gritos, que se fueron silenciando a medida que las fuerzas disminuían. Dulce se dejó caer en el frío suelo y rompió en sollozos. ¿Acaso esos salvajes navarros no se daban cuenta de que trataba de evitar un enfrentamiento? Bearin no podría resistir un asedio castellano. El conde de Arienza había arrasado fortificaciones musulmanas mucho más importantes con un éxito rotundo, y la impotencia que le producía no poder hacer nada la mortificaba.

El tiempo moría con una lentitud desquiciante. Y la oscuridad comenzó a cubrir los muros de Bearin, que seguía en una completa calma, como si de repente se hubiese convertido en un lugar fantasmagórico. Dulce no podía encender las velas de la estancia ni el fuego del hogar, que estaba cubierto de ceniza fría. Aunque buscó entre los espartanos muebles algún elemento para usar como llave, no había encontrado nada, salvo más impotencia, que acumulaba en su interior y se tornaba en desesperación.

Bien avanzada la madrugada, cuando estaba vencida por el cansancio, Clara entró de forma sigilosa. Vestía capa negra y llevaba en las manos otra de igual tejido y color. Se acercó hasta el lecho donde yacía Dulce y la sujetó por el hombro al mismo tiempo que le cubría la boca.

—Tenemos poco tiempo —le dijo con una sonrisa—, iremos al encuentro de vuestro hermano. Os acompañaré. —Cuando Dulce se percató de quién le tapaba la boca, hizo un gesto con la cabeza.

Clara alejó la mano del rostro de su cuñada.

—El portón está cerrado —mencionó Dulce al mismo tiempo que se frotaba los párpados con los nudillos para despejar el sopor del sueño.

—Hay una salida por las cuadras —le explicó Clara—, unas piedras sueltas que jamás se repararon y que nos permitirán salir de Bearin sin que noten nuestra ausencia.

—Pero no podremos cruzar el foso —alegó Dulce preocupada.

—Lo vadearemos por detrás del castillo, allí la profundidad es menor y el ancho más estrecho. Será fácil, yo misma lo he cruzado en numerosas ocasiones.

—Adoain se enojará terriblemente por vuestra ayuda —le dijo Dulce con cierto pesar, pero Clara le mostró una sonrisa mucho más amplia.

—Vuestro hermano ha tratado de ponerse en contacto con vos, pero su petición ha sido ignorada por Artáiz y Ginés de una forma que me produce vergüenza. Tengo la suficiente sagacidad para aceptar que cumplen las órdenes de mi hermano, pero Adoain se equivoca en la forma de llevar este asunto. —Dulce compartía la misma opinión de su cuñada—. El conde de Arienza ha dado de plazo hasta el alba; si no os entregamos, derribará Bearin piedra a piedra.

Dulce no podía comprender el humor de Clara. Contemplaba esa posibilidad como si fuese del todo imposible, pero no conocía a Miguel. A pesar de que su apariencia no era tan feroz como la de Adoain, era muy astuto y había derribado con inteligencia torres mucho más altas e inexpugnables.

—¡Vamos! Debemos darnos prisa. El mozo de cuadra regresará pronto y, si nos descubre, perderéis la oportunidad de apaciguar al lobo castellano.

Dulce clavó sus pupilas en Clara con interés, y siguió a su cuñada, sin una réplica, por los pasillos de Bearin.

Se movían despacio, sorteando estancias poco vigiladas con suma cautela, y, cuando alcanzaron el patio y el huerto hasta las caballerizas, soltaron el aliento que habían estado conteniendo.

—¿Por qué motivo está la cuadra sin vigilancia? —le preguntó.

Clara la miró con una sonrisa taimada.

—Andrés se encuentra demasiado ocupado tratando de controlar los gases del vientre. Creo que la diarrea le durará hasta mañana.

Dulce se tapó la boca completamente horrorizada por la acción premeditada de su cuñada, aunque lo pensó mejor. Si lograban evitar un enfrentamiento entre ambas familias, bien valía la pena la pequeña molestia intestinal de un solo hombre.

Clara la condujo con paso firme hacia la parte más apartada de la cuadra principal, la que estaba justo en el otro extremo. Movió el pesebre con facilidad y golpeó con la punta del pie las piedras de una esquina. Algunas de ellas cedieron por el movimiento y Dulce la ayudó a apartarlas hasta que lograron el hueco justo para poder pasar entre ellas. Pero ninguna de las dos mujeres había contado con la prominencia del vientre de Dulce, que en el último tramo quedó trabada. Clara tuvo que mover algunas piedras más con sumo cuidado para que su cuñada pudiera pasar.

—Cubrid vuestro cabello con la capucha e inclinad la cabeza —le dijo Clara en un susurro templado—. Cuando lleguemos a aquella esquina, caminaremos agachadas por los arbustos, que cubrirán nuestro cuerpo a los vigilantes de las almenas.

Dulce le hizo un gesto afirmativo y la siguió sumisa.

Miguel hervía de una cólera resabiada y necesitaba estar a solas para controlarla. Pero sus intentos de apaciguarse disminuían con cada paso que daba frente al fuego encendido. Sus hombres se mantenían alertas, aunque un poco alejados de su presencia para no recibir la furia que lo embargaba. El trayecto desde Arienza había resultado largo y penoso. Cruzar Castilla de sur a norte carecería de sentido si ella le hubiese dicho que su llegada era en vano. Sin embargo, no le permitían verla, ni conocer de su boca que deseaba regresar a casa con él. Y tenía la obligación de velar por ella y cuidarla. Era el único familiar que le quedaba, y no estaba dispuesto a dejarla en esa tierra agreste y salvaje.

Alzó la vista del fuego y la clavó en la lejanía.

Las tiendas principales habían sido colocadas bajo el amparo de unos árboles que servían de cobijo en esa noche de luna llena. Pero él no podía pensar en nada más que en su incapacidad de hacer salir al halcón de su escondite. No había obtenido respuesta a su desafío, y el silencio que había acompañado a sus palabras lo seguía enfureciendo de una forma peligrosa.

Un siseo detrás de una de las tiendas llamó poderosamente su atención. Había percibido un movimiento y, sin dudarlo un momento, sacó con infinita suavidad la espada de la vaina con un movimiento silencioso pero preciso. Caminó hacia el lugar oscuro, imaginando que algún animal se había sentido atraído por el calor del fuego, pero debía cerciorarse. Sus hombres hacían guardia justo en el otro lado del campamento, de cara a la fortaleza que custodiaban.

Miguel aguzó el oído y volvió a notar el movimiento, pero era demasiado ligero para tratarse de un hombre. Llegó junto a los árboles y se detuvo en el tronco de uno de ellos. Entrecerró los ojos castaños y prestó toda la atención que pudo, hasta que el crujido de una rama al romperse le hizo tensar la espalda por la expectación. Esperó como un depredador que acecha una presa y aguarda el momento idóneo para dar el primer paso para atacar y, cuando se decidió a darlo, oyó un movimiento a su espalda que resultó su perdición. De pronto, un cuchillo afilado amenazó su garganta. Lo mantenía sujeto un pulso firme que le hizo quedarse quieto y soltar la espada. Sintió la respiración en la nuca y el filo que le marcaba una línea púrpura en la piel que no iba a olvidar en mucho tiempo.

Con un movimiento rápido, practicado en numerosas batallas, pudo sujetar la muñeca de su agresor y darle la vuelta para dejarlo con la espalda pegada a su pecho e inmovilizarlo. Le apretó con fuerza la muñeca hasta que sintió el crujido del hueso, y alzó la otra mano para apretarle el cuello en una clara amenaza. Los dedos que sostenían el arma se abrieron a la presión que ejercía con su mano, y el puñal cayó para quedar tendido inerte a sus pies. Pero si Miguel creyó en algún momento que tenía el control sobre la situación, se equivocó por completo. Un dolor insoportable en la entrepierna le cortó la respiración durante un momento largo y agónico, pero no soltó la presa y tampoco menguó la presión sobre el cuello, aunque ignoraba cómo o de qué forma el bandido había logrado darle un golpe con el talón de forma tan certera.

—Prepárate para morir, ¡puerco! —lo amenazó con voz de hielo.

Una vez más, y sin esperarlo, un cabezazo en la mandíbula le hizo soltar una maldición. Cuando todavía no se había recuperado del golpe, un codazo lo golpeó en el oído produciéndole una sordera momentánea. ¿Cómo demonios se había soltado el maleante de la sujeción de sus manos? Ahora el atacante estaba frente a él, aunque no podía verle el rostro porque lo llevaba prácticamente tapado por una capucha. Pero con una gran destreza y agilidad evadió un nuevo golpe dirigido a su mandíbula. Miguel dio un paso hacia atrás para desestabilizar al atacante y, cuando logró su empeño, le estampó el puño en el rostro y provocó que cayera hacia atrás.

El cuerpo quedó tendido a sus pies.

Buscó con sus ojos la espada antes de inclinarse sobre el hombre que había intentado asesinarlo. Miguel no dudaba en que había sido enviado por su cuñado para terminar con su vida de una forma cobarde y ruin. Cuando sus ojos se clavaron en el rostro que la tela había descubierto, se quedó estupefacto. Inconsciente a sus pies no había un hombre sino una mujer.

¿Quién demonios era?

Masculló una maldición violenta. Él no golpeaba a mujeres aunque fuesen mercenarias asesinas. Envainó de nuevo la espada y se inclinó sobre el cuerpo para cogerlo en brazos. Esperaba sacarle una confesión, aunque tuviese que arrancarle la piel de la espalda con el cuchillo que lo había amenazado momentos antes.

Tenía muchas preguntas que hacerle, y confiaba en obtener las respuestas en el menor tiempo posible.

Capítulo 28

El agua helada derramada sobre su cabeza sin contemplaciones intensificó el malestar que sentía, pero la despertó de golpe. El dolor en su mandíbula era insoportable al igual que el de su muñeca, aunque gracias a Dios no estaba rota.

Todo giraba a su alrededor y, cuando trató de alzarse, el pinchazo en la sien la dejó de nuevo inerte en el jergón. Clara notó el sabor de su propia sangre en la garganta, y el agua que le resbalaba por el escote hasta bañar sus senos le produjo un intenso escalofrío. El puñetazo recibido por el castellano le había provocado un corte en el interior de la mejilla que debía de haber sangrado profusamente. Afortunadamente, los dientes seguían en su sitio. Hizo un intento de incorporarse del jergón pero ahogó un gemido lastimoso ante el latigazo que le perforó el cráneo. Cerró los ojos durante un instante tratando de controlar el mareo, pero una respiración firme hizo que los abriera de inmediato.

Un hombre imponente, y el más viril que había visto nunca, estaba plantado delante de ella con las piernas separadas. Todavía sostenía la cubeta de agua vacía entre sus manos. Clara clavó sus pupilas en los profundos ojos marrones que la miraban desafiantes, y con un cierto brillo de interés que duró apenas un instante.

El pelo negro masculino estaba alborotado y brillante, y las llamas de fuego de las velas lamían los rizos a la altura del cuello. Era un hombre muy apuesto, de mirada inteligente y de rostro tremendamente masculino. Su estatura era elevada aunque no tanto como la de su hermano o la de la mayoría de los hombres navarros que conocía, pero su cuerpo fibroso equilibraba el resultado total de su apariencia vigorosa.

Tenía que ser el hermano de su cuñada, y recordarla le hizo salir de su estupor de forma alarmante.

—¡Oh, Dios mío, Dulce! —Miguel escuchó perfectamente la exclamación femenina.

La miró con renovado interés. Clara se alzó de forma precaria, pero logró mantener el equilibrio.

—¿Conocéis a mi hermana? —le preguntó con ansiedad en la voz.

Al oír el timbre aterciopelado, Clara sintió un escalofrío en el vientre que le produjo palpitaciones en el cuello. Ningún hombre le había provocado tal conmoción física.

—La dejé sola cerca del lecho del río. Vine a pediros ayuda, pero a cambio me golpeasteis —le espetó con reprobación en los ojos azules.

Miguel no podía creer tal insolencia. ¡Claro que la había golpeado! ¿Acaso la mujer no había amenazado su cuello con un puñal?

Clara avanzó dos pasos hacia la abertura de la tienda, pero la mano masculina sujetó su brazo y la detuvo.

—¿Pensáis por un momento que os dejaré marchar?

Clara alzó la barbilla con insolencia mal disimulada.

—Vuestra hermana se encuentra indefensa, y tengo que ir a socorrerla. Hemos tenido que cruzar el foso a nado y está calada, un poco de calor le vendría muy bien.

—Decidme dónde se encuentra e iré a buscarla.

Clara parecía que consideraba su oferta.

—Hay que seguir el sendero y bajar la pendiente hasta el arroyo. La dejé resguardada junto a unos helechos de considerable tamaño.

La mente de Miguel era un hervidero de especulaciones, ¿por qué mencionaba la mujer que su hermana se había quedado resguardada? ¿Podría estar lastimada? ¿Por qué motivo no la había acompañado? Las alarmas comenzaron a sonar dentro de su cabeza.

—¿Está herida? —La pregunta tronó en la pequeña tienda.

Dos guardias acudieron de inmediato al escuchar el grito. Clara dio un respingo por la sorpresa.

—Se torció un tobillo cuando saltó uno de los riscos. Tratábamos de llegar hasta la ribera del río, para ascender por aquí. La subida es menos peligrosa y empinada.

—¿Decís la verdad? —bramó Miguel de forma insolente.

—¿Por qué motivo os mentiría? —le espetó con ojos entrecerrados—. La acompañaba hasta vos. —Miguel miraba a la mujer sin creerla del todo. Recordaba perfectamente el filo del puñal en su cuello—. Pero necesitaba cerciorarme de que erais vos y no otro quien recibía el mensaje de vuestra hermana. Os doy mi palabra de que no pretendía haceros daño.

—Si descubro que mentís, os despellejaré viva y os meteré en salmuera.

Se volvió hacia los dos soldados y les ordenó que la custodiaran sin dejarla salir de la tienda. Una vez fuera, llamó a Ansúrez y a Manrique y les ordenó que lo acompañaran. De forma sigilosa y tremendamente cauta, los tres hombres bajaron la enorme pendiente hasta el río, atentos a cualquier movimiento extraño. Bearin seguía a oscuras salvo por las antorchas encendidas en el muro y los centinelas que custodiaban la muralla. Desde esa distancia no podrían ver a los tres hombres que, agazapados, descendían por la ladera empinada hasta el lecho del pequeño río.

—¡Dulce! ¿Estáis ahí? —La voz de Miguel sonó cauta y susurrante en el silencio de la noche.

—Allí, mi señor. —Ansúrez le señaló un punto oculto entre una rocas y unos arbustos.

Miguel escudriñó con atención, hasta que vio que algo se movía.

—Seguidme —ordenó con tono tácito.

—¡Miguel! ¡Miguel! ¿Sois vos? —La voz de Dulce llegó hasta él, que suspiró con un profundo alivio.

Los tres hombres llegaron hasta ella, que estaba resguardada del brillo de la luna por unos helechos grandes y frondosos. Dulce les ofreció una sonrisa de auténtica dicha al verlos. Miguel se inclinó sobre ella y la abrazó de forma afectuosa.

—¿Clara os dio mi mensaje? —Miguel la separó un poco de su cuerpo para mirarla con curiosidad. La forastera no le había dado un mensaje, ¡había tratado de matarlo!—. ¿Se encuentra bien? Me ayudó a salir de Bearin.

—¿Quién es? —le preguntó Miguel al mismo tiempo que la alzaba entre sus brazos. Al percibir el grosor de la cintura de su hermana y el aumento de peso, volvió a maldecir violentamente—. ¡Me mentisteis! —le recriminó dolido.

—Yo misma lo ignoraba. De veras que no sabía que estaba encinta.

Miguel cerró los párpados durante un instante. El estado de buena esperanza de su hermana lo cambiaba absolutamente todo.

—¡Lo mataré! —le aseguró con voz henchida de disgusto.

—¡No haréis tal cosa! —exclamó Dulce de forma vehemente, mientras se sujetaba del cuello de su hermano.

—Os llevó con él contra mi voluntad y la vuestra, y aquí no me ha permitido conocer si os encontrabais bien. Se merece algo mucho peor que la muerte.

—Mi esposo no se encuentra en Bearin —le informó Dulce—, y sus hombres os respetan demasiado para abriros las puertas de su hogar. Temen las represalias.

—Y motivos tienen para temerlas.

—Vuestra madrina espera que os comportéis como un caballero, y no como un mozalbete.

¿Dulce lo recriminaba? Miguel no podía creérselo. Sin embargo, no le respondió porque estaba demasiado atento para no dar un traspié inesperado al subir la pendiente con ella en brazos. Las ropas de su hermana estaban mojadas y llenas de barro, pero a él no le importó que manchara las suyas porque ansiaba mantenerla libre de todo peligro.

—¿Os duele? —le preguntó solícito.

—Solo mi orgullo

—Me refería a vuestro pie. —Dulce se sonrojó violentamente.

—El embarazo me ha vuelto torpe. No me di cuenta de que la piedra cedía bajo mis pies y caí al suelo de forma aparatosa. Clara se asustó bastante al verme caer, y me costó un horror que me dejara sola para venir a buscaros.

Miguel llegó hasta el pequeño bosque donde estaban situadas las tiendas. Entró en la suya, que estaba caliente e iluminada.

Dos hombres hacían guardia frente al jergón donde esperaba Clara con mirada ansiosa. Al verla llegar en brazos de su hermano, soltó un suspiro de alivio y la angustia remitió de su atractivo rostro.

Miguel la depositó en el pequeño lecho que Clara había dejado libre.

—¡Dejadme verlo! —Clara se abalanzó sobre el cuerpo de su cuñada para examinar, a la luz de las velas, el tobillo hinchado. Afortunadamente, no estaba roto. Miguel seguía observando a la desconocida con mirada crítica porque su preocupación parecía auténtica.

—¿Y vos sois? —le preguntó él con voz afilada.

Clara se volvió con rostro adusto y, al hacerlo, la suave luz amarilla iluminó la parte del mentón que él había golpeado y que estaba adquiriendo una hinchazón considerable en un tono rojo intenso.

—¡Clara! ¡Estáis magullada! —La exclamación de asombro de Dulce fue un bálsamo en el ánimo de Clara, que no podía apartar la mirada azul del castellano.

Sus pensamientos estaban completamente dominados por la presencia briosa del hermano de su cuñada.

—Ese patán me golpeó —admitió y acusó sin pudor alguno.

Dulce clavó sus pupilas en Miguel, que no se sintió azorado por la acusación.

—No suelo llevar bien que traten de cortarme el cuello —le respondió con voz ardiente.

Al momento la tienda se llenó de más hombres atraídos por las voces elevadas. Los barones de Voltoya y Arlanzón miraban atónitos a ambas mujeres.

—Señora Álvarez —dijeron al unísono, pero Clara los corrigió de inmediato.

—Señora de Bearin. —Todas las miradas masculinas se clavaron en ella, que no se sintió intimidada en absoluto—. Está casada con mi hermano —especificó Clara.

Miguel parpadeó asombrado por la revelación.

Ignoraba quién era la mujer que había intentado matarlo, y que había prestado a su hermana la ayuda necesaria para salir del castillo. ¿Debía considerarla amiga o enemiga? Indudablemente buscaba algo.

—¿Por qué la ayudáis? —La pregunta de Miguel quemaba, y sus ojos inquisidores le producían un nerviosismo que Clara no podía comprender.

Tardó unos momentos en responder a la pregunta masculina formulada en tono belicoso.

—Mi madre, vuestra madrina, no desea un enfrentamiento entre su hijo y su ahijado.

Miguel inspiró profundamente al escucharla. Había recibido las cartas de Lucía Blasco, pero su interés estaba centrado en su hermana, aunque pretendía honrar a su madrina como correspondía.

—Vuestro hermano se llevó a mi hermana por la fuerza.

Dulce decidió intervenir.

Miguel y Clara se miraban como adversarios y con un interés que no ocultaban ninguno de los dos. Le parecía inaudito que Miguel la hubiera golpeado sabiendo que le traía un mensaje de ella. ¿O no había sucedido así?

—Mi madre, Lucía Blasco, desea mantener una conversación con vos. Mañana a primera hora os acompañaré hasta la puerta. Los hombres de mi hermano os permitirán la entrada cuando me vean a vuestro lado.

Pero Miguel ya había decidido de qué forma podía usar a la navarra en su beneficio. Conocía demasiado bien los entresijos de la guerra para no sospechar sobre ella o sus intenciones. Por supuesto que entraría en Bearin, pero ella no iría como acompañante, sería un rehén valioso hasta que regresara a Castilla.

Capítulo 29

*L*a mano que silenciaba su boca la despertó de golpe.

—Os sacaré de aquí. —Era la voz de Adoain.

¿Qué hacía en la tienda de su hermano? Dulce se movió tratando de liberar sus labios de la presión que ejercía la palma caliente. Ella no iba a gritar, pero Adoain no le prestaba atención.

La sujetó en brazos y la sacó fuera de la tienda con tanto sigilo que se preguntó si lo estaría soñando. Divisó en la distancia la enorme hoguera encendida y a los hombres que hacían planes con un mapa dibujado en el suelo. El capitán Ansúrez y los barones de Arlanzón y Voltoya seguían las explicaciones de Miguel con sumo interés.

¿Cómo era posible que su hermano no se hubiera dado cuenta de que un hombre había llegado sigilosamente hasta ellos, y se llevaba a su propia esposa valiéndose de la oscuridad de la noche? Dulce sentía ganas de reír por la situación absurda, pero Adoain seguía aplastando su boca con la palma de la mano para impedirle que alertara a los castellanos. En el suelo estaban tendidos los dos soldados que hacían la guardia y la custodiaban.

Cerró los ojos porque los creía muertos, y se sintió terriblemente culpable.

De nuevo volvió a recorrer el mismo camino que había tomado unas horas antes, pero en esta ocasión iba sujeta por los brazos de su marido, que la llevaba con cuidado pero como si cargara un saco de trigo a la cadera. Su vestido mojado había quedado extendido y olvidado junto al fuego, solo llevaba puestas la camisola y la enagua, pero había tenido la precaución de recostarse en el estrecho jergón con la capa que ya se había secado. Aun así, el aire frío de la madrugada le penetró hasta los huesos y le produjo un estremecimiento que Adoain malinterpretó.

—Por supuesto que tenéis motivos para estar temerosa.

Sus palabras habían sonado como una advertencia, pero él le seguía tapando la boca para evitar que alertara a los hombres del campamento.

Hicieron el mismo descenso, pero en vez de bordear el arroyo, lo cruzaron. Las monturas estaban atadas en hilera junto a los árboles. Adoain la sostuvo entre sus brazos para cruzar el río, que apenas le llegaba a la cadera. Sin embargo, la corriente mojó la parte inferior de su ropa, y nuevamente quedó calada y fría. Cuando llegaron a la otra orilla contempló a Ginés que la miraba con censura en sus ojos, pero ella no tenía que sentirse avergonzada. Había tratado de evitar precisamente lo que estaba provocando Adoain con su acción.

Su boca fue liberada al fin.

—Si gritáis os golpearé —le dijo Adoain, y la advertencia la quemó con felonía. Ella no había pensado gritar ni cuando estaba a escasos metros de su hermano para alertarlo ya que trataba de evitar con todas sus fuerzas un enfrentamiento entre los dos hombres más importantes de su vida.

—El conde de Arienza se lo tomará como una ofensa personal —le dijo como si él necesitara saberlo.

—Mi esposa —Adoain remarcó las palabras— no debía salir de Bearin en mi ausencia. Considero que lo dejé bien claro y, de nuevo, habéis desobedecido mis órdenes.

Dulce apretó los labios cuando Adoain la depositó en el suelo. Él ignoraba que tenía un tobillo lastimado y ella no se lo dijo por orgullo.

—Montad —le ordenó con voz susurrante.

Dulce le hizo un gesto negativo con la cabeza porque no podía apoyar el pie para hacerlo y ni siquiera podía caminar por el dolor. Pero Adoain la alzó de nuevo y la dejó sobre la grupa del animal para montar un instante después tras ella. El dolor del tobillo era significativo, pero su trato frío la hería mucho más profundamente.

—Vuestros hombres impidieron que le diera la bienvenida a mi hermano —se quejó—, y cerraron las puertas de

Bearin a su llegada. Fue una clara provocación para iniciar una contienda.

—No regresaréis con vuestro hermano a Arienza —le dijo él con el mentón tenso, como si le costara pronunciar las palabras. Dulce lo miró sorprendida—. No, mientras yo viva —concluyó.

—¡Pero no pensaba hacer algo así! —le respondió de forma clara—. Aunque existen modos de hacérselo comprender a mi hermano sin necesidad de recurrir a la lid.

La voz femenina había tomado un cariz de tristeza que no gustó a Adoain en absoluto.

—¿Por qué motivo creéis que os he rescatado en mitad de la noche? —Los ojos de la joven se abrieron como platos por la sorpresa—. Para no utilizar la violencia.

¿Rescatado? ¡Ella no era ninguna rehén!, se dijo incrédula.

—Mañana trataré de hablar con Miguel, aunque dudo que su actitud sea tolerante después de este claro desafío.

Pero Adoain no pudo responderle porque habían llegado al puente levadizo que accedía al castillo. Rodearon Bearin por el norte y cruzaron el río con las monturas por el este, pues en esa parte la profundidad era escasa. Dulce se preguntó por qué motivo Clara la había llevado justo por el otro extremo, por la parte más difícil, pero dejó de elucubrar para mirar por encima de su hombro el campamento castellano y las hogueras encendidas. Adoain bajó apenas sin esfuerzo del lomo del animal, y la sujetó con ambas manos enlazadas a la cintura para ayudarla a desmontar.

Las antorchas de las murallas habían sido apagadas para que nadie que observara desde la loma pudiera ver cuántos hombres vigilaban el horizonte.

Lucía salió al encuentro de los dos con el rostro preocupado.

—¡Clara ha desaparecido!

Dulce se tapó la boca para sofocar un gemido. Se había olvidado por completo de su cuñada, que dormía custodiada en la tienda del barón de Voltoya.

—No ha desaparecido, está con mi hermano. Me ayudó a salir de Bearin por las cuadras.

Adoain cerró los ojos durante un instante para controlar el disgusto.

No había llegado todavía a su hogar, cuando Andoni y él habían divisado el campamento castellano. Supo que ella estaba allí, pero, antes de poder hablar o decir algo, se escucharon caballos que venían al galope. Miguel había descubierto la desaparición de su hermana.

Tras los portones se escucharon gritos.

Adoain subió a la muralla, Dulce lo siguió aunque el tobillo seguía produciéndole un dolor considerable. Artáiz se quedó dando órdenes a los soldados para aumentar la protección sobre el puente.

—¡Adoain Estella! Os reto a muerte —tronó la voz de Miguel con una fuerza imperativa.

El foso de agua lo separaba de la gruesa madera del portón.

—¡Miguel! —se escuchó la voz de Dulce de forma clara tras la muralla—, no os preocupéis por mí, me encuentro ilesa. —Dulce asomó la cabeza por entre las almenas.

El conde de Arienza lanzó una exclamación violenta al verla. Ambos hermanos se contemplaron. Los ojos de Miguel despedían chispas de furia, los de Dulce una mirada de contención.

Le hizo un gesto negativo con la cabeza que su hermano ignoró, y entonces decidió apelar a su esposo, que se mantenía en silencio contemplando las monturas castellanas. Dio dos pasos hacia atrás y superó la distancia que la separaba de él. Caminar le suponía un tremendo dolor, pero se mordió el labio inferior porque las circunstancias apremiaban.

—Abrid el puente. Permitid que mi hermano compruebe que me encuentro bien y que estoy aquí por propia voluntad. —Adoain meditó las palabras de ella durante un momento, pero negó con la cabeza sin emitir ni un sonido—. ¡Ordenad que abran el puente! —clamó con voz aguda, pero los hombres seguían quietos esperando órdenes de su conde—. Sois un terco y un temerario.

Dulce volvió a asomarse por el muro, Adoain se situó detrás de su espalda protegiéndola con su recio cuerpo.

—Miguel, prometed que no causaréis daño a ningún navarro y Adoain permitirá vuestra entrada a Bearin de buena fe.

Miguel resopló más enojado todavía. El navarro estaba justo detrás de su hermana, y la cólera lo atizó de nuevo.

—¡Juró que mi espada no matará a un navarro sino a cientos! —Dulce gimió por la respuesta—. Pienso reducir estos muros a ruinas —bramó el conde con ira desmedida. Los caballeros que lo acompañaban seguían en silencio pero vigilantes, atentos a cada palabra de Miguel—. Y si piensa que estas murallas me detendrán, es porque no ha juzgado convenientemente el carácter castellano.

Adoain se inclinó sobre la muralla para contemplar a su cuñado, que seguía montado en su corcel con el rostro alzado. Tenía la mano en la guarda de la espada, y una actitud defensiva que le preocupó.

Sabía que los muros no podrían detener indefinidamente un ataque. Había sentido tanta furia al saber que Dulce estaba con él a pesar de su oposición, que no había pensado en las consecuencias de su actitud. Aun así, sintió la necesidad de provocarlo porque con ello lograba calmar su ira.

—No ha nacido castellano capaz de vencer a un navarro. —El insulto había sido claro—. ¿Tenéis a mi hermana con vos? —le preguntó a Miguel con voz asombrosamente calmada.

El conde le mostró una sonrisa sapiente.

—Os ofrezco un intercambio —vociferó—. ¡Vuestra hermana por la mía!

Ahora fue Lucía la que gimió. Le preocupaba enormemente la respuesta de su hijo.

—Vuestra hermana no desea marcharse. Aquí está su hogar —le espetó Adoain con voz dura, pero las palabras no amilanaron a Miguel.

—La vuestra no regresará con vida a menos que la soltéis.

Dulce pensó que su hermano no lo decía en serio, pero ni Adoain ni Lucía tenían modo de saberlo. Miguel nunca había maltratado a mujeres ni seres indefensos, pero tenía que intervenir para que la situación no empeorase.

—¡Miguel! —volvió a exclamar Dulce—, no sois un asesino de doncellas. Dejad de acicatear a mi esposo, y prometed que vuestra espada seguirá en su vaina cuando estéis dentro del castillo.

Miguel resopló incrédulo.

—¿Dudáis de mi capacidad para matar a un hombre simplemente con la ayuda de mis manos? Porque pienso hacer uso de ellas esta noche.

Adoain soltó una carcajada que hizo enojar todavía más a Miguel.

Lucía y Dulce se miraron atónitas; parecía que contemplaban la lucha de dos gallos de pelea por el dominio del gallinero. Era un comportamiento absurdamente infantil.

—Miguel —dijo de pronto Dulce en un intento de apaciguar los ánimos—, no deseo regresar a Arienza, pero Adoain teme que no os importe mi opinión al respecto y que me obliguéis a acompañaros. Duda de la racionalidad castellana, y está en vuestra mano hacerle comprender su equivocación..., por favor —suplicó con sencillez.

El caballo de Miguel trotaba nervioso de un lado a otro al sentir el nerviosismo del jinete que lo montaba.

—Os obliga a expresaros así. Sé que no tenéis opción de negaros.

Dulce masculló y se mordió el labio inferior con fuerza. Tenía que encontrar las palabras idóneas que convencieran a su hermano. Por eso decidió que allí, ante Miguel y sus hombres, ante su esposo y los suyos, tenía que admitir lo que sentía.

—Amo a Adoain Estella —proclamó con voz humilde, pero fuerte y clara—, y deseo vivir en Bearin hasta el fin de mis días. No tengo intención de marchar a Arienza, aunque deseo no lastimaros con mis palabras.

Adoain la miró perplejo, atónito por lo que escuchaba.

Una mujer no admitía a los cuatro vientos un sentimiento tan excelso como el amor si no lo sentía en profundidad y resultaba cierto. Su corazón comenzó a ponerse tan nervioso dentro de su pecho como el caballo del conde de Arienza bajo los muslos castellanos.

—He cruzado un reino para buscaros —arguyó Miguel con resentimiento—. Sois mi única hermana, ¿acaso no podéis comprender mi preocupación?

—¡Hijo! —exclamó Lucía mirando a Adoain—, mostrad sensatez con el único pariente de vuestra esposa. Os ruego que depongáis esa actitud beligerante. Hacedlo por vuestro padre, pensad cómo habría actuado de encontrarse en una situación similar. Vuestra esposa ha expresado su voluntad y ningún hombre, sea familiar o no, podrá cambiar su decisión irrevocable. —Lucía podía comprender el sentimiento del conde de Arienza con respecto a su única hermana. Ella misma había penado la soledad del destierro, aunque lo hubiera padecido voluntariamente por amor.

Adoain sabía que debía recular en su postura. Dulce había sido clara y honesta. Miguel no podría llevársela por la fuerza porque ella quería quedarse con él en Bearin. La dicha lo embargaba. Se sentía feliz y lleno de expectativas. Estaba allí porque quería y lo deseaba, ¿acaso podía pedir algo más? Clara. Se había olvidado de Clara.

—Traed a mi hermana sana y salva, y bajaré el puente —tronó de pronto la voz de Adoain.

—¡Bajadlo si queréis verla con vida! —reclamó Miguel impaciente.

Adoain hizo un gesto afirmativo y dos de los centinelas accionaron la palanca para mover la rueda.

Dulce cerró los ojos ante el alivio que sintió. La mayoría de los navarros se habían congregado en el patio de armas, alertas, pero ella ya no tenía miedo.

Lucía y Adoain bajaron las escaleras de la muralla y, de repente, sintió un frío como no había sentido nunca. Seguía empapada, apenas notaba los pies y los dientes comenzaron a castañetearle. Dulce bajó con cuidado los escalones de la muralla hacia el patio.

Unos momentos después, el semental de Miguel entró en el castillo seguido por uno de sus barones. El resto permaneció fuera, en fila y a la expectativa. El conde desmontó con agilidad y con un único objetivo en sus pupilas. Se dirigió hacia Adoain, que estaba plantado justo en el centro del patio con el grueso de sus hombres vigilantes. Avanzó con paso firme, sin titubear, y, cuando llegó hasta él, Miguel no lo pensó, le propinó un puñetazo que lo lanzó de espaldas al suelo.

Adoain no había previsto el golpe de su cuñado y no pudo reaccionar a tiempo para esquivarlo. Artáiz, al contemplar el golpe del castellano sobre su señor, desenvainó la espada; el resto de los navarros lo imitaron aunque se mantuvieron quietos sin intervenir, pero a Miguel pareció no importarle que cien espadas pudieran clavarse en su pecho a la vez. Tenía que descargar la ira que sentía y el tremendo enfado que bullía en su interior.

Adoain se había levantado, pero no guardó la distancia necesaria para evitar un nuevo golpe propinado por Miguel, que lo atacó con furia desmedida. Aun así, el navarro reaccionó al fin y pudo devolvérselo; le propinó a su cuñado un fuerte golpe en el estómago que hizo que el castellano se doblara en dos y tosiera de forma espasmódica.

Fue el comienzo de una pelea descomunal y todos miraban atónitos, pero los dos hombres que se golpeaban con inmensa cólera se conformaban con una lucha cuerpo a cuerpo. Las espadas se mantenían sin desenvainar sujetas al cinto. Ambos golpeaban y ambos recibían por igual. La corpulencia del navarro era mucho más pronunciada, pero el castellano contaba con la ventaja de la agilidad.

Su habilidad en la pelea se había perfeccionado en las diversas luchas contra los almohades.

Lucía intervino de pronto, y sujetó el brazo de su hijo cuando iba a golpear de nuevo a Miguel. Adoain desvió los ojos hacia su madre y, entendiendo su intención, bajó el puño y lo dejó contenido en su costado. Su madre había corrido un grave peligro metiéndose en la refriega, y la honró sin una réplica rindiéndose en la pelea.

—Es suficiente, hijo. Ya ha quedado demostrado que ambos os preocupáis por Dulce de Arienza, ahora de Bearin.

—Las palabras de su madre le penetraron poco a poco en la mente, pero Adoain no apartaba la vista de su cuñado, que lo miraba de forma intimidatoria.

Con un rápido vistazo, contempló a sus hombres, que, espada en mano, aguardaban sus órdenes. Pero él tuvo claro que Miguel Álvarez no iba a usar la suya.

Un instante después soltó una carcajada que dejó boquiabiertos a todos los que contemplaban el espectáculo, incluso Miguel lo miraba atónito por su hilaridad repentina.

Dulce aprovechó el momento de quietud y confusión para abalanzarse sobre su hermano y abrazarlo. Iba a lograr que tuviese los brazos ocupados con ella, para que no volvieran a enzarzarse en una pelea que podría llegar a las espadas. Miguel se dio cuenta de que la ropa de su hermana estaba mojada. Su piel estaba fría y tenía los labios morados. Por eso, masculló violentamente:

—¿Tendré que asistir a vuestro entierro aquí? —El corazón de Dulce comenzó un galope temerario dentro de su pecho.

Con esa pregunta su hermano había aceptado su decisión de quedarse en Bearin, y se sentía tremendamente feliz.

Miguel la situó detrás de su espalda cuando fue consciente de las miradas hoscas y de las manos que sujetaban las espadas navarras. La visión de decenas de soldados del norte podría intimidar a un combatiente menos experimentado, pero él se mostraba precavido porque no deseaba que su hermana resultase herida.

Lucía miró con atención al hombre que trataba de proteger a su hermana de su esposo con su propio cuerpo, pero se sentía agradecida porque los dos, su hijo y su ahijado, habían dejado atrás sus posturas agresivas y detenido la pelea.

Se dirigió al conde y, con una amable sonrisa, le dijo:

—Bienvenido a Bearin, conde de Arienza. Soy Lucía Blasco.

Miguel desvió los ojos de su cuñado a la mujer que se había colocado frente a él. La boca masculina, firme y bien delineada, siguió sin mostrar el amago de una sonrisa.

—Fui amiga de vuestra madre, a la que respetaba mucho y quería como si fuese mi propia hermana.

El rostro de Miguel se suavizó, fue como si comprendiera que Lucía no era una enemiga.

—A sus pies, madrina —le respondió de forma galante y con sumo respeto, antes de hacerle la reverencia caballerosa.

Adoain seguía atentamente el intercambio de palabras entre su madre y su cuñado. La forma respetuosa de responderle, y el posterior saludo protocolario. El murmullo general de aceptación lo empujó a extenderle un brazo a su esposa para que fuera con él. Miguel le había ofrecido el suyo a su madre.

Dulce supo que era la señal que Adoain esperaba. Posicionarse como señora de Bearin frente a su hermano. Y no lo dudó ni un momento. Clavó sus pupilas en las de su esposo y se mareó por el brillo que contemplaron. El iris azul contenía una promesa que le hacía temblar las rodillas.

—Entremos en el salón —dijo Adoain—, donde hay un fuego y un barril de sidra esperando. Podremos conversar como una familia al calor del hogar.

Miguel hizo un gesto afirmativo con la cabeza y lo siguió hacia el interior sin haber tocado en ese intercambio la guarda de su espada. Dulce se sintió orgullosa porque su hermano, cuando quería, podía ser sumamente razonable.

Capítulo 30

*L*as pupilas de Miguel lucían sin el brillo intenso al que estaba acostumbrada, y ella conocía el motivo.

Bearin estaba demasiado lejos de Arienza, y ambos estarían separados para siempre, circunstancia que Miguel no terminaba de aceptar. Sin embargo, la relación entre las dos familias estaba llegando a un punto intermedio de aceptación que le reportaba infinita esperanza. El barón de Voltoya había regresado al campamento situado en la ladera para traer de vuelta a Clara y extender la invitación al resto de los nobles para que aceptaran la hospitalidad del conde y su familia. El grueso del ejército seguiría acampado en la ladera oeste hasta el regreso a Castilla.

Dulce observaba de forma muy atenta las miradas que se dirigían su hermano y su esposo. La actitud de Adoain había dado un giro completo. Sus hombros estaban relajados; su mentón, sin la tensión que ella había percibido en los días anteriores, y, de tanto en tanto, la miraba con un brillo especial que lograba derretirla. ¿Podría ser que todo se solucionase de forma satisfactoria? Confiaba con toda su alma que así fuese, porque nada ansiaba más que la paz entre ambos.

La entrada de Clara seguida de Voltoya y Arlanzón logró que todas las miradas se clavaran en ella. La navarra se quedó un instante parada en el umbral como si reconociera el terreno y a lo que iba a enfrentarse. Cuando los bellos ojos femeninos se clavaron en el castellano, caminó directamente hacia él.

Ninguno supo acertar sus intenciones.

Lucía miró a su hija preocupada. Cuando tenía en el rostro esa mirada determinante, era porque iba a hacer algo impulsivo y temerario, y así ocurrió. Clara se paró a escasos pasos de Miguel y, acto seguido, le dio un puñetazo que no lo derribó de milagro. Pero la copa que sostenía la mano masculina voló sobre el salón y terminó estrellándose cerca del hogar encendido. Los ojos de Adoain siguieron la trayectoria del objeto incrédulos. Su hermana estaba irreconocible.

—¡Clara! ¡Por amor de Dios! —exclamó Lucía con el corazón en un puño porque su hija, con su acción, podía romper la armonía que había logrado su hermano.

—¿Estamos en paz, castellano? —preguntó Clara con la voz cristalina y los ojos brillantes.

Algunos de los hombres lanzaron murmuraciones de aceptación al contemplar la bravura de la hermana del conde. Nada les complacía más que ver a hombres castellanos doblegados por la ira navarra.

Miguel miró a la muchacha sin creerse su temeridad, pero el derechazo le había dejado la mejilla insensible. No dudaba de que en unos momentos iba a tenerla tan roja e hinchada como la mejilla de la mujer. Pero el brillo de las pupilas femeninas le indicaba que ella sufría el golpe en su muñeca mucho más que él en su mentón. Le hizo una levísima inclinación con la cabeza a modo de aceptación.

—Para estar en paz yo tendría que sostener un cuchillo en vuestra garganta, pero hoy me mostraré magnánimo con vos. —La respuesta de Miguel hizo que Lucía ahogase una exclamación—. Aunque no puedo prometeros el mismo trato para el día de mañana.

Clara inspiró fuertemente.

La muñeca le dolía a rabiar; si no fuese porque podía moverla, creería que se la había roto por su actitud impulsiva. Pero ella no podía dejar indemne a un hombre que le había provocado una hinchazón en el rostro y que le iba a durar bastantes días. Además, mientras alimentara la furia contra él, podía manejar el deseo que le provocaba con solo mirarla. Le hacía arder la sangre, y era una circunstancia que Clara no había sentido nunca.

Un instante después abandonó el salón para dirigirse a sus dependencias. Tenía que cambiarse la ropa manchada y darse un baño para calmar su espíritu antes de las viandas.

Lucía se entregó a la tarea de acomodar a los nobles castellanos, que partirían al día siguiente de regreso al hogar, pero esa noche podían conversar y cenar como si el tiempo no importara. Dulce optó por acompañar a su suegra y ayudarla con los preparativos. Tras la marcha de las mujeres, la tensión se incrementó en el salón por la actitud de los navarros, que miraban al séquito castellano con suma desconfianza. Artáiz tomó postura situándose muy cerca de Miguel Álvarez, actuando de protector. Intención que reconocieron todos, incluso Adoain.

¿Desde cuándo se había ganado el castellano a su hombre más leal?, se preguntó el conde con una media sonrisa en los labios.

—¿Reconquistaréis Alarcos? —le preguntó Adoain.

Miguel dio un sorbo a la copa, que había recuperado antes de responder, pero inmediatamente tosió con aspavientos. El contenido no era vino sino un licor muy fuerte que no había probado nunca. Sintió como una lengua de fuego que lamía el interior de la garganta a medida que el líquido descendía. Parpadeó varias veces y carraspeó antes de poder responderle.

—Don Alfonso está pactando acuerdos con otros reyes cristianos para lanzar una gran ofensiva. La derrota en Alarcos tuvo consecuencias desastrosas para nosotros, pues la frontera musulmana se encuentra demasiado cerca, en los montes de Toledo. Incluso la ciudad de Toledo está amenazada, igual que el valle del Tajo. Una situación insostenible y que está mermando nuestras fuerzas.

—Don Alfonso está actuando con una gran inteligencia —le dijo Adoain en voz muy baja—. La victoria en las Navas de Tolosa ha supuesto un merecido reconocimiento para todos los reyes cristianos. —Adoain calló un momento antes de continuar—. Ya hay pactado un acuerdo para enviar a dos señoríos del norte integrados por hombres valientes, que estarán dispuestos a morir por su fe.

Miguel no lo dudaba, y confiaba en la alianza con el resto de los cristianos de León, Aragón y Navarra.

—¿Llevaréis a mi hermana a Arienza? —le preguntó con interés.

Adoain miró a su cuñado sin comprender. La pregunta la

había formulado en un tono de pesar que llegó a extrañarlo.

—Me gustaría conocer a mi sobrina o sobrino cuando haya nacido.

El tono de Miguel parecía melancólico. Sus pupilas estaban fijas en un punto en el infinito, como si meditase algo de incalculable valor.

—Si el conde de Arienza muriera sin descendencia, mi sobrino o sobrina sería el heredero del condado, aunque tendría que jurar vasallaje al rey Alfonso de Castilla.

La generosidad de Miguel dejó sin palabras a Adoain.

—Sois un hombre joven y sano. Disponéis de mucho tiempo para tener uno o varios herederos. —Los ojos de Miguel se empañaron durante un instante.

Vivía en constante peligro.

Las luchas con los almohades se recrudecían cada vez más, y era plenamente consciente de que podía caer bajo la espada de un sarraceno en cualquier momento. Por ese motivo, cuando contempló con sus propios ojos el embarazo de su hermana, algo se había removido muy dentro de él.

¡Había comprendido tantas cosas!

Las riquezas y las propiedades no valían nada si no se tenía a alguien al lado con quien compartirlas y disfrutarlas. Pero él estaba tan absorto en la guerra, que había olvidado lo que significaba regresar al hogar amado.

La llegada de las mujeres de nuevo al salón detuvo sus pensamientos y los tornó a la realidad. Su hermana resplandecía, el color de sus mejillas se había intensificado, y supo que era debido al hombre que no le quitaba la vista de encima. Cuando la escuchó en las almenas proclamando a los cuatro vientos su amor por él, primero se había sentido enojado, después zarandeado en su amor propio, pero había llegado el momento de que decidiera por sí misma, aunque permitirle hacerlo la alejaba de él y de todo lo que había conocido.

Arienza estaba demasiado lejos de Bearin y, por ese motivo, ella estaría a salvo si su condado caía bajo el dominio almohade. Aunque Arienza fuera sometida por huestes musulmanas y él asesinado por el filo de una cimitarra, su hermana estaría a salvo… ¿Acaso importaba algo más?

Los tablones de madera para las mesas fueron colocados por varios sirvientes, mientras Miguel y Adoain bebían aguardiente y compartían alguna confidencia sobre la guerra y sobre el futuro.

Dulce soltó los lazos que ataban los laterales de su vestido. Tenía la mirada perdida, pero una sonrisa curvaba las líneas de sus labios, como si compartiese un secreto con ella misma.

Adoain la observaba desde el umbral de la puerta abierta, pero ella no había escuchado el ruido que había hecho al abrirla. Bearin se mantenía en silencio, cada uno en sus respectivas estancias para pasar la noche. Ignoraba qué le traería la mañana, pero esa noche él tenía una misión que cumplir con su esposa: una conversación interrumpida y unos deseos insatisfechos.

Como si lo presintiera, Dulce volvió el rostro buscando su encuentro y la sonrisa que le dedicó le hizo temblar las rodillas.

—Dulce —dijo en voz muy baja. Los ojos femeninos brillaban especialmente para él, que se sintió el hombre más afortunado del mundo—. Os vais a enfriar.

Ella negó una única vez.

—Creo que me he acostumbrado a este clima, no volveré a pasar frío nunca más.

Adoain imitó el gesto de su sonrisa. La estancia estaba caldeada por el fuego que crepitaba en el hogar, y le confería un color dorado a su figura. Cruzó con grandes zancadas el espacio que la separaba de ella y del taburete donde estaba sentada.

—Os ayudaré —le ofreció gentilmente.

—Os lo agradezco —le respondió con humildad.

¿Le había temblado la voz?, se preguntó Dulce, pero ver la figura imponente de su esposo la descentraba.

—Adoro veros vestida con mi manto verde, desde aquella noche en Fortún cuando cubrí vuestro hermoso cuerpo con él.

El recuerdo tiñó de rojo las mejillas femeninas.

—Nunca en mi vida había sentido tanta vergüenza. —Adoain supo que se refería al hecho de que Kamîl los hubiera pillado en un encuentro íntimo.

—Ni yo un placer más grande —le respondió con una cadencia que la quemaba por dentro y la hacía vibrar.

Las manos de Adoain la ayudaron con los tejidos y las horquillas del pelo. Dulce quedó vestida únicamente con la camisola, pero los ojos de su esposo no se apartaban de los suyos.

—Soy muy feliz de que hayáis decidido quedaros en Bearin.

—Y yo me siento dichosa porque ya no estáis enojado conmigo.

—Vuestro silencio me hirió profundamente.

—Lo sé.

—Sois la única mujer que de verdad me ha importado. Hasta que os conocí, me conformaba con relaciones efímeras a las que no concedía valor alguno, pero, cuando os vi por primera vez, la sangre se detuvo dentro de mi cuerpo. Mi corazón comenzó a galopar en mi pecho de forma desenfrenada, apenas podía respirar ni moverme. Supe que erais alguien muy especial, y ya no pude pensar en nada más que en besaros.

Las palabras de Adoain habían plasmado exactamente lo que sentía ella.

—Yo sentí lo mismo por vos. Un calor dentro de mi ser como no había conocido nunca. Me costaba respirar, pensar. Me sentí superada en emociones que no había experimentado nunca.

Adoain hablaba y la acariciaba al mismo tiempo. Enredaba sus dedos en las guedejas de cabello sedoso y deshacía las pequeñas trenzas en torno a su rostro.

—No volveré a mentiros, ni a silenciar la verdad por muy dolorosa que resulte para mí —le confió con ojos cálidos.

Adoain sintió una emoción en su pecho que lo desbordaba.

—No os apartaré de Castilla. Os acompañaré a visitar a vuestro hermano cuando la situación con los almohades no resulte peligrosa. Miguel siempre será bienvenido en Bearin. Ahora somos su familia.

¿Podía un corazón resistir tanta felicidad?, se preguntó Dulce.

—Repetidlo —le instó él—, repetid las mismas palabras de las almenas cuando me hicisteis el hombre más feliz del mundo.

—Os amo, Adoain Estella de Bearin, y deseo vivir aquí hasta el fin de mis días.

Adoain inclinó la cabeza para besarla. Dulce alzó el rostro al encuentro de la boca masculina. Y cuando el contacto se produjo, el mundo dejó de tener importancia para ellos dos, que se bebían mutuamente como si fueran un néctar divino.

Ambas lenguas se enroscaban en una danza que comenzaron a seguir los corazones y, poco después, las manos.

Epílogo

Queridos madre y hermano:

Lamento haber esperado tanto para que Artáiz os entregara esta misiva, pero tenía que asegurarme de estar lo suficientemente lejos para ello. Sé que mis palabras os van a producir un enfado justificado. Una preocupación necesaria, pero lo he decidido así.

Marcho a Castilla con el conde Miguel Álvarez y su séquito, aunque él desconoce que me encuentro entre sus soldados disfrazada de uno más. Por favor, comprended que no tiene la culpa de mi decisión, pero he decidido seguir mi instinto y escuchar a mi corazón, que se siente poderosamente atraído por el conde de Arienza.

Arriesgo mucho y puede que me arrepienta el resto de mis días, pero resulta imposible seguir en Bearin con el corazón dividido. No puedo ni deseo casarme con Jaime Arista, pues he puesto mi interés en otro hombre, aunque él no sea consciente de ello.

Si no logro alcanzar el corazón de Miguel Álvarez, regresaré.

Con todo mi amor,

CLARA ESTELLA DE BEARIN

Adoain sostenía la carta entre sus manos mientras Lucía se tapaba la boca para contener un gemido de horror. Dulce estaba estupefacta. La partida días atrás de Miguel de Arienza le había dejado una sensación de añoranza y de pesar dentro del corazón, pero ninguno había sospechado por un momento que Clara se había marchado también. Debido a su desacuerdo por el compromiso impuesto con el señorío de Ancín, se había mantenido encerrada en su alcoba y, por ese motivo, ninguno había sospechado nada hasta que Artáiz entregó la misiva con el rostro enjuto.

—Iré a buscarla —dijo Adoain con el rostro contraído no por la ira, sino por la preocupación.

—No lo estimo conveniente —dijo Artáiz de pronto.

Adoain lo miró sin comprender.

—Clara no puede abandonar Navarra —respondió el conde con el ceño fruncido.

—Dulce Álvarez abandonó Castilla —le replicó el capitán con voz pausada.

Un silencio pesado se instaló en la sala, hasta que Adoain lo rompió.

—¿Insinuáis acaso que se trata de una situación similar? —vociferó Adoain que comenzaba a perder el control.

—Clara me lo explicó todo —siguió Artáiz—, y debe seguir los instintos de su corazón.

Adoain maldijo por lo bajo y Artáiz continuó su discurso:

—Entre ella y el castellano se respira la misma tensión y necesidad que se respiraba entre vos y vuestra esposa —remató el capitán con aplomo—. Lo supe en el mismo instante en que vi cómo lo golpeó y cómo recibió un hombre de la apostura del conde un insulto de tal magnitud. Una mujer no actúa así si no está implicada emocionalmente. Ni un hombre respondería con la contención del señor Álvarez si vuestra hermana no le inspirara algo más que cortesía.

—¡Está loca! —volvió a exclamar Adoain—. El conde de Arienza ignora que lleva una mujer en su pequeño ejército, y esa situación puede crearle un grave problema entre sus hombres.

La sonrisa de Artáiz lo descolocó por completo.

—Va como escudero del barón de Voltoya— reveló Artáiz.

Lucía volvió a gemir consternada, ¡su hija disfrazada de escudero!

—Soborné al muchacho, que ha decidido convertirse en mi paje, aquí en Bearin. Tiene más o menos la misma estatura y complexión de vuestra hermana.

¿Algo tenía sentido?, pensó Dulce completamente confundida.

—Si todo marcha como Clara espera, confía veros en Castilla para sus esponsales.

Adoain estaba pasmado. Indudablemente su hermana había perdido el juicio.

—Pero yo no me preocuparía —continuó el capitán—. El séquito castellano debe andar cerca de Tudela. Miguel Álvarez le lleva a nuestro rey Sancho unos mensajes de Alfonso de Castilla y, una vez allí, se reincorporarán al ejército castellano dos hombres de confianza del rey Sancho: el duque Noain Suarbe y el conde Rodrigo Lerín, para combatir junto al rey castellano a los almohades.

Adoain soltó al fin un suspiro, que acabó convirtiéndose en carcajada.

—Me tomé la libertad de que conocieran las intenciones de vuestra hermana. Uno de los barones castellanos les lleva una misiva de Bearin. Estarán preparados para contenerla en caso de ser necesario.

Dulce ignoraba qué quería decir Artáiz con esas palabras. Era un jeroglífico para ella.

—Entonces mi hermana tendrá lo que se merece: una patada en el trasero que la devolverá a Bearin, y confío que con el orgullo magullado.

—Yo no estaría tan seguro, hijo —le respondió su madre—. Vuestra hermana tiene una tenacidad asombrosa. Dudo que regrese a Bearin con las manos vacías.

Nota de la autora

Sancho VII, rey de Navarra, fue un rey longevo que murió a la edad de ochenta años. Se le apodó «el Fuerte» debido a su enorme estatura y fortaleza. Según el historiador y antropólogo forense Luis del Campo, medía unos 2,23 metros de altura. Se casó con Constanza de Tolosa, hija de Ramón VI, conde de Tolosa, pero el matrimonio no llegó a prosperar y fue repudiada por Sancho. No hay constancia histórica de un segundo matrimonio. Sancho VII de Navarra y Jaime I de Aragón firmaron en la ciudad de Tudela, en el año 1231, un tratado de prohijamiento que no llegó a cumplirse y por el que ambos monarcas acordaban que aquel de los dos que sobreviviese al otro ocuparía el reino sin obstáculos. Sancho tuvo un hijo que a los quince años sufrió un accidente con un caballo que resultó mortal y, aunque tuvo varios hijos ilegítimos, le sucedió en el trono su sobrino Teobaldo de Champagne. Como autora me he tomado la licencia de utilizar un posible hijo ilegítimo de una familia ficticia para desarrollar la historia y utilizar el tratado de prohijamiento para dotar la trama de la solidez histórica necesaria. Todos los personajes son ficticios salvo los reyes cristianos de Navarra, Aragón, León y Castilla, así como el caudillo almohade, el obispo de Burgos y el arzobispo de Toledo.

Bibliografía

—SAGREDO, Iñaki. *El reino de Pamplona (810-1173): La Rioja, la Riojilla, La Bureba, Cantabria.* Col. Navarra: Castillos que defendieron el reino (IV). Pamiela, Navarra, 2009.

—ROSADO LLAMAS, Mª Dolores y LÓPEZ PAYER, Manuel Gabriel. *La batalla de las Navas de Tolosa,* Caja Rural de Jaén. Jaén, 2001. [Edición reducida en Almena Ediciones, Madrid, 2002.]

—FORTÚN PÉREZ DE CIRIZA, Luis Javier. *Sancho VII el Fuerte.* Colección Reyes de Navarra. Vol. IX. Mintzoa, Navarra, 2003.

Mudaŷŷan
SE ACABÓ DE IMPRIMIR
EN UN DÍA DEPRIMAVERA DE 2012,
EN LOS TALLERES GRÁFICOS DE EGEDSA
ROÍS DE CORELLA 12-16, NAVE 1
SABADELL (BARCELONA)